A DAMA MAIS
desejada

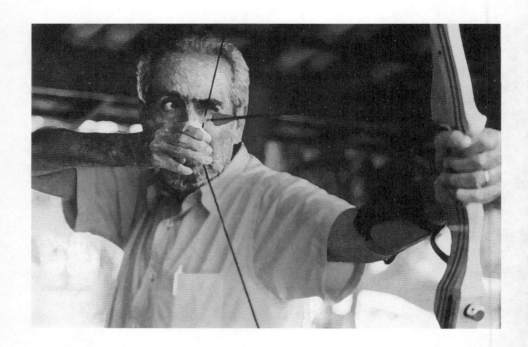

O Arqueiro

GERALDO JORDÃO PEREIRA (1938-2008) começou sua carreira aos 17 anos, quando foi trabalhar com seu pai, o célebre editor José Olympio, publicando obras marcantes como *O menino do dedo verde*, de Maurice Druon, e *Minha vida*, de Charles Chaplin.

Em 1976, fundou a Editora Salamandra com o propósito de formar uma nova geração de leitores e acabou criando um dos catálogos infantis mais premiados do Brasil. Em 1992, fugindo de sua linha editorial, lançou *Muitas vidas, muitos mestres*, de Brian Weiss, livro que deu origem à Editora Sextante.

Fã de histórias de suspense, Geraldo descobriu *O Código Da Vinci* antes mesmo de ele ser lançado nos Estados Unidos. A aposta em ficção, que não era o foco da Sextante, foi certeira: o título se transformou em um dos maiores fenômenos editoriais de todos os tempos.

Mas não foi só aos livros que se dedicou. Com seu desejo de ajudar o próximo, Geraldo desenvolveu diversos projetos sociais que se tornaram sua grande paixão.

Com a missão de publicar histórias empolgantes, tornar os livros cada vez mais acessíveis e despertar o amor pela leitura, a Editora Arqueiro é uma homenagem a esta figura extraordinária, capaz de enxergar mais além, mirar nas coisas verdadeiramente importantes e não perder o idealismo e a esperança diante dos desafios e contratempos da vida.

Julia Quinn
Eloisa James
Connie Brockway

Três autoras, uma história

A DAMA MAIS
desejada

Título original: *The Lady Most Likely*

Copyright © 2011 por Julie Cotler Pottinger, Eloisa James, Inc.,
Connie Brockway
Copyright da tradução © 2019 por Editora Arqueiro Ltda.

Todos os direitos reservados. Nenhuma parte deste livro pode ser utilizada ou reproduzida sob quaisquer meios existentes sem autorização por escrito dos editores.

tradução: Ana Rodrigues

preparo de originais: Marina Góes

revisão: Ana Grillo e Sheila Louzada

diagramação: Adriana Moreno

capa: Renata Vidal

imagem de capa: © Lee Avison/ Trevillion Images

impressão e acabamento: Cromosete Gráfica e Editora Ltda.

CIP-BRASIL. CATALOGAÇÃO NA PUBLICAÇÃO
SINDICATO NACIONAL DOS EDITORES DE LIVROS, RJ

Q64d   Quinn, Julia

A dama mais desejada/ Julia Quinn, Eloisa James e Connie Brockway; tradução de Ana Rodrigues. São Paulo: Arqueiro, 2019.

272 p.; 16 x 23 cm.

Tradução de: The lady most likely
ISBN 978-85-8041-951-1

1. Ficção americana. I. James, Eloisa. II. Brockway, Connie. III. Rodrigues, Ana. IV. Título.

19-56064   CDD: 813
                                                                      CDU: 82-3(73)

Todos os direitos reservados, no Brasil, por
Editora Arqueiro Ltda.
Rua Funchal, 538 – conjuntos 52 e 54 – Vila Olímpia
04551-060 – São Paulo – SP
Tel.: (11) 3868-4492 – Fax: (11) 3862-5818
E-mail: atendimento@editoraarqueiro.com.br
www.editoraarqueiro.com.br

SUMÁRIO

CAPÍTULO UM
Julia Quinn, Eloisa James e Connie Brockway
9

CAPÍTULOS DOIS A OITO
Julia Quinn
23

CAPÍTULO NOVE
Julia Quinn, Eloisa James e Connie Brockway
101

CAPÍTULOS DEZ A DEZESSEIS
Connie Brockway
109

CAPÍTULO DEZESSETE
Julia Quinn, Eloisa James e Connie Brockway
177

CAPÍTULOS DEZOITO A VINTE E SEIS
Eloisa James
181

EPÍLOGO
Julia Quinn, Eloisa James e Connie Brockway
265

*Este livro é dedicado a todas as pessoas
maravilhosamente engraçadas e animadas que visitam
nossas páginas no Facebook.
Nós três nos divertimos muito com vocês, e esperamos
que também se divirtam ao ler este livro!*

CAPÍTULO UM

20 de agosto de 1817
Residência do marquês de Finchley
Cavendish Square, 14 – Londres

Depois de anos sendo alvo de risadinhas, gritinhos e crises de riso descaradas, Hugh Theodore Dunne, o conde de Briarly, entendia perfeitamente bem que um irmão mais velho existe, antes de mais nada, para a diversão das irmãs mais novas. Afinal, os pais o haviam brindado com quatro delas. Tiveram o herdeiro e precisavam de mais filhos, mas só conseguiram produzir meninas, que transformaram em um tipo de arte o ato de zombar do único irmão.

– Uma lista! – dizia a mais velha das quatro, Carolyn, praticamente uivando de tanto que ria. – Georgie, você ouviu o que Hugh acabou de dizer?

Talvez ele não devesse ter levantado a questão na frente da melhor amiga da irmã, já que lady Georgina Sorrell estava praticamente tendo convulsões de riso.

– O que há de tão engraçado nisso, pelo amor de Deus? – quis saber Hugh, começando a ficar irritado. – Você mesma já me avisou milhares de vezes que tenho que me casar, a menos que queira que Simon Dissimulado herde meu título. Aqui estou eu, inclinando a cabeça para enfiá-la no laço da forca, e você aí, rindo descontroladamente e achando hilário.

– *Realmente* acho que você deve se casar – retrucou Carolyn. – Tenho certeza de que já disse isso mil vezes. Mas agora que você finalmente decidiu seguir meu conselho, quer que eu escolha a esposa? – Mais uma gargalhada. – Quer que eu faça uma *lista*?

– Desculpe – disse Georgina, um tanto arfante. – Não era minha intenção rir do assunto. Vou deixar vocês conversarem em particular. Estou indo.

Hugh não conseguiu conter um sorriso quando risinhos escaparam por trás dos dedos dela. Sempre gostara de Georgie, desde a época em que ela ainda usava vestidinhos de avental. E Georgie não andava muito risonha nos últimos tempos.

– Parem de rir – ordenou ele às duas. – Não tenho tempo para ficar dando voltas em um salão de baile fazendo esse tipo de coisa sem ajuda. Vocês estão sempre nesses lugares, conhecem a manada. Basta indicarem uma mulher com boa linhagem e bons dentes.

– Parece que ele está interessado em adquirir uma Hereford – disse Georgina para Carolyn.

– Não uma *vaca* – corrigiu Carolyn. – Um cavalo. Você conhece Hugh, ele só pensa em cavalos, dia e noite.

– Ei, eu estou bem aqui na frente de vocês – lembrou Hugh. – Podem rir o quanto quiserem, mas ainda estou esperando a lista.

– Hugh – disse Carolyn.

Ele ergueu uma sobrancelha.

– Você está falando sério?

Era um mistério, para Hugh, por que a irmã achava que ele não estava falando sério.

– Não tenho tempo para ficar caçando uma esposa – argumentou. – Estou treinando um garanhão novo, Carol. Ele é um...

– Um minuto – interrompeu Georgina. – O que fez você decidir se casar? – O riso havia desaparecido completamente da voz dela, como se nunca tivesse existido.

– O que aconteceu é que ele finalmente está crescendo – disse Carolyn, em um tom animado. – E, aos 28 anos, já estava na hora.

Georgina fez um gesto de impaciência com a mão.

– Algo o trouxe até aqui, Carol. – E se virou para Hugh. Georgina tinha um maxilar delicado, mas era impressionante como conseguia demonstrar pura determinação. – O que aconteceu?

Hugh encarou Georgina. Ele conhecia a amiga da irmã desde que ela tinha 5 anos. As mães deles eram amigas próximas, então sempre passavam o verão juntos. Não que ele a tivesse visto muito nos últimos cinco anos... na verdade, não tinha uma conversa séria com Georgina desde o velório do marido dela. E isso tinha sido... quando, dois anos antes?

– Hugh? – chamou Carolyn, também já sem o tom zombeteiro.

– Não precisa fazer disso um espetáculo – disse ele.

Hugh se perguntou quando os olhos de Georgina tinham ficado tão sérios. Ela havia passado a infância morrendo de rir, algo de que ainda gostava, mesmo sendo claramente uma matrona. Uma viúva, embora não devesse ter mais de 25 anos, já que ela e Carolyn tinham idades aproximadas.

Ela estava sentada muito ereta, os olhos fixos nele.

– Richelieu me derrubou – admitiu Hugh.

Carolyn arquejou.

– Mas você vive caindo...

Hugh fez uma careta.

– Faz parte do trabalho. Não se pode domar um cavalo, principalmente aqueles que mais me agradam, sem quebrar um osso de vez em quando.

– Mas, obviamente, dessa vez foi diferente – observou Georgina. – O que aconteceu?

– Eu... apaguei – admitiu ele, com relutância.

– Apagou? – repetiu Carolyn. – Como assim? Desmaiou?

– Mais do que isso. Entrei em coma, ou ao menos foi o que disseram.

– Por dias? – quis saber Georgina.

O tom dela era firme e calmo. É claro, ela havia visto o marido morrer. E o homem tinha demorado meses para partir... quase um ano.

– Uma semana – respondeu Hugh, resignado. – Completamente apagado.

– Por que eu não soube disso? – perguntou Carolyn, horrorizada.

Seus olhos azuis ficaram marejados, exatamente o motivo pelo qual Hugh a princípio não pretendera contar a ela.

– Peckering tem instruções claras sobre o que fazer no caso de um evento desses. E ele seguiu as instruções.

Houve um momento de silêncio na sala.

– Peckering é o seu cavalariço? – perguntou Georgina.

– Meu valete – explicou Hugh. – Confiaria a minha vida a ele.

– Mas ele ao menos chamou um médico? Isso estava no plano?

– É claro. Mas não havia nada que os médicos pudessem fazer. Você sabe como é. A pessoa que bate a cabeça pode acordar ou não.

– E mesmo se acordar, pode ficar com sequelas pelo resto da vida – acrescentou Georgina.

Ela estava muito pálida, tanto que as sardas se destacavam. Georgina sempre fora muito branca, o que combinava com o cabelo ruivo.

– Não tive sequelas – apressou-se a dizer Hugh. – Estou completamente *compos mentis*, como podem ver.

Não que ele não tivesse temido a possibilidade de sequelas, principalmente porque a visão tinha demorado um pouco a retornar. Foi durante o dia que passou deitado sem enxergar, depois de voltar a si, que percebeu que havia chegado a hora de produzir um herdeiro. Era isso ou parar de treinar cavalos. E era infinitamente preferível arrumar uma esposa.

– Ah, Hugh – disse Carolyn, com a voz chorosa. – Não suporto saber disso!

Ele foi até ela, levantou-a como se ela ainda fosse uma menininha e se sentou com a irmã no colo.

– Estou bem, Carol – garantiu Hugh, dando palmadinhas carinhosas nas costas da irmã. – Você sabe que meu trabalho é arriscado. Já me viu cair uma centena de vezes.

– Não entendo por que você não pode simplesmente contratar alguém para fazer a parte perigosa – retrucou ela, apoiando-se no ombro dele. – As pessoas geralmente contratam um chefe de estábulos.

Hugh teve uma súbita lembrança de abraçar a irmã daquele jeito quando ela era muito menor, quando ainda chupava o dedo. Provavelmente a lembrança era de logo após a morte da mãe deles, imaginou Hugh, quando ele tinha 9 anos e Carolyn apenas 5 ou 6.

– Porque treinar cavalos é a minha vida – respondeu ele, com objetividade. – E eu tenho um chefe de estábulos. Tenho na verdade três, veja você, contando com os estábulos na Escócia e em Kent. Mas quando aparece um cavalo como Richelieu, eu sou o único a lidar com ele.

– Por que não pode trabalhar com cavalos normais, então? – reclamou ela. – Por que tem que ser esses árabes terríveis, tão violentos e descontrolados?

– Eles não são violentos por natureza – retrucou Hugh, e visualizou os lindos animais com quem passava a vida. – Richelieu é bem-humorado, e, para ele, é um jogo tentar levar a melhor sobre mim. Se eu domar seu espírito, destruo sua capacidade de vencer.

– Não conheço nenhum outro conde que passe os dias de maneira tão perigosa – comentou Carolyn, já começando a ficar emburrada, o que significava que estava se sentindo melhor.

Ele se levantou, colocou-a no chão e sorriu para ela.

– Pronto, aqui está minha irmãzinha rabugenta de volta.

– É bem feito para você se eu ficar rabugenta. Você me enlouquece, Hugh. Quase nunca nos encontramos, então você quase morre e não me conta nada, e... eu *me preocupo* com você!

– Há anos você me atormenta para que eu me case. Desde que fiz 18 anos, e isso foi longos dez anos atrás. Pense só como você vai ficar feliz. Não devo demorar para resolver a situação.

– Doeu? – perguntou uma voz baixa.

Ele se virou e encontrou os olhos impressionantes de Georgina, de um tom escuro de púrpura. Como o das flores de lavanda que a governanta de Hugh pendurava na despensa. E Georgina encarava um homem com firmeza, sem afetação. É claro que ela não bancaria a coquete com ele. Hugh era como um irmão para ela.

– Não – respondeu ele. Mas logo se corrigiu: – Sim. – Não queria mentir para Georgina. – Minha cabeça doía muito quando finalmente acordei. Algo a ver com a luz, eu acho. Mas fiquei bem depois de alguns dias.

Carolyn correu para a porta, deixando escapar um pequeno soluço.

– Piers, aconteceu uma coisa horrível... Hugh ficou em coma por uma semana inteira e não avisou nada a ninguém! – disse ela, jogando-se nos braços do marido.

– Finch – disse Hugh, cumprimentando o cunhado com o apelido camarada que sempre usava com ele.

O marquês de Finchley não se inclinou para retribuir o cumprimento, já que estava com os braços ocupados com a marquesa, mas assentiu.

– Caiu de cabeça?

– Infelizmente.

– Ele me parece muito bem – disse Finchley a Carolyn.

– Hugh quase morreu – disse ela, a respiração saindo em mais um soluço.

O cunhado lançou um olhar para Hugh que dizia, direto como um tiro, que ele nunca deveria ter contado à irmã.

– Eu não pretendia – disse Hugh, voltando a se sentar. – Georgina arrancou a informação de mim.

Georgina ainda estava sentada muito ereta.

– Ele veio se oferecer em sacrifício ao altar do casamento – retrucou ela com ironia. – Supus que houvesse tido ao menos um breve encontro com a morte para chegar a esse ponto.

Finchley assentiu.

– Só mesmo algo muito desagradável para tirar Hugh dos estábulos.

Hugh se ressentiu um pouco daquele comentário. Nos últimos dez anos, havia triplicado os bens que o pai lhe deixara, importando e criando puros-sangues árabes. Se não estava flanando pelos salões de baile, era só porque... só porque não existia para ele uma vida sem o suor, a empolgação e a pura alegria de um estábulo.

– Bem, estou aqui – disse bruscamente. – E planejo me casar, portanto, se quer zombar de mim você também, Finch, termine logo com isso.

Finchley segurou mais firme a cintura de Carolyn e deu um sorrisinho de lado por cima da cabeça dela.

– Por que eu faria isso?

É claro que o casamento deles havia sido por amor. Hugh não teria aceitado que fosse de outra maneira, já que Carolyn sempre fora a mais sensível das irmãs. Precisava que tomassem conta dela, e o marquês era o homem certo para isso.

– Ele está pedindo a Carolyn para fazer uma lista – explicou Georgina.

– Que tipo de lista? – perguntou Finchley.

– Uma lista de mulheres para casar – disse Hugh, sentindo que aquela tinha sido uma ideia idiota. Agora Finch também ia zombar dele.

– Acho que uma esposa é mais do que o bastante – declarou o cunhado, sorrindo.

– Obrigado pelo conselho tão inacreditavelmente inteligente – retrucou Hugh. – Poderia parar de se pendurar no seu marido e anotar um nome ou dois, Carolyn? Pensei em ir ao Almack's esta noite para resolver logo esse assunto.

– Ao Almack's? Caso você não tenha percebido, Hugh, a temporada social terminou. Há mais de uma semana. – A voz doce de Georgina mais uma vez escondia uma risada, mas ele odiou ver aquela tristeza nos olhos dela. Maldito fosse aquele marido por ter morrido.

– Isso significa que não posso conhecer mulheres simplesmente porque não estamos na temporada social? Carol, no ano em que você debutou, tive a impressão de que você passou todas as noites no Almack's.

– O Almack's é um clube que abre apenas uma vez por semana, e só durante a temporada social. E como você saberia com que frequência eu ia lá? – perguntou Carolyn em tom sarcástico. – Tia Emma estava sempre torcendo para que você me acompanhasse, e você nunca se deu ao trabalho, nem uma vez.

– Irmãos nunca...

– Nem tente – interrompeu-o Carolyn. – Seu amigo mais próximo, o conde de Charters, andou por toda Londres na última temporada, acompanhando a irmã.

– Pobre Alec – disse Hugh, achando a ideia engraçada. – Devo pedir que ele faça a lista para mim, então? Deve ter visto todas as mulheres que estão no mercado, já que passou tanto tempo nos salões de baile.

– Se alguém vai fazer essa lista, serei eu – declarou Carolyn. – *Eu* vou me comportar como uma boa irmã e tentarei encontrar uma esposa para você, mesmo que *você* tenha se recusado a me ajudar quando foi a minha vez de me casar!

– Você debutou no ano em que eu trouxe Monteleone da Arábia – argumentou Hugh. – Richelieu, o cavalo com que estou trabalhando agora, é cria dele.

– Ganhei um bom dinheiro apostando em Monteleone quando ele venceu em Ascot – disse Finchley com satisfação.

Ele levou a esposa até o sofá e se sentou com ela.

– Está vendo? Finch conseguiu encontrar você sem a minha ajuda, e se na época eu estivesse zanzando por salões de baile, Monteleone não teria ganhado – disse Hugh.

– E se Monteleone não tivesse ganhado, ninguém iria querer a prole dele, e você não teria quase morrido sob o casco de Richelieu – lembrou Georgina.

– Georgie – disse Hugh, voltando ao apelido de infância dela –, pelo amor de Deus, me ajude aqui!

Carolyn fungou e endireitou o corpo.

– Então, com quem Hugh deve se casar, Georgina?

As duas ficaram encarando Hugh por um momento. Ele esperou.

– Gwendolyn Passmore? – disse Georgina, com um toque de dúvida na voz.

– Era exatamente nela que eu estava pensando – falou Carolyn, mas logo balançou a cabeça.

– Por que não? – quis saber Hugh. Então se deu conta de que não tinha ideia de quem era Gwendolyn Passmore. – Não quero me casar com ninguém que seja vesga – apressou-se a dizer. – Ou com manchas na pele.

– Gwendolyn não tem manchas. Ela é facilmente a debutante mais bonita do ano. Cabelos lindos, de um ruivo suave, com cachos perfeitos – esclareceu a irmã.

– Adoro ruivas – comentou Hugh. – Mas você não acabou de dizer que a temporada social acabou? Por que esse modelo de beleza não se casou com ninguém?

– Até onde todos sabem, ela recusou três pedidos de casamento, e tenho certeza de que houve outros. Dizem que Gwendolyn está esperando que o duque de Bretton se declare.

– As apostas de que o duque está prestes a perder sua liberdade são altas – contou Finchley. – Ele dançou com ela duas vezes no baile McClendon.

– Ele não tem estábulos – disse Hugh, dando de ombros.

– Não são estábulos que ganham o coração de uma mulher – retrucou Carolyn, franzindo a testa para ele. – Bretton mora muito bem.

– E é *muito* bonito – acrescentou Georgina.

– E eu não sou?

Por algum motivo, Hugh ficou incomodado ao ouvir Georgina dizer aquilo. Era verdade que ele não andava flanando por salões de baile, mas a mulher de quem ele era... bem... amigo nunca reclamara. Na verdade, Hugh tinha a forte impressão de que seus ombros largos e corpo musculoso eram muito bem-vistos.

– Ela está acima das suas possibilidades – disse a irmã. – Linda demais, desejável demais.

– Não concordo – disse Georgina, franzindo a testa. – Gwendolyn teria sorte se decidisse se casar com Hugh. Afinal, ele tem o seu cabelo, Carolyn.

Carolyn sorriu.

– É o que eu tenho de melhor!

Hugh examinou os fios da irmã. Eram do mesmo tom castanho de conhaque que os dele, embora ele nunca tivesse dado muita atenção àquilo.

– Mas não sei se ela iria corresponder o interesse – continuou Georgina.

– Por que não? – perguntou Hugh.

– Ela é um pouco tímida – respondeu Georgina.

– E você tem o traquejo social de um elefante – comentou Carolyn bruscamente. – Além do mais, Gwendolyn é realmente uma sensação.

– Ela é a Carolyn desse ano – comentou Finchley, que abraçava a esposa, ao seu lado, com força.

Hugh o encarou. Independentemente do que acontecesse, não queria terminar meloso como o cunhado. Ainda assim...

– Se você conquistou a debutante mais desejada, eu com certeza consigo o mesmo – Hugh fez questão de registrar.

– Aí está uma comparação perfeita – aproveitou a irmã. – Piers sabe dançar. Ele me *cortejou*, Hugh. Me conquistou. Me mandou violetas todas as manhãs por três semanas inteiras. Você não conseguiria fazer essas coisas. Você sequer... Não. Simplesmente tire Gwendolyn da cabeça.

– E quanto à Srta. Katherine Peyton? – sugeriu Georgina. – Ela é tão adorável, e vem do campo. Entende de estábulos.

Carolyn tamborilou com os dedos no queixo, pensativa.

– Eu ouvi quando ela perguntou a lorde Nebel quantos carneiros ele criava em sua propriedade. O homem não sabia nem que criava carneiros.

– Tenho carneiros, mas, pelo que vejo, eles só sabem comer. Não correm – comentou Hugh. – Acho que prefiro Gwendolyn. Veja como funcionou bem para Finch.

– O que funcionou bem?

– Quero a melhor esposa disponível no mercado de casamentos – explicou Hugh prontamente. – Sei que você não gosta da comparação, mas não me parece assim tão diferente de comprar um cavalo. Sempre há um potro que todos acham que vai gerar um campeão. Gwendolyn é o potro disputado deste ano, então é ela que eu quero.

Carolyn revirou os olhos.

– Você não pode simplesmente comprar Gwendolyn, Hugh.

Ele sabia que era melhor ficar em silêncio. Mas tinha uma suspeita perspicaz de que o pai de Gwendolyn, fosse quem fosse, não ficaria aborrecido ao saber que a Briarly era uma das propriedades mais ricas de toda a Inglaterra. E se ele resolvesse oferecer Richelieu como um presente de casamento...

– Kate é absolutamente encantadora – disse Georgina. – Tem uma risada adorável e é muito bonita. E também tem dentes lindos.

Hugh não gostou da ideia de que Georgina, entre todas as pessoas, estivesse escolhendo uma esposa para ele – e ainda aproveitando a oportunidade para zombar dele. Os dentes dela, por falar nisso, eram muito brancos, como ele podia ver facilmente, já que ela estava rindo de novo. Qual era o problema de gostar de bons dentes? Ninguém iria querer se casar com uma mulher que tivesse um dente da frente acavalado.

– Concordo que Kate Peyton é uma ideia brilhante – disse Carolyn. – Não acha, Piers?

O cunhado deu de ombros.

– Não dá para planejar essas coisas.

Naquele ponto, Hugh discordava dele.

– Quero só mais um nome – pediu. – Tenho Gwendolyn, Kate e...

– Georgina – sugeriu Finchley. – Por que não Georgina?

Carolyn e Georgina desataram a rir, o que irritou Hugh ainda mais.

– Como se eu quisesse que a minha amiga mais querida passasse o resto da vida tentando convencer o marido a sair dos estábulos! – exclamou Carolyn.

Ele estreitou os olhos e esperou até que Georgina parasse de rir.

– Você *está* no mercado, não está? – perguntou Hugh objetivamente. – Afinal, já se passaram dois anos desde que seu marido morreu.

– Sim, é verdade – disse ela, a risada murchando como o ar escapando de um balão furado.

Hugh sentiu uma pontada de culpa.

– Desculpe. Foi rude da minha parte trazer o assunto à tona. Maldição, sou mais desajeitado do que um menino de estábulo.

– Está tudo bem – garantiu Georgina, conseguindo dar um sorriso que curvou seus lábios, mas não chegou aos olhos. – Eu prefiro não entrar na sua lista, se você não se importa. Não tenho desejo de me casar de novo.

– Não quer se casar de novo? – perguntou Hugh, espantado. – Nunca mais?

Ela balançou a cabeça.

– A propriedade de Richard não tinha nenhuma restrição de herança. Não preciso da proteção da renda de um homem.

– Não é essa a questão – disse ele. – E quanto a ter a companhia de alguém? E filhos?

Uma sombra cruzou os olhos de Georgina, e Hugh percebeu que havia tocado em um ponto sensível do argumento dela.

– Até eu me lembro de como você arrastava aquele boneco de pano verão após verão – disse ele. – Estava sempre colocando-o na cama, dando folhas para ele comer e tudo o mais.

– Nunca demos folhas para as nossas bonecas comerem – reclamou Carolyn, indignada. – Bolotas de carvalho, sim; folhas, não.

– Quando não estávamos tentando fazer os bonecos velejarem pelo riacho – disse Georgina. – Chega, Carol. Acho que o tratamento que dávamos aos nossos pobres bonecos só prova nossa inadequação para a maternidade. Lamento não ter tido filhos, mas não consigo me imaginar voltando a me casar apenas por esse motivo. Isso não vai mais acontecer.

– Não concordo – falou Carolyn. – Você simplesmente não conheceu um homem que fosse um adulto de verdade. Vamos encontrar um homem de verdade para você, como o meu Piers. Talvez um militar.

Hugh abriu a boca... e logo voltou a fechar. Afinal, aquilo não era problema dele.

– Onde diabos vou encontrar essa Gwendolyn, se o Almack's está fechado? – perguntou à irmã.

– Reuniremos um grupo para passar uma temporada lá em casa – apressou-se a dizer ela. – Mandarei convites para daqui a quinze dias. Convidarei Gwendolyn e Kate. Ah, e algumas outras debutantes também. Depois que eu fizer chegar aos ouvidos de algumas mães que você estará presente, conseguirei que todas as donzelas solteiras que você puder desejar estejam lá.

Hugh grunhiu. Estava vagamente consciente de que era o alvo de um fervor casamenteiro – era difícil ignorar isso, já que era regularmente assediado nas corridas, especialmente em Ascot. Mas nunca prestara a mínima atenção a isso antes.

– Não é necessário que sejam todas donzelas.

– Ora, isso é bastante liberal da sua parte – comentou Carolyn, com uma careta típica de irmã mais nova. – Mas, como dificilmente serei capaz de entregar um questionário perguntando sobre a experiência das jovens nesse campo, teremos que deixar como está.

– Estou dizendo que ficaria feliz em me casar com uma mulher mais velha – esclareceu ele. – Uma viúva. Não Georgina, já que ela aparentemente está fora do páreo, mas o que estou dizendo é que preferia que minha esposa não tivesse 16 anos.

– Não havia debutantes com 16 anos esta temporada – comentou a irmã, com tranquilidade. – Dezessete, talvez. Mas a moda no momento é esperar um pouco antes de debutar. Acredito que Gwendolyn esteja perto dos 20.

– Ela me parece uma opção cada vez melhor – disse Hugh.

– E como não posso convidar apenas mulheres – continuou Carolyn –, sei exatamente quem vou convidar para você, Georgie.

– Para *mim*? – exclamou Georgina, não parecendo nada animada com a perspectiva, o que por algum motivo agradou a Hugh.

– Ela acabou de dizer que não deseja se casar – lembrou ele.

Finch o encarou com uma expressão que dizia que não adiantava se meter na conversa, e, realmente, Carolyn continuou como se ele não tivesse falado nada:

– O capitão Neill Oakes. É um herói de guerra, dono de uma propriedade adorável... não que você precise disso... e, acima de tudo, ele é tão *másculo*! Eu nem gosto de uniformes e mesmo assim fiquei toda arrepiada quando o vi sendo apresentado à rainha.

Hugh percebeu que Georgina não se apressou a descartar a ideia.

– É melhor ser cuidadosa nesse caso – disse ele, assumindo o papel de irmão mais velho. – Não sei se você sabe, mas a guerra pode fazer coisas terríveis a um homem.

– Ele tem olhos fabulosos, muito negros, parecem atravessar a pessoa – comentou Carolyn, sonhadora.

Hugh percebeu que Finch também não estava gostando nada da descrição. Ele apertou com mais força a esposa, que pareceu despertar.

– Também vou convidar o duque de Bretton – continuou ela. – Caso contrário, a mãe de Gwendolyn jamais aceitará o convite. Ouvi dizer que ela está determinada a transformar a filha em duquesa. E quem pode culpá-la, não é mesmo?

– E você vai organizar essa temporada no campo para daqui a quinze dias? – perguntou Hugh.

– Sim. Será na Mansão Finchley, é claro. Todos da casa já estão prontos para a mudança, amanhã.

– Temos a melhor caçada a gansos ao sul da Escócia – lembrou o cunhado. – Você nunca esteve lá conosco, em setembro.

Hugh dificilmente poderia declarar, naquele momento, que não gostava nem um pouco de perambular pela floresta tentando matar algum animal. Ainda mais naquele momento, quando acabara de ser estabelecido que heróis de guerra davam os melhores maridos.

– Além do mais, é meu aniversário de 25 anos – disse Carolyn, em um tom presunçoso. – Piers me prometeu um presente maravilhoso. Quem sabe você pode aprender com ele como fazer uma mulher se apaixonar por você, Hugh.

– Você tem sorte por estar sentada do outro lado da sala – ameaçou Hugh. – Porque eu adoraria beliscá-la.

O marquês sorriu para ele.

– Não se preocupe, meu velho. Vou lhe dar algumas sugestões... se me der o próximo potro da cria de Monteleone.

– Nem sonhe com isso! – disse Hugh, bravo. Mas isso o fez lembrar: – Mas levarei Richelieu, é claro – informou ao cunhado. – Haverá lugar para ele nos seus estábulos?

– Com certeza! Estão todos falando de Richelieu, e ninguém o viu ainda.

– Não posso me afastar dele, nem mesmo por uma semana ou duas – disse Hugh. – Aquele bicho ama correr, mas pode acontecer algo com a boca dele se eu permitir que outra pessoa termine o treinamento.

– Richelieu *não* está convidado para o meu grupo – informou Carolyn, categórica. – Só vou convidar a variedade de machos de duas pernas, e todos já têm que ter sido domesticados.

Hugh estava prestes a dizer à irmã que, nesse caso, ele não iria, quando Finchley deu uma sacudida de leve na esposa.

– Você pode não conseguir que o duque de Bretton vá ao campo só porque há uma linda debutante em oferta. *Ela* pode ter decidido se casar com ele, mas garanto que Bretton não está assim com tanta pressa de ir para a forca. – Ele encontrou os olhos de Hugh com uma expressão significativa. Os dois sabiam que a nova e deliciosa amante de Bretton, uma cantora de ópera alegremente conhecida como Delilah Deliciosa, provavelmente o seguraria em Londres. – Mas se souber que Richelieu está sendo treinado na minha propriedade – continuou Finchley –, Bretton irá. E outros homens também. *Esse* é o chamariz que fará os cavalheiros comparecerem.

– Bretton estaria lá em um piscar de olhos – concordou Hugh. – Ele tentou comprar Monteleone de mim umas cinco ou seis vezes.

– Mas você não quer que Bretton vá – lembrou Georgina, parecendo achar graça. – Ele é seu rival pela mão de Gwendolyn, lembra-se?

– O dia em que Bretton for um rival para mim, eu vou...

– Vai o quê? – interrompeu a irmã, rindo. – Jogar a toalha? Declarar solteirice eterna?

Ela caiu na gargalhada, e voltaram para o ponto em que a conversa havia começado. Hugh preferiu sair da sala.

CAPÍTULO DOIS

Quando tinha 18 anos, Gwendolyn Passmore escorregou em uma alameda lamacenta e quebrou a perna. O médico fez um trabalho esplêndido recolocando o osso no lugar, mas a jovem teve que passar oito semanas inteiras sem apoiar o peso no pé. Normalmente, isso teria sido uma completa tortura. Ela era do tipo que gostava de caminhar, adorava escapar de casa quando o orvalho ainda estava fresco no gramado e caminhar por quilômetros e quilômetros até a bainha do vestido estar ensopada.

Mas ela quebrou a perna em abril, por isso teve de esquecer aquela que seria sua primeira temporada social em Londres. A mãe ficou desolada.

Gwen ficou em êxtase.

Quando tinha 19 anos, o irmão foi morto em Waterloo. Com a família de luto, a temporada social de Gwen foi adiada por mais um ano.

Ela conseguira fazer todas as longas e deliciosas caminhadas que amava naquela primavera e naquele verão, mas metade do tempo se pegara sentada embaixo de uma árvore, chorando. O irmão, Toby, tinha sido a única pessoa no mundo com quem se sentia completamente à vontade. E agora ele se fora.

Quando Gwen tinha 20 anos, não havia nenhum osso quebrado, e ninguém tinha morrido. Assim, no final de março, ela se viu sendo medida, cutucada, embalada e examinada por mulheres com sotaques franceses (o que, por algum motivo, tornava a experiência extremamente diferente, embora não menos desagradável).

Como os pais de Gwen eram o visconde e a viscondessa Stillworth, ela recebeu convites para todas as festas importantes e, em uma noite gelada de abril, foi exibida diante da aristocracia para fazer seu début na sociedade.

E, para seu horror, tornou-se uma sensação instantânea.

– Eu disse que ela parecia a Vênus de Botticelli – comentou a mãe dela, cheia de orgulho, com o pai, depois que um quarto cavalheiro apontou a semelhança.

E, realmente, com os cabelos ondulados de um dourado-avermelhado, a pele de alabastro e os olhos verde-mar, Gwen realmente guardava impressionante semelhança com a forma como o gênio italiano interpretara a deusa.

Mas cada vez que alguém fazia esse comentário, Gwen não conseguia fazer nada além de balbuciar e enrubescer, porque sabia tão bem quanto todo mundo que Vênus está parada dentro da concha, com os cabelos cobrindo apenas um seio.

Sendo assim, menos de uma semana após o início da temporada social, a Srta. Gwendolyn Passmore foi declarada a beldade inquestionável da aristocracia. Sonetos foram compostos em sua homenagem, os jornais passaram a chamá-la de A Vênus de Londres, e ela foi convidada a posar para Sir Thomas Lawrence em pessoa.

A mãe de Gwen ficou em êxtase.

Gwen ficou profundamente infeliz.

Odiava aglomerações, odiava ter que conversar com desconhecidos. Não gostava de dançar com estranhos, e a mera ideia de ser o centro das atenções de alguém lhe era aterrorizante.

Gwen passava boa parte do tempo parada nos cantos dos salões, tentando não ser notada.

A mãe estava o tempo todo dizendo "Sorria! Sorria um pouco!" e "Mais animação!". Gwen queria agradar os pais, e teria adorado ser uma dessas moças que riam e flertavam e eram a alegria de todas as festas.

Mas ela não era assim.

Em junho, Gwen já estava contando os dias para o fim da temporada social. Em julho, ficava olhando para o calendário e pensando: *Falta pouco, falta pouco*. Então veio agosto (tão difícil de suportar), e setembro, e...

– Tenho ótimas notícias! – exclamou a mãe, entrando apressada no quarto da filha.

Gwen levantou os olhos do caderno de desenhos. Não desenhava maravilhosamente, mas gostava de praticar.

– O que foi, mamãe?

– Fomos convidados para passar uma temporada em uma casa de campo!

Garras sutis de terror pareceram envolver o estômago de Gwen.

– Uma temporada? – repetiu.

– Exatamente. Fomos convidados pela marquesa de Finchley. Não é esplêndido? Será daqui a duas semanas.

– Achei que fôssemos para casa na semana que vem.

Não importava que a residência em Londres levasse o nome da família; para Gwen, a casa dela sempre seria Felsworth, a propriedade enorme e extravagante em Cheshire, onde havia crescido.

– A Mansão Finchley fica em Yorkshire Dales. É quase diretamente no nosso caminho para Felsworth – explicou a mãe. – Vamos fazer um pequeno desvio. Será uma diversão encantadora. Uma ótima pausa na viagem.

A viagem não era tão longa a ponto de precisar de uma pausa de mais do que algumas poucas noites em estalagens, mas Gwen não se deu ao trabalho de argumentar. E também não perguntou como, exatamente, Yorkshire ficava no caminho para Cheshire. Não ganharia nada com isso; a mãe já se decidira e não havia como demovê-la da ideia.

Uma temporada festiva, pensou Gwen, infeliz. Imaginava que aquilo poderia ser pior do que a temporada social londrina.

– Lady Finchley diz que Bretton estará lá – contou a mãe, erguendo a carta como se fosse um documento oficial. – Acho realmente que ele está perto de fazer o pedido, Gwenzinha. Essa talvez seja a nossa oportunidade de fazer com que ele se decida.

Era em momentos como aquele que Gwendolyn se perguntava se ela e a mãe habitavam o mesmo mundo. Porque no mundo dela, Gwen, era absolutamente óbvio que o duque de Bretton não estava nem um pouco *perto* de pedi-la em casamento. Embora ela provavelmente aceitasse se ele pedisse. Agradava a Gwen a ideia de ser uma duquesa. Até onde sabia, as duquesas podiam fazer qualquer coisa que desejassem.

Talvez fosse bastante divertido ser uma excêntrica.

E o duque parecia um homem bastante agradável. Além de inegavelmente belo e incrivelmente inteligente.

– Preciso escrever para lady Finchley para saber quem mais foi convidado – disse a mãe de Gwen, os olhos com um terrível brilho calculista. – Talvez o irmão dela... que é o lorde Briarly, você sabe.

Gwen sabia. Havia decorado o *DeBrett's*, o guia da aristocracia, o que tornava um pouco mais fácil conversar com as pessoas, pois sabia quem eram e como estavam conectadas entre si.

– Eu me pergunto quem mais irá – insistiu a mãe. – Não consigo pensar quem seriam os amigos de lorde Finchley. Embora eu imagine que será a esposa dele quem cuidará da lista de convidados. – Ela se inclinou para a frente e deu um tapinha carinhoso na mão de Gwen. – Sei que você não gosta dessas coisas, querida, mas não vai ser assim tão ruim, prometo. Uma temporada festiva é muito diferente da temporada de Londres. É muito mais íntimo. No fim, você estará amiga de todos.

Baseada na experiência que tivera com as jovens damas da aristocracia até então, pensou Gwen com sarcasmo, duvidava profundamente disso. Ela baixou os olhos para o caderno de desenho. Estava rascunhando um coelho. Decidiu dar dentes pontudos a ele. Coelhinho malvado. Excelente.

– Muito bem, então – continuou a mãe –, precisamos conseguir um novo traje de montaria para você, e talvez três vestidos novos para o dia. E, ah, estou tão, *tão* satisfeita por lady Finchley ter pensado nisso! E tão grata por essa última oportunidade para você conhecer alguns cavalheiros!

– Eu *conheci* todos os cavalheiros – insistiu Gwen.

Era verdade. Ela havia sido apresentada a todos os cavalheiros em Londres. Havia dançado com a maioria deles, e recebera pedidos de casamento de quatro. Dois haviam sido rejeitados de antemão pelo pai de Gwen, um fora vetado pela mãe ("Conheço a mãe dele", tinha dito ela, "e de forma alguma vou sujeitar minha única filha àquilo") e o último – lorde Pennstall – ela quase aceitara.

Ele tinha sido muito gentil, e era bastante bonito também, além de só oito anos mais velho que Gwen. Não havia nada de errado com ele – até ela descobrir que lorde Pennstall desejava fixar residência basicamente em Londres. Ele tinha muito interesse em questões políticas, assuntos que se estendiam além de seu assento na Câmara dos Lordes.

Gwen simplesmente não suportaria. A ideia de passar o resto da vida em Londres, agindo como anfitriã para ele, organizando festas e eventos... era intolerável.

Então, com certo pesar, ela recusou o pedido, e explicou o motivo a lorde Pennstall. (Gwen não conseguia imaginar recusar uma oferta de casamento sem ser completamente honesta em relação ao motivo.) Ele ficou desapontado, mas compreendeu.

Gwen sabia que aquilo significava que teria que suportar outra temporada social, a menos que descobrisse um modo de encontrar o marido perfeito ali mesmo onde morava. Ainda assim, mais uma temporada social em Londres era infinitamente preferível a uma vida inteira como esposa de político.

Achou, contudo, que havia conquistado o direito a uma pausa. Achou que estaria livre daquilo até o ano seguinte. Então levantou os olhos para a mãe, que aparentemente havia acabado de compor uma música chamada "Uma temporada festiva la la la".

A liberdade, ao que parecia, seria adiada.

༄

Alec Darlington se tornara o conde de Charters havia dois anos, mas ainda não se acostumara a usar o nome. "Charters" era o pai dele, um velho rabugento e severo que nunca encontrara no filho nada que não visse como um defeito. Alec sempre gostara de ser um "Darlington". Era um sobrenome leve e despreocupado, que combinava perfeitamente com um homem que passava a vida em busca de prazer.

Ele apreciara viver à altura do sobrenome quando era Darlington.

Charters, por outro lado, era um tédio. Charters eram chatos. Checavam livros de contabilidade. Agiam de forma responsável.

E não era que ele quisesse muito agir de forma irresponsável de novo. Simplesmente seria bom ter a opção.

Mas o acidente de carruagem que lhe tirara o pai também lhe tirara a mãe, e isso Alec sentia profunda e sinceramente. E ele de repente havia se descoberto responsável por suas duas irmãs mais novas. Havia conseguido que Candida se casasse no ano anterior, com um segundo filho bem-relacionado, que idolatrava o chão que ela pisava. Em tudo e por tudo, fora um arranjo dos mais satisfatórios.

Isso deixara Octavia, que aos 20 anos acabara de completar sua segunda temporada social, sem absolutamente nenhum pedido de casamento, apesar do dote respeitável que Alec determinara para ela. Octavia fizera tudo certo, ou ao menos foi isso que a tia Darlington (que fora acompanhante da jovem) disse a ele. As roupas que usava eram das modistas mais elegantes.

Ela dançava como um anjo. Sabia cantar, desenhar e pintar aquarelas. Em resumo, era capaz de fazer qualquer coisa que uma jovem dama de berço deveria saber fazer.

Mas, por alguma razão, não fora "requisitada".

Octavia podia até não ser deslumbrante, mas Alec não a achava sem graça. Seus dentes talvez fossem um pouco proeminentes, mas era só esse seu defeito. E Octavia tinha olhos tão adoráveis, da mesma cor dos dele, na verdade... de um cinza claro e intenso. Ele com certeza já recebera cumprimentos por seus olhos. Por que diabos isso não acontecia com a irmã?

Os homens de Londres eram um bando de idiotas. Essa era a única explicação em que Alec conseguia pensar.

– Você sabe quem estará presente? – perguntou Octavia a ele.

Os dois estavam na carruagem de Alec, quase no fim do longo caminho que levava à Mansão Finchley.

– Briarly, é claro – respondeu Alec, espiando pela janela. Ele nunca estivera em Finchley, apesar de sua amizade de longa data com Hugh. – A marquesa é irmã dele.

Octavia assentiu.

– Sim, mas não posso tentar conquistá-lo. Hugh é praticamente meu irmão.

Alec assentiu, distraído.

– Estou certo de que Carolyn fez uma bela lista de convidados. Ela dá muita atenção a essas coisas.

Octavia suspirou.

– É só que... *Ah, não!*

– O que foi?

Ela deixou o ar escapar com dificuldade.

– Veja – disse, indicando a janela com a cabeça.

Alec olhou para fora, mas não viu nada de mais. Só outra carruagem na entrada da casa, deixando os passageiros: uma jovem e os pais, ao que parecia.

– Não está vendo quem é?

– Quem? – perguntou ele.

– Gwendolyn Passmore – disse Octavia em um gemido. – Essa é a *pior* notícia possível.

– O que há de errado com Gwendolyn Passmore?

– Alec, ninguém vai sequer *olhar* para mim se ela estiver no mesmo ambiente.

Alec havia sido apresentado uma ou duas vezes a Gwendolyn Passmore, e tinha que admitir que a jovem era de uma beleza deslumbrante. Ainda assim, Octavia era sua irmã, portanto ele falou:

– Não seja boba. Posso pensar em mil razões para que um cavalheiro prefira passar algum tempo com você.

– Ah, claro – retrucou ela. – Mil. Diga.

Alec gemeu por dentro. Irmãs e sarcasmo eram uma combinação letal.

– Você tem muito mais personalidade – disse ele.

Ela pareceu chocada.

– O que foi que eu disse?

– Que eu tenho *personalidade*? – quase gritou Octavia. – Não sabe que é isso que os cavalheiros sempre dizem das moças feias?

– Eu nunca disse que você era feia!

– Nem precisou – disse ela, fungando.

Ele a encarou por um momento, então voltou a falar:

– Só para confirmar, não há qualquer declaração correta que eu possa fazer a esse ponto, certo?

Ela confirmou com um aceno emburrado de cabeça.

Era por isso, pensou Alec, que ele não se casava. Era claro que um homem só conseguia lidar com uma mulher de cada vez. Ele não conseguiria sequer considerar ter uma esposa antes de se livrar da responsabilidade pela irmã.

Alec balançou a cabeça e pousou a mão na maçaneta da porta da carruagem. Eles haviam parado, e ele estava ansioso para descer e esticar as pernas.

– Não! – disse Octavia, puxando a mão do irmão de volta.

– O que foi agora?

– Espere até ela entrar.

Ele olhou para fora de novo.

– A Srta. Passmore?

– Sim.

– Ela é tão má assim?

– Não quero entrar ao lado dela.

– Pelo amor de Deus, Octavia.

– Devo parecer uma franguinha gorducha perto dela.

– Ah, pelo amor de Deus.

– *Mas* – acrescentou Octavia, com grande ênfase – ela não é muito simpática. Se *eu* tivesse sido declarada a pérola da temporada social, teria sido muito mais agradável com as outras jovens damas.

Alec respirou fundo. Não queria que a irmã se sentisse desconfortável, mas aquilo era um absurdo. E desconfortável. Para ele. Estava dentro daquela maldita carruagem havia quatro horas. Queria esticar as pernas.

– Vou contar até dez – disse. – Se ela não tiver entrado até lá, vou sair de qualquer maneira.

– Por favor, Alec. Por mim?

Para sorte de ambos, a Srta. Passmore entrou na casa quando a contagem de Alec chegou a nove, e ele não teve que insistir. Mesmo assim, foi obrigado a andar a um passo bem mais lento do que seria sua velocidade normal. Octavia segurou seu cotovelo com o que pareceu uma força super-humana e então cravou os pés no chão com determinação.

– O que foi agora?

– Dê tempo a ela – insistiu Octavia.

– Você realmente prefere ficar parada aqui como uma tonta a entrar com Gwendolyn Passmore?

Pela expressão da irmã, ele viu que a resposta obviamente era sim, mas devia ter sobrado algum pingo de orgulho em Octavia, afinal, porque permitiu que ele a levasse para dentro da casa no mesmo passo que Alec tinha usado para conduzir Candida ao altar no ano anterior.

– Estou começando a perceber – murmurou Alec – por que as pessoas sempre torcem para ter filhos homens. Não tem nada a ver com herdeiros.

– Isso não foi nada gentil – disse Octavia, não parecendo nem um pouco insultada.

– Mulheres dão um trabalho enorme.

– Já me disseram que valíamos a pena o esforço.

Dessa vez, Alec estacou.

– Quem disse isso?

Octavia abriu a boca para falar, mas, antes que pudesse emitir um som, ele disse:

– O que Candida anda falando para você?

– Não temos mãe, você sabe – retrucou Octavia, em um tom recatado. – Alguém precisa me explicar como as coisas funcionam.

Alec sentiu todo o seu mundo desabar. Ou talvez tenha sido só o peso no estômago. Sentiu-se nauseado. Exausto.

– Ela supostamente deveria esperar até você se casar – grunhiu.

– Irmãs não têm segredos uma com a outra – declarou Octavia, animada, então entrou na casa com um sorriso no rosto. Alec ficou impressionado ao ver que ela já não demonstrava qualquer sinal da tensão recente.

Lady Finchley os aguardava no saguão, recepcionando os convidados com uma cesta de pãezinhos.

– Carolyn – disse Alec, inclinando-se em um cumprimento educado, com um sorriso irônico no rosto. – Você está tão pastoral!

– Não é? – Ela levantou a cesta, como se exibisse uma fantasia. – Todos passaram tanto tempo na cidade... Pensei que seria bom ser o mais rústica possível. Estamos aqui para celebrar o ar puro, o orvalho da manhã e tudo isso, não estamos?

– Tenho que acordar a tempo de aproveitar o orvalho?

– Não mesmo – garantiu Carolyn.

– Então, concordo plenamente.

Ela deu um sorriso a ele, com certa afetação.

– Você precisa de uma esposa.

– Você não é a primeira a dizer isso.

Ela ergueu a sobrancelha, então logo o afastou com um aceno de mão e se virou para a irmã dele com um grande sorriso no rosto.

– Octavia Darlington – disse, com tamanho prazer que nem parecia que as duas tinham se visto na semana anterior. – Que prazer ver você!

– Obrigada pelo convite, lady Finchley – disse Octavia, fazendo uma mesura educada.

Carolyn se inclinou e falou em um tom conspiratório, embora fosse difícil entender por que, já que Alec era a única outra pessoa por perto e ele conseguia ouvir perfeitamente bem o que ela dizia:

– Convidei muitos jovens cavalheiros que são ótimos partidos. Você, minha querida, vai ter dias esplêndidos aqui.

Carolyn então se virou para Alec, uma das sobrancelhas arqueada em uma pergunta.

– Ouvi dizer que você estava em Londres durante a temporada social, mas mal o vi.

– Ele me empurrou para a tia-avó Darlington na maior parte das vezes – disse Octavia com um sorrisinho.

– Ora, não conte isso a Hugh – pediu Carolyn a Alec. – Eu disse a ele que você acompanhou Octavia a temporada inteira. – E, para Octavia, acrescentou: – Eu precisava fazer meu irmão se sentir culpado por uma certa coisa. Espero, sinceramente, que não se importe.

– De jeito nenhum – respondeu Octavia, claramente satisfeita por ter sido incluída no subterfúgio de Carolyn.

– Muito bem, então – disse Carolyn, pronta para mudar de assunto. – *Onde está* sua tia-avó Darlington?

– Acabou se demorando em Londres – explicou Octavia. – A reunião bimestral da Sociedade de Colecionadores de Passarinhos era no dia em que partimos. Mas chegará esta noite.

– A tia-avó Darlington coleciona passarinhos?

– Pergunte a ela sobre o assunto em algum momento – disse Alec.

– Não – intrometeu-se Octavia, lançando um olhar irritado para o irmão. – Não faça isso a menos que *realmente* queira ouvir a respeito.

– Confesso que sinto certa curiosidade...

– Ela empalha os bichos – disse Alec.

– Ela *não* faz isso! – exclamou Octavia. E olhou para Carolyn. – Ele é um chato. Uma praga da sociedade.

Carolyn riu.

– Irmãos são assim. Confesso que não sei o que fazer com Hugh ultimamente.

– Ele já está aqui? – perguntou Alec. Não via o amigo havia meses.

– Nos estábulos – disse Carolyn.

– É claro.

– É claro. – Ela revirou os olhos, mas logo em seguida retornou ao seu papel de anfitriã. – Winters vai lhes mostrar seus quartos. Octavia, coloquei você com sua tia-avó Darlington. O quarto é exageradamente cor-de-rosa. Espero que não se importe. Alec, você está perto de Hugh. – Ela acenou brevemente com a mão, como se para indicar alguma parte específica da casa imensa.

– Acho que vou procurar Hugh – disse Alec, e então olhou para Octavia.
– Você vai ficar bem sem mim?

Octavia pareceu irritada por ele constrangê-la com uma pergunta daquelas na frente de Carolyn.

– É claro.

– Já há um pequeno grupo de jovens damas reunidas no salão oeste – disse Carolyn. – Fofoca a perder de vista.

Octavia sorriu.

– Então, devo ir imediatamente para lá.

– E eu devo fugir – falou Alec.

E se perguntou se existiria algum pesadelo maior do que um bando de jovens damas em uma sala, envoltas em uma nuvem de fofoca. Para sorte dele, não teria que descobrir.

Saiu novamente da casa e atravessou o caminho de entrada em direção aos estábulos. Seria bom rever Hugh. A amizade deles crescera rapidamente na escola preparatória e na universidade, mas depois disso os encontros haviam sido esporádicos. Alec passava muito tempo na cidade, e Hugh passava muito tempo onde estivessem os cavalos. O que, normalmente, não era na cidade.

Alec cantarolava consigo mesmo quando se aproximou dos estábulos enormes. O cheiro de feno e de esterco o atingiu, trazido pela brisa, e ele sorriu, mesmo quando o odor de suor equino se misturou ao aroma. Alec gostava de montar tanto quanto qualquer outro homem, e com certeza já tivera sua cota de corridas a cavalo e caçadas, mas nunca conseguira compreender a paixão de Hugh por aqueles animais. Ainda assim, apreciava o fato de o amigo gostar tanto de cavalos. Hugh não seria ele mesmo se não fosse tão obsessivo com seus bichos.

– Hugh! – chamou Alec, empurrando a porta do estábulo.

Ele ouviu um gemido de uma baia no fundo, seguido por um palavrão. Seguido por outro gemido, que presumiu que fosse a versão de um palavrão no idioma dos cavalos.

– Hugh? – chamou de novo.

Uma cabeça apareceu saindo do estábulo.

– Darlington. Que bom ver você.

– Eu digo o mesmo.

Ele não se deu ao trabalho de corrigi-lo a respeito do sobrenome. Até gostava que Hugh ainda o chamasse de Darlington. Havia algo agradável e familiar nisso, como se os dois fossem meninos de novo, as únicas responsabilidades sendo para com seus tutores e amigos. Alec chegou mais perto e espiou.

– Esse é o garanhão que tem deixado meia Londres agitada?
– A metade inteligente – disse Hugh.
– Robespierre?
– Richelieu.
– É claro – murmurou Alec.

Hugh voltou ao trabalho, que era... bem, para ser sincero, Alec não sabia direito o que ele estava fazendo, mas o cavalo não parecia estar gostando. Recuou um passo. Já vira homens levarem coices e não desejava de forma alguma viver tal experiência.

– O que está fazendo aqui? – perguntou Hugh, sem levantar os olhos.
– Você me convidou.
– Convidei?
– Sua irmã. Por extensão, você.

Ao ouvir isso, o amigo levantou a cabeça e o encarou com uma expressão franca.

– Em algum momento nossas irmãs deixarão de ser nós mesmos por extensão?
– Acho que não – respondeu Alec em tom de lamento.

Hugh pressionou as têmporas com os dedos, um gesto que Alec não teria estimulado, considerando o estado das luvas dele. Mas o pobre homem parecia lutar contra uma dor de cabeça atroz.

– Falta uma – disse Hugh. – Falta eu casar uma. Depois disso, chega para mim.

Alec pensou em Octavia, dentro de casa, fofocando com as amigas.

– Vamos dar uma festa quando isso acontecer, você e eu.
– E você? Já pensou em conseguir uma noiva? – perguntou Hugh.

Alec pareceu espantado com o rumo surpreendente que tomou a conversa. Aquilo era muito estranho. Homens não conversavam sobre casamento. Não do jeito que as mulheres faziam.

– Ahn... não.

– Mas vai acabar tendo que fazer isso, não vai?

– Bem, sim.

Mas ainda não. Que diabo estava acontecendo com Hugh?

Hugh deixou escapar um suspiro. Ou talvez um gemido.

– Venho pensando em arrumar uma para mim.

– Uma esposa? – perguntou Alec, só para deixar claro. *Arrumar uma* parecia um jeito estranho de parafrasear.

Hugh assentiu. Então recuou quando o cavalo bufou, agressivo.

– Está na hora.

Seria possível que Hugh precisasse encontrar uma herdeira? Ele não tinha ouvido falar de dificuldades nas finanças da família Briarly, mas isso não significava que não existissem. Hugh era um homem reservado, e não tinha o hábito de ir à cidade... Suas propriedades poderiam estar indo à ruína sem que ninguém soubesse.

– Há algo que gostaria de me contar? – perguntou Alec, com tato.

Havia alguma coisa errada com Hugh. Ele estava sério demais. Não que já não tivesse sido sério, mas aquilo era diferente. Ele parecia cauteloso. Preocupado.

E Hugh nunca se preocupava com nada que não fosse equino.

– Está tudo bem – disse Hugh com um grunhido. – Mas eu tenho responsabilidades. – Ele levantou os olhos. – Assim como você.

Hugh não estava *exatamente* repreendendo-o, mas que parecia isso, parecia. Alec fez uma pausa para não dar uma resposta da qual poderia se arrepender mais tarde.

– Não me olhe assim – falou Hugh, dando um sorriso de lado para o amigo. – Para onde vai o *seu* título se você não reproduzir? Você não tem irmão.

– Para um primo em primeiro grau – respondeu Alec, um pouco aborrecido por Hugh ter conseguido dissipar sua irritação com um argumento tão razoável.

– Você realmente quer isso? O meu iria para Simon Carstairs.

Alec ficou espantado. Conhecia Carstairs. E desejava não conhecer.

– Vocês são parentes?

Hugh assentiu, com uma expressão sombria.

– Primos em terceiro grau.

Alec pensou a respeito.

– Sua família realmente tem dificuldade de produzir meninos.
– É, é um problema.
– Muito bem. Você *realmente* precisa se casar. E rápido.
– Minhas irmãs o chamam de Simon Dissimulado.

Alec riu.

– Você ri porque não é seu primo.
– Estou rindo porque é verdade.

Hugh não pareceu achar graça.

– Eu fiz com que Carolyn me desse uma lista.

Alec parou de rir.

– O quê?
– Uma lista. De mulheres. Disse para a minha irmã fazer uma lista de noivas. Não se pode esperar que eu encontre uma por conta própria.
– É o que geralmente se faz.

Hugh o encarou com um poderoso olhar de irritação.

– Estou ocupado.

Ele indicou o garanhão, que, Alec tinha que admitir, havia se acalmado de forma impressionante durante a conversa. Fosse o que fosse que Hugh estivesse fazendo com a fera, estava funcionando.

– Muito bem. – Então Alec teve uma ideia: – Quer a minha irmã?
– Octavia! – Hugh o encarou boquiaberto. – Ela não tem 12 anos?
– Tem 19.
– Não posso me casar com ela. Continuaria a imaginá-la com 12.
– Ela não parece mais ter 12 anos, Hugh.

Hugh deu de ombros, parecendo vagamente nauseado.

– Não importa. Não posso fazer isso.
– Maldição. – Lá se ia a perspectiva de um excelente marido.
– Estou pensando em Gwendolyn Passmore.

Alec levantou os olhos e deixou escapar um gemido exausto.

– Dupla maldição.
– Qual é o problema com a Srta. Passmore? Me disseram que é encantadora.
– Você não a conheceu?
– Em qual oportunidade, Alec? – perguntou Hugh, dando de ombros.

Alec balançou a cabeça. Ele adorava Hugh, mas o amigo às vezes era tão distante da vida britânica normal que chegava a ser assustador.

– Ela é linda – disse. – Espetacular.

Hugh inclinou a cabeça para o lado, e os cantos de sua boca se ergueram como quem diz "vai servir".

– Octavia a odeia – continuou Alec.

– Inveja, provavelmente.

– É claro. E ela admite isso abertamente. Mas também diz que ela é arrogante.

– A Srta. Passmore?

Alec assentiu.

– Maldição. – Hugh deu um suspiro contido. – Detesto mulheres esnobes. Bem, acho que vou dar uma chance a ela mesmo assim. Vou julgar por mim mesmo.

Dar uma chance a ela. Alec não estava muito certo se Hugh compreendia a diferença entre conquistar uma mulher e domar um cavalo.

– Quem mais está na lista? – perguntou ele.

Hugh o encarou, confuso.

– Não consigo me lembrar, acredita?

Alec sorriu. Era típico de Hugh.

– Desejo sorte com a Srta. Passmore, então.

Mas Hugh já voltara a atenção novamente para Richelieu, sussurrando alguma coisa enquanto esfregava unguento no flanco do cavalo.

Na verdade, um unguento terrivelmente, incrivelmente malcheiroso.

Alec balançou a cabeça enquanto deixava os estábulos. Torcia para que a Srta. Passmore gostasse de cavalos.

CAPÍTULO TRÊS

Gwen foi informada de que o jantar seria servido às oito e que os convidados se reuniriam para drinques e conversas uma hora antes. Alegando cansaço, ela havia implorado à mãe que lhe permitisse chegar ao salão de visitas às dez para as oito. A mãe concordara, mas Gwen desconfiava que isso tinha menos a ver com os argumentos que usara e muito mais com o sonho da mãe de ver a filha fazendo uma entrada triunfal.

Na verdade, Gwen só estava tentando diminuir o tempo em que seria forçada a socializar. Durante o jantar, tudo bem. A conversa à mesa raramente era insuportável. A pessoa não estaria parada em pé, pensando que os pés estavam doendo ou se preocupando que o suor poderia atravessar o espartilho. À mesa, todos estavam em seus lugares, o que significava que ninguém estava olhando por cima do ombro de ninguém, se perguntando se haveria algum grupo melhor a que se juntar, com pessoas melhores.

E se mesmo assim fosse um desastre, ao menos a sopa provavelmente estaria saborosa.

– Estou faminta – disse Gwen, enquanto descia, com a mãe, a elegante escadaria da frente da Mansão Finchley.

– Sim, mas não coma demais, querida – murmurou lady Stillwell. – Você sabe como seu estômago é delicado.

Gwen estava tentando pensar numa boa resposta, já que seu estômago não era nem um pouco delicado. Mas então chegaram à entrada do salão de visitas e a mãe se aproximou para sussurrar:

– Endireite os ombros, minha querida.

Gwen engoliu em seco e acompanhou a mãe para dentro do salão. Não se podia dizer que estava lotado, já que era um daqueles salões incrivelmente longos, retangulares, com pelo menos meia dúzia de áreas com assentos separadas, mas ainda assim parecia haver pessoas demais. Ela olhou ao redor, tentando ver se achava uma amiga. Ah, lá estava Kate Peyton. Gwen sempre a admirara, uma jovem franca e direta. E lá estava – ah, meu

Deus – Octavia Darlington. Octavia não gostava dela. Ou ao menos Gwen estava quase certa de que não. A jovem sempre parecia exibir um sorriso forçado quando Gwen se aproximava. E, em algumas ocasiões, Gwen sabia que Octavia tinha fingido não vê-la, com bastante determinação. Não tinha sido um corte direto – Octavia nunca teria feito algo tão óbvio –, mas Gwen percebera. E supostamente não tinha o direito de se aborrecer com isso, já que ela mesma era especialista em fingir que não via as pessoas.

No entanto, Gwen desconfiava que os motivos de Octavia fossem diferentes dos seus. A outra dama não era do tipo de se esconder nos cantos. Gwen, na verdade, a invejava por isso.

– Srta. Passmore – veio a adorável voz musical da anfitriã, lady Finchley. – Estava começando a temer que não conseguisse descer a tempo para o jantar.

– Sinto muitíssimo pelo atraso – disse Gwen, fazendo uma mesura.

– Lady Stillworth, posso roubar sua filha por um momento?

A mãe de Gwen concordou, e a jovem se viu com o braço firmemente enfiado no de lady Finchley.

– Estou muito ansiosa para que conheça o meu irmão – disse lady Finchley.

– Seu irmão? – perguntou Gwen com certa surpresa.

Ela havia se encontrado com lady Finchley em várias ocasiões, mas não achara que havia se tornado uma favorita da anfitriã, a ponto de lady Finchley tentar casá-la com o irmão.

– Meu irmão, Hugh. Conde de Briarly.

– Sim, é claro – disse Gwen.

– Que alívio que você saiba quem ele é. Hugh nunca vai a Londres, sabe? Eu temia que o mundo o houvesse esquecido completamente.

– Ele nunca vai a Londres? – perguntou a jovem. E seu encanto por saber disso deve ter ficado claro, porque lady Finchley lhe lançou um olhar sagaz. – Você é uma moça do campo, então?

– Ah, muito.

– Já eu mesma sou uma diletante. Quando estou em Londres, sinto falta do campo, e quando estou no campo, fico entediada. É um jeito irritante de ser.

Gwen sorriu e assentiu, torcendo para que isso bastasse como comentário.

– Meu irmão é igualzinho – disse lady Finchley, e acrescentou: – A você, não a mim. Ele odeia a cidade.

Gwen assentiu de novo, feliz por lady Finchley parecer não perceber que ela estava contribuindo muito pouco para a conversa.

– Desconfio que vocês dois tenham muito em comum – prosseguiu a anfitriã. – Ah, ali está ele. Hugh! Hugh!

Um homem alto e com cabelos volumosos, castanhos como conhaque, se virou. Ele tinha uma aparência excelente, pensou Gwen, e obviamente era da mesma família que lady Finchley. Ela gostou de o cabelo dele não estar arrumado demais. E de o rosto ser um pouco bronzeado. Embora...

Gwen deu um discreto passo para trás. Havia uma mancha marrom na bota dele, que ela suspeitou ser lama.

– Carol – disse o homem. – Santo Deus, vamos demorar muito para comer?

– Hugh – falou a irmã em um tom incisivo –, esta é a Srta. Passmore.

Gwen sorriu e fez uma mesura.

Lorde Briarly piscou duas vezes e disse:

– É claro. Prazer em conhecê-la.

Ele pegou a mão de Gwen e beijou-a – o gesto elegante pareceu um pouco deslocado em um homem de aparência tão rústica.

– É uma honra conhecê-lo também, lorde Briarly.

Ele ficou parado por um instante, as sobrancelhas franzidas. Gwen teve a distinta impressão de que lorde Briarly estava pensando em alguma coisa.

– Hugh? – disse a irmã, quase irritada.

– Certo – falou ele. Então olhou para Gwen e inclinou a cabeça para o lado, quase como se a estivesse examinando para... bem, para alguma coisa. – Fiquei sabendo que é do norte, certo, Srta. Passmore?

Ela assentiu.

– De Felsworth, em Cheshire. Daqui, seguiremos direto para casa. Estou ansiosa.

– A Srta. Passmore prefere o campo – comentou lady Finchley, sem uma gota de sutileza.

Lorde Briarly assentiu, aprovando.

– É melhor para os cavalos, também. Sei que algumas pessoas diriam que eles podem ser bem acomodados na cidade, mas devo confessar que sou contra.

Lady Finchley se virou para Gwendolyn.

– Meu irmão é louco por cavalos.
– A senhorita monta? – perguntou Hugh a Gwen.
– Um pouco – respondeu ela.
Gwen tinha uma égua, é claro. Sempre tivera. Mas preferia mil vezes caminhar a montar a cavalo. Não se podia ver tudo de cima de um cavalo. Ao menos não de perto o bastante para ver direito.
– Acho que o campo é o único lugar bom para crianças – disse lady Finchley, animada. – Tenho muitas lembranças boas de Highcross, com meu irmão e minhas irmãs.
– Highcross – disse lorde Briarly, assentindo ao se lembrar também. Ele se virou para Gwen com um leve sorriso. – Tem irmãos, Srta. Passmore?
– Tenho... tinha – corrigiu ela. – Três irmãos.
– Errou a conta? – perguntou lorde Briarly, com uma risadinha.
– Um deles morreu – disse Gwen, baixinho.
Instalou-se um silêncio horrível.
– Por favor, perdoe o meu irmão – pediu lady Finchley, quebrando o silêncio. – Fazemos com que ele venha apenas em ocasiões especiais.
Gwendolyn desejou saber como agir em um momento como aquele, porque sabia que o conde não tivera a intenção de magoá-la. E agora *ela* estava se sentindo culpada por ele parecer tão desconfortável. Mas não sabia o que dizer, não conseguia nem colocar um sorriso no rosto.
– Ah, vejam! – exclamou lady Finchley. – Lá está o duque de Bretton. Vou chamá-lo.
Gwendolyn ficou parada, constrangida, esperando.
Lorde Briarly ficou parado, constrangido, olhando para os próprios pés.
– Aqui estamos – disse lady Finchley, voltando. – Srta. Passmore, conhece o duque de Bretton.
Gwen fez uma mesura, enquanto o duque lhe dizia como estava encantado em vê-la de novo, embora Gwen não achasse que aquilo fosse exatamente verdade, já que na mesma hora ele engatou uma conversa com lorde Briarly a respeito de um cavalo chamado Richelieu.
– Srta. Passmore?
Ela se virou. Era outro jovem cavalheiro. Ou melhor, dois deles. George Hammond-Betts e Allen Glover. Ela havia encontrado ambos em Londres, várias vezes. Eles haviam conhecido o irmão dela, Toby, em Eton. Às vezes,

contavam histórias da época, e o Sr. Glover fazia uma imitação tão boa de Toby que sempre a fazia rir.

Era engraçado. Gwen teria imaginado que uma coisa dessas a faria chorar, mas não era o caso.

– Que surpresa maravilhosa – disse um deles. – Não sabia que a senhorita estaria aqui.

– Nem eu – disse o outro.

– Planeja passar toda a semana? – perguntou o primeiro.

– Adoraria acompanhá-la a Parsley – disse o outro.

– Parsley? – repetiu Gwen, agora totalmente perdida. Seria alguma espécie de estabelecimento? – Seria...?

– É o nome do vilarejo – disse alguém novo. – A estalagem lá se chama Sage and Thyme. Alecrim e tomilho. Não é engraçado?

– Hum... – Não. Não era, mas Gwen jamais diria isso.

– Srta. Passmore.

Gwendolyn se inclinou levemente para trás, virou a cabeça para a direita, depois...

– Srta. Passmore.

Agora para a esquerda...

– Boa noite – conseguiu dizer ela, enquanto mais dois cavalheiros se aproximavam.

Na verdade, não existia espaço o bastante para todos, e Gwen se viu imprensada contra as costas do sofá. Havia cinco jovens cavalheiros ali agora, todos disputando a atenção dela, além de Briarly e o duque, que permaneciam por perto, embora ainda conversassem sobre o cavalo.

Gwen engoliu em seco, tentando sorrir e assentir para todos eles, mas era difícil, e ela achou que talvez estivesse assentindo na direção errada, tudo isso sem qualquer sorriso, e desejou sinceramente que não estivessem tão perto uns dos outros, embora soubesse que não era culpa deles, já que não havia muito espaço naquele cantinho do salão.

– Sim, sim – disse Gwen quando um deles comentou sobre o tempo, mas então percebeu que aquela não era a resposta certa para a pergunta feita.

Gwen tinha certeza de que todos estavam achando que ela era uma perfeita idiota, que não passava de uma cabeça-oca.

Mas ela não era idiota, pensou Gwen, infeliz. Só agia como se fosse.

Ela respirou fundo, tentando se concentrar no redemoinho de palavras ao seu redor. Desejava sinceramente que as pessoas falassem uma de cada vez. Mas o Sr. Hammond-Betts tagarelava sem parar sobre um livro de poesia que lera recentemente, e o Sr. Glover passou a debater com ele a respeito, e os outros homens diziam algo sobre a cor do vestido dela, que Gwendolyn sinceramente considerava bastante comum, e, como se aquilo já não fosse o bastante, Briarly e Bretton continuavam a conversar sobre o bendito cavalo!

Não pela primeira vez, Gwen desejou ter talento para as artes dramáticas. Aquele seria o momento perfeito para um desmaio extravagante.

Ela relanceou o olhar para o relógio com um desespero silencioso. Passavam três minutos das oito da noite. Com certeza lady Briarly logo os levaria para o salão de jantar.

O estômago de Gwen roncou.

Por favor. Por favor, que ela seja uma anfitriã ágil, não do tipo *estamos tendo uma conversa tão adorável, o jantar pode esperar*.

Gwen avistou lady Finchley envolvida em uma conversa com um cavalheiro desconhecido, ou ao menos que Gwen não reconheceu de costas. E ela não deu qualquer indicação de olhar para o relógio, nem para Gwen nem para nenhum de seus hóspedes, por sinal.

Ao que parecia, o jantar iria esperar.

⁓

Alec vinha bancando o irmão mais velho dedicado, caminhando pelo salão de braço dado com Octavia, mas em dado momento declarou estar altamente necessitado de um drinque. Assim, estavam agora parados perto do decantador, Alec com um conhaque na mão, Octavia sem nada.

Não era a primeira vez que Alec refletia sobre como se sentia feliz por não ter nascido mulher.

– Ah, olhe só para ela – comentou Octavia em tom de repulsa.

– Lady Finchley?

– Não – respondeu Octavia, com o tipo de irritação que as mulheres reservam apenas aos homens com quem compartilham o sobrenome. – Gwendolyn Passmore.

Ah. A beldade.

– O que ela fez dessa vez? – perguntou ele.

– Nada. Esse é o problema. Ela só fica parada ali, com todos os cavalheiros aglomerados como um rebanho em torno dela.

Alec teve que admitir que a pequena multidão cercando a adorável Srta. Passmore realmente lembrava um pouco um bando de carneiros. Especialmente Hammond-Betts, cujos cabelos louros sempre tinham parecido um pouco felpudos.

– Isso não é justo – disse Octavia com um suspiro.

– Estamos com inveja? – murmurou Alec.

– É claro que estou com inveja. Ela sequer *se esforça*.

Alec baixou os olhos para a irmã mais nova. Estaria Octavia tentando com empenho *demais*? Não havia nada de errado com ela, nada mesmo. Era uma jovem simpática, inteligente, com um sorriso encantador. Talvez não parecesse a Vênus de Botticelli, como era o caso da Srta. Passmore (e Alec achou quase alarmante a semelhança), mas não havia absolutamente nenhuma razão para que Octavia não fosse considerada uma excelente escolha para qualquer jovem cavalheiro.

E, sinceramente, Hammond-Betts e fossem lá quem fossem os outros achavam *mesmo* que tinham alguma chance com a Srta. Passmore?

Ele pousou o copo de conhaque.

– Vamos – disse.

E pegou a irmã pela mão.

– O que está fazendo?

– Conseguindo um rebanho para você.

– O quê?

Ele parou e encarou a irmã com ar solene.

– Você merece carneiros, Octavia.

Então voltou a conduzi-la pelo salão até eles estarem bem no meio do grupo de Passmore.

– Octavia, meu bem – disse –, você me apresentaria a sua amiga?

Os olhos de Octavia se arregalaram em choque, e também em constrangimento, a ingrata, mas ela se recuperou (afinal, era uma Darlington!) e apresentou-o à Srta. Gwendolyn Passmore, cujos olhos também se arregalaram. Mas, se Alec estava interpretando direito, no caso dela a expressão foi de alarme.

– Srta. Passmore – disse Alec elegantemente, e inclinou-se sobre a mão da jovem. – Ouvi falar muito a seu respeito. Como é possível que nunca tenhamos sido apresentados?

– Eu... ahn...

Enquanto a Srta. Passmore balbuciava, Alec lembrou que eles *já* haviam sido apresentados. Bem, ao menos ela era educada. Ou esquecida, porque fez uma bela mesura em retorno.

Alec pegou-a pelo braço, o que provocou olhares fulminantes dos outros homens. Não importava. Estava deixando todos eles para Octavia. Se não conseguiam ver que a irmã dele era tão atraente quanto a Srta. Passmore, que fossem para o inferno.

– Octavia falou muito bem da senhorita – disse Alec, afastando-se com ela, passando direto por Hugh e Bretton, que fizeram uma pausa em seu debate equino apenas pelo tempo necessário para olhar para ele com indisfarçada curiosidade.

– Pronto – declarou Alec, quando já estava em um outro canto. – Resgatei a senhorita.

– Resgatou?

– A senhorita não queria passar o resto da noite com Hammond-Betts e aquele outro, queria?

Ela entreabriu os lábios, surpresa, e por um momento Alec não conseguiu deixar de se perguntar se a jovem talvez não fosse um pouco idiota. Ela não parecia capaz de formular respostas com muita rapidez. Mas então algo nos olhos dela mudou. Foi impressionante. Em um momento, o rosto da Srta. Passmore era como uma máscara sem expressão, e no momento seguinte...

Não era mais.

Os olhos dela ficaram mais profundos... Alec não saberia como descrever. Eram do mais impressionante tom de verde como as ondas do mar, e se antes ele os havia achado um tanto inexpressivos, agora não conseguia imaginar como pudera pensar isso. Aqueles olhos definitivamente não eram inexpressivos. Eram tudo menos isso. Eram como oceanos, dois oceanos de...

Santo Deus, pensou Alec, apavorado consigo mesmo. Não era de espantar que a irmã odiasse a Srta. Passmore. Ele estava na presença da jovem havia menos de um minuto e já se tornara um imbecil.

– Obrigada – disse a Srta. Passmore. E sorriu.

Então – que Deus o ajudasse – aconteceu de novo. Ele não estava fantasiando, *não* estava. Era um homem adulto, um conde inteligente e completamente racional. Além disso, tivera uma boa colocação em Oxford, uma colocação realmente boa. Mesmo assim, não conseguia tirar os olhos da boca da Srta. Passmore. Porque poderia jurar que o sorriso que ela acabara de dar não era o mesmo que estava em seu rosto dois segundos antes.

Octavia, lembrou Alec a si mesmo. Estava fazendo aquilo por Octavia. Havia se comportado como um idiota, praticamente arrastando a jovem dama pelo salão, o que não era recomendado para um cavalheiro solteiro e sem intenção de se casar. As fofocas rapidamente se espalhariam. E já teriam chegado a Londres até o fim da semana. O livro de apostas do clube de cavalheiros dele já o colocaria casado com ela até o Natal.

Alec conferiu Octavia. A irmã estava se divertindo? Era melhor que estivesse.

Então se virou novamente para a arrebatadora Srta. Passmore, que estava parada ao seu lado, absolutamente quieta, com uma expressão de serena paciência no rosto. Alec percebeu que ele também estava em silêncio como um antissocial, e acabou dizendo a primeira coisa que lhe veio à mente, um comentário extremamente corriqueiro:

– O tempo hoje estava ótimo.

Idiota.

– Ah, sim – disse ela. Então, quando Alec estava quase certo de que a jovem não diria mais nada, ela acrescentou: – Acho que o outono já está no ar.

Alec assentiu, então olhou para Hugh e Bretton com uma expressão carrancuda. Aparentemente, os dois haviam parado de discutir sobre Richelieu para ficarem observando a *ele*, Alec. Ao seu lado, a Srta. Passmore ainda estava parada em silêncio, embora tivesse, agora, uma expressão diferente. Seus lábios estavam ligeiramente torcidos. O que não a tornava menos atraente... Alec desconfiava que a jovem poderia urrar como um macaco sem parecer menos atraente.

Ela também não parecia zangada. Na verdade, parecia...

Entediada.

Ele ergueu as sobrancelhas. Aquilo não era bom. Alec se inclinou para a frente, com a intenção de parecer travesso, e sussurrou:

– Ouvi dizer que a senhorita está pensando em se casar com Bretton.

A expressão dela foi de absoluto choque, e Alec a viu engolir em seco antes de responder:

– Não acho que ele esteja pensando em se casar *comigo*.

Alec se virou para olhar para o cavalheiro em questão. Bretton e Hugh tinham retomado a conversa com vigor suficiente para dissuadir qualquer um de interrompê-los.

– Temo que possa estar certa – disse a ela. – Para ser honesto, acho que ele quer um cavalo, simplesmente.

– Foi por isso que veio – concordou a Srta. Passmore.

Alec a encarou, surpreso.

– Por causa do cavalo – explicou ela. – Falou disso o verão inteiro.

Ele se viu um pouco desconcertado pela resposta direta dela.

– Bem, é *de fato* um belo animal.

A Srta. Passmore deu de ombros discretamente, e Alec não conseguiu interpretar aquilo.

– E a senhorita? Por que veio? – perguntou a ela.

A jovem não respondeu imediatamente, mas o encarou como se achasse a pergunta engraçada. Por fim, quando ele a encarou de volta com a mesma expressão, ela falou, como se fosse óbvio:

– Minha mãe insistiu.

Na verdade, era mesmo óbvio.

– A senhorita não está encantada com as festividades e com o ar puro? – murmurou Alec.

Ela balançou a cabeça.

– Não vejo a hora de ir para casa.

Alec fitou-a por um momento. Gwen estava muito contida. Não era uma daquelas jovens inquietas, sempre torcendo um lenço entre as mãos. E era muito, muito calma. Não parecia arrogante, e Alec não podia imaginá-la sendo rude com ninguém.

Seria possível que Octavia a tivesse julgado mal?

O que ele estava pensando? É claro que era possível. Octavia era um amor de pessoa, mas tinha apenas 19 anos e só pensava em si mesma. A última coisa que queria na vida era uma rival de beleza estonteante que não fosse convenientemente má.

O exame silencioso de Alec deve ter sido muito longo e criado algum desconforto na Srta. Passmore, porque ela deu alguns passos para a esquerda e disse:

– Acho que minha mãe está me chamando.

Definitivamente não estava. A mãe dela, que Alec conseguia ver pelo canto do olho, estava com tia Darlington, que acabara de entrar em cena. A conversa das duas parecia rivalizar com a de Hugh e Bretton em animação e fervor.

– É melhor eu ir – disse a Srta. Passmore. – Minha mãe, o senhor sabe.

Ele assentiu. Provavelmente já era seguro liberar a Vênus Passmore – Octavia já conseguira a atenção de dois cavalheiros, incluindo o próprio Hammond-Betts de cabelos felpudos. E Alec pretendia se afastar, realmente pretendia. Mas bem no momento em que seu cérebro estava dando o comando para que os pés se movessem, a Srta. Passmore levantou os olhos para ele e sorriu, e dessa vez não foi um sorriso hesitante. Deveria ter sido, já que ele praticamente a havia arrastado para o outro lado do salão.

Mas, em vez disso, ela simplesmente sorriu.

Alec compreendeu em um instante, em uma maldita fração de segundo, por que Octavia a odiava tanto. Porque quando Gwendolyn Passmore sorria, o mundo simplesmente parava de girar.

Então ele reagiu exatamente como qualquer macho da espécie faria ao se ver frente a frente com uma fêmea que considerava atraente: puxou-a pelos cabelos.

Só que ele *não podia* fazer isso literalmente. Era um homem de quase 30 anos, e tal comportamento certamente não seria bem-visto depois dos 10 anos. Mas fez o equivalente adulto, que foi ficar parado, encarando-a de maneira hostil. Porque se ele *parecesse* não ter sido afetado pelo sorriso de Gwendolyn Passmore, então ela não perceberia que, na verdade, ele estava em pânico pois, em algum lugar bem no fundo, Alec Darlington acabara de se dar conta de que sua vida se transformara para sempre naquele exato momento.

Não que ele estivesse conseguindo pensar com clareza a respeito. Durante a maior parte do tempo, simplesmente achou que estivesse tendo uma indigestão.

Gwendolyn já conhecia lorde Charters, é claro. Não havia uma única debutante em Londres que não soubesse da existência dele. Lorde Charters não era o maior troféu matrimonial de 1817 (esse seria o duque de Bretton), mas, de acordo com as jovens damas com quem Gwen às vezes conversava, ele estava em segundo lugar.

Não havia muitos cavalheiros com títulos de nobreza, ainda solteiros, menos de 30 anos, sem dívidas e com todos os dentes. Acrescente a isso cabelos escuros e volumosos, um físico atlético e um sorriso diabólico... Não era de se estranhar que apenas um duque conseguisse tirar dele o primeiro lugar.

Mas lorde Charters nem sempre se dava ao trabalho de comparecer a *soirées* e musicais, e, se alguma vez já havia estado no Almack's, Gwen nunca o vira. A irmã dele normalmente comparecia aos eventos acompanhada pela tia solteirona. A irmã dele, que Gwendolyn tinha certeza que *nunca* havia falado bem dela.

Claramente, ele pretendia alguma coisa com aquela atitude audaciosa de puxá-la para longe. Só que, para absoluta surpresa dela, lorde Charters dissera algo sobre resgatá-la e Gwen se perguntara: seria possível que alguém finalmente houvesse percebido que ela não gostava de atenção? Que realmente queria ficar sentada, esquecida, observando os outros?

Não. Não, não era possível. Porque logo depois ele fizera aquele comentário horrível sobre ela estar planejando se casar com o duque de Bretton. O que o homem estava pensando? Não se diz uma coisa dessas diretamente, é o tipo de coisa que se fala pelas costas.

De qualquer forma, ele se mostrara horrível. Gwen tentara ser educada e abrira para ele seu sorriso mais doce enquanto tentava escapar, e ele retribuíra o gesto com um olhar furioso.

Ela não entendia os homens. Não entendia a maior parte das mulheres tampouco, mas certamente não entendia os homens.

Gwen estava tentando encontrar um modo de escapar quando finalmente foi salva pela chegada de lorde Briarly, que surgiu ao lado deles.

— A sineta para o jantar tocou — disse ele.

— É mesmo? — Gwen não ouvira, mas... *graças a Deus*.

– Minha irmã pediu que eu acompanhasse a senhorita até o salão de jantar – disse lorde Briarly.

Lorde Charters balançou a cabeça.

– Você é a personificação do encanto e da graça, Briarly.

Lorde Briarly o encarou sem entender.

– Eu ficaria encantada em acompanhá-lo – disse Gwen, entusiasmada.

Entusiasmada demais, pareceu, pois lorde Briarly a encarou surpreso.

Ela ofereceu a ele outro sorriso caloroso.

Ao que lorde Charters lançou um olhar muito estranho.

Gwen continuou a sorrir e começou a se sentir como se estivesse presa em uma cena teatral e ninguém houvesse lhe dado o roteiro a seguir.

Ou lhe contado o enredo.

Foi nesse momento que lady Finchley surgiu, trazendo Kate Peyton firmemente pela mão. Quando viu Gwen olhando com uma expressão de adoração para seu irmão, praticamente levitou.

– Alec, querido – disse em tom firme –, acompanhe a Srta. Peyton, por favor.

Então ela literalmente pegou a mão de Kate que estava na dela e a pousou no braço de lorde Charters.

– Gwendolyn – cumprimentou Kate. – Prazer em revê-la.

– O prazer é meu – murmurou Gwen, extremamente aliviada ao ver a outra jovem.

Ela e Kate Peyton não eram próximas, mas Gwen a conhecia bem o bastante para saber que Kate não era dissimulada e que não tinha paciência para joguinhos.

O grupo seguiu em procissão até o salão de jantar, os quatro juntos, e Gwen se viu sentada perto de Kate.

– Está com fome? – perguntou Kate, aproximando-se só um pouco.

– Morrendo.

– Ah, eu também. – Kate praticamente suspirou. – Achei que nunca iriam servir o jantar. Só vou considerar a noite um sucesso se conseguir um presunto inteiro para mim.

Gwen riu, mas se interrompeu ao perceber que lady Finchley e os dois condes haviam se virado na direção dela.

– Acho que você deveria ter ambições maiores – murmurou Gwen para Kate. – Talvez um porco.

– Inteiro? Não quero parecer gulosa.
– Podemos dividir.
– Só se você ficar com o focinho – objetou Kate.
– Ah, não, insisto para que seja seu.

Elas riram mais uma vez, e mais uma vez o restante dos convidados as encarou. Mas, ao menos dessa vez, Gwen não se importou. Era bom demais poder compartilhar uma brincadeira com uma amiga.

E no fim das contas, quando Gwen se enfiou debaixo das cobertas, se deu conta de que a noite acabara sendo muito agradável. A sopa estava gostosa, a carne ainda melhor e, ao sair do salão, não precisou falar nem mais uma vez com lorde Charters.

CAPÍTULO QUATRO

Gwendolyn acordou cedo na manhã seguinte. Ela se vestiu, deixou um bilhete rápido para a mãe para dizer que havia saído para uma caminhada, pegou seu caderno de desenho e os lápis e escapuliu do quarto.

A casa estava silenciosa – a maior parte dos hóspedes de lady Finchley não compartilhava do amor pela alvorada e pelo orvalho da manhã. Gwen espiou o salão de café da manhã, vazio a não ser por um criado que pareceu extremamente surpreso ao vê-la. Depois de garantir ao homem que não esperava uma refeição completa às seis e meia da manhã, conseguiu um pequeno pedaço de pão para dividir com os patos que tinha avistado no lago quando chegara.

Estava uma manhã adorável, clara e fresca, com o tipo de névoa que certamente se dissiparia em menos de uma hora. Gwendolyn adorava manhãs assim. Era como se tivesse o mundo para si. Só ela e a amplidão da natureza. Gwendolyn Margaret Passmore e um milhão de folhas de grama.

Algo passou correndo pelos pés dela.

Gwendolyn Margaret Passmore, um milhão de folhas de grama e um coelhinho.

Ela sorriu.

Cantarolava baixinho enquanto seguia a trilha que lady Finchley lhe descrevera. O pão não estava quente quando o criado o entregara a ela, mas tinha cheiro de fresco. Ela partiu um pedaço e comeu.

Delicioso. Talvez os patos ficassem sem comida.

Depois de cerca de quinze minutos, ela chegou à beira do lago. Na verdade, era um laguinho, com algumas poucas árvores na margem e uma área mais pantanosa do outro lado. Certamente não tinha nem a metade do tamanho do lago na propriedade dela. Gwen colocou mais um pedaço de pão na boca e olhou ao redor, em busca de um lugar seco para se sentar. O solo não parecia úmido demais, mas estava um tanto lamacento. Suspirou. Era melhor achar uma pedra.

Gwen cantarolou um pouco mais, mudando da peça de Mozart que vinha praticando no piano para outra mais animada, de origem desconhecida, mas provavelmente inapropriada. O sol do início da manhã refletia na superfície da água, e ela inclinou a cabeça para o lado, tentando capturar o ângulo exato da luz. Sentiu-se só. E feliz.

A mãe nunca tinha conseguido entender isso, que Gwen sempre encontrara alegria em momentos de tranquilidade. Era tão estranho como alguém podia amar tanto e tão bem outra pessoa e ainda assim não entender o que faz essa pessoa feliz.

Havia uma pedra grande e plana a uns 3 metros de distância; Gwen deu uma mordida no pão e seguiu sem pressa até lá. Ela testou a superfície úmida da pedra, e, como não estava molhada demais, sentou-se. A névoa estava começando a se dissipar, e o ar começava a ficar mais quente, por isso Gwen tirou as luvas, pegou seu melhor lápis e começou a desenhar.

Começou com a árvore do outro lado do caminho, mas então, por alguma razão, acrescentou um esquilo, mesmo que não houvesse nenhum correndo por ali. Então fez uma pausa para examinar seu trabalho. O esquilo estava grande demais?

Ou talvez...

Não estivesse grande o bastante.

Ela virou a página e começou de novo, desenhando rapidamente a árvore e então a enfeitando com um esquilo monstruoso. Agora estava mais interessante.

Gwen sorriu, deu até uma risadinha, enquanto acrescentava garras enormes e furiosas.

Jamais poderia deixar a mãe ver aquilo. Nunca. Nunca, jamais. A mãe jamais se recuperaria. Só o choque já seria capaz de matá-la.

Mas o desenho precisava de mais alguma coisa. O esquilo não deveria ser *mau*.

– Você não é um monstro – murmurou ela —, só é monstruosamente enorme.

Então começou a desenhar um esquilo fêmea, que no fim acabou parecendo exatamente igual ao macho, mas usando um chapéu elegante.

Aquele, definitivamente, era um dos piores desenhos que ela já fizera.

E, possivelmente, seu favorito.

Ainda assim, teria que queimá-lo. Se alguém o visse, acharia que ela era louca e...

Splash.

Gwen ficou paralisada. Tinha alguém na água?

É claro que sim. A questão era quem, ou, na verdade, não; a questão era: Gwen conseguiria reunir todas as suas coisas e ir embora antes que aquele alguém a notasse?

Ela não queria conversar naquele momento. Estava tendo uma manhã perfeitamente adorável sozinha. Além do mais, fosse quem fosse que estivesse na água, pela lógica estaria molhado.

E, portanto, vestido de forma indecente – se é que estaria vestido.

Com o rosto em chamas, Gwen pegou as luvas, enfiou o caderno de desenho embaixo do braço e ficou rapidamente de pé. Estava de volta ao caminho por onde chegara, andando o mais rápido possível. Mas, como o solo ainda estava molhado, e as pedras úmidas e cobertas de musgo, e ela muito mais assustada do que cautelosa...

– *Ai!*

Foi impossível conter o grito. Os pés escaparam de sob seu corpo e Gwen teve a terrível sensação de sair voando antes de seu traseiro aterrissar com força.

– Ai – gemeu.

Uau, aquilo tinha doído. Doído de verdade. E o coração dela estava disparado, o estômago parecia ter virado do avesso, e...

– Quem está aí?

Gwen engoliu em seco. Era uma voz masculina. É claro que seria uma voz masculina. Nenhuma mulher pularia no lago àquela hora da manhã.

– Tem alguém aí?

Talvez se ela ficasse muito quieta...

– Apareça!

Ah, não, Gwen não pretendia fazer isso. Apoiou os pés no chão e muito, muito lentamente, começou a se levantar. Como seu casaco era verde-escuro, poderia muito bem se camuflar em meio às árvores e...

– Srta. Passmore?

Ou não.

– Srta. Passmore, sei que está aí.

Ela engoliu em seco de novo, virando-se lentamente. O conde de Charters estava parado bem no meio do laguinho, com água até a altura do peito. Enquanto se esforçava para ignorar o fato de que conseguia ver os ombros dele, e que o peito estava completamente nu, Gwen não disse nada.

Mais uma engolida em seco, então ela apertou as pernas juntas, com força, embora na verdade não tivesse ideia de por que estava fazendo aquilo. Ao contrário do conde, Gwen estava completamente coberta sob o vestido. Mas parecia a coisa certa a fazer.

– É o cabelo – disse ele. – A senhorita foi denunciada pelo cabelo.

Gwen xingou baixinho. Não costumava recorrer a profanidades com frequência, mas, com três irmãos, tinha aprendido o bastante delas para fazer bom uso em um momento como aquele.

– Lorde Charters – disse ela, determinada a ser educada, apesar... ora, apesar de tudo.

– O que está fazendo aqui fora a essa hora da manhã? – quis saber ele.

– Saí para uma caminhada. O que *o senhor* está fazendo aqui fora a essa hora da manhã?

– Saí para nadar.

Cretino insolente. Gwen abraçou o caderno de desenho com mais força contra o peito.

– Vou indo, então, para que o senhor tenha privacidade.

Mas antes que ela pudesse se afastar, ele perguntou:

– A senhorita sempre anda pelo campo desacompanhada?

Gwen não saberia dizer se ele a estava repreendendo. O tom não era ríspido, mas não era o tipo de pergunta que alguém fazia por mera curiosidade. Porém, quem era *ele* para se intrometer em sua vida? Ela ergueu as sobrancelhas para encará-lo, seminu na água.

– Eu não esperava encontrar alguém.

– Ninguém nunca espera, especialmente quando é tolo o bastante para se aventurar longe de casa desacompanhado.

Indignada, Gwen retrucou:

– Não sou eu que estou seminua no lago.

– Ah, eu não estou seminu.

Gwen arquejou. E deixou escapar um som que não era nem remotamente digno. Como se tivesse ganido o nome dele.

– Bom dia – disse por fim, e se virou rapidamente.

Levando-se em consideração que tomara um tombo poucos segundos antes, Gwen deveria ter se lembrado de que o solo ainda estava úmido. Mas não estava acostumada a esbarrar com homens, pelo menos não com homens seminus (como ele colocara), e, sinceramente, quem poderia culpá-la por não ter a presença de espírito para aprender com os próprios erros em um momento como aquele?

Gwen perdeu o equilíbrio, o caderno caiu e lá se foi toda a dignidade que ainda lhe restava quando aterrissou de lado, com um baque ensurdecedor.

Doeu bem mais do que na primeira vez.

Mais xingamentos.

E mais um pouquinho. O pulso *doeu* quando ela tentou mexê-lo.

Gwen parou, respirou fundo e fez mais uma tentativa de se colocar em posição sentada.

– Nem tente. – Era a voz de lorde Charters, alarmantemente próxima do ouvido dela.

Gwen deixou escapar um gritinho e fechou os olhos com força. Não tinha ideia de como ele havia emergido da água tão silenciosamente, mas tinha certeza de que o conde não tivera tempo de se vestir.

– Onde está doendo? – perguntou ele.

– Tudo dói – admitiu ela. O que era mais ou menos verdade. – Mas o pulso é o pior.

– Consegue se sentar?

Ela assentiu, ainda de olhos fechados, e permitiu que ele a ajudasse. Lorde Charters pegou a mão dela e apalpou gentilmente, murmurando "Aqui?" quando Gwen se encolheu.

Ela assentiu de novo.

– Está um pouco inchado – disse ele –, mas não acho que esteja quebrado.

– Não está quebrado.

Gwen conhecia a sensação de um osso quebrado, lembrava-se com exatidão do terrível *crac* que tinha ouvido... Não, sentido. Não, ouvido. Não, as duas coisas. Ela tinha ouvido o barulho através do corpo, se é que isso fazia algum sentido.

– Seja como for – disse lorde Charters –, é melhor a senhorita colocar uma tala no pulso.

Gwen assentiu mais uma vez, ainda sem ousar abrir os olhos. Ele tinha uma voz muito bonita, calma e gentil. E se ela não tivesse tido um encontro tão desagradável com aquele homem na noite anterior, estaria se sentindo tranquilizada e à vontade.

– A senhorita pode abrir os olhos – disse ele.

– Não, obrigada.

Ele não riu, mas Gwen poderia ter jurado ouvir um sorriso em sua voz.

– Tem a minha palavra de que estou bem coberto – disse lorde Charters, baixinho.

Lentamente, e ainda desconfiada, Gwen abriu um dos olhos. Para seu grande alívio, viu que ele não estava mentindo. Havia vestido uma camisa, e, embora o tecido estivesse colado ao corpo em vários lugares, não estava indecente. Os calções estavam ensopados. Claramente, tinha entrado na água com eles.

– Eu disse que não estava seminu – comentou ele, com um sorriso irônico. – Só não disse *qual* das metades estava vestida.

Ela pressionou os lábios, mas não conseguiu disfarçar a irritação.

– Isso foi muito maldoso da sua parte.

Ele deu de ombros, a expressão ainda mais maliciosa.

– É o tipo de coisa que os homens fazem.

– Serem maldosos?

– É mais fácil do que ser inteligente.

Gwen riu. Não tinha intenção, mas escapou antes que se desse conta. Lorde Charters sorriu com ela, e, de alguma forma, o momento se tornou...

Confortável.

Estava confortável.

O que é o tipo de descrição que não significaria nada para a maioria, mas, para alguém que não gostava de multidões, nem de conhecer pessoas novas, nem de ter experiências estranhas, estar *confortável* era uma coisa maravilhosa. *Confortável* era o melhor tipo de momento.

– A senhorita costuma sair para caminhar com frequência?

– Vai me repreender?

Lorde Charters olhou para a bainha enlameada das saias dela.

– Acho que a senhorita já foi punida o bastante.

Ela o encarou muito séria, então disse:

– Eu adoro as manhãs. Vivo caminhando pela propriedade onde moramos. Foi muito ruim quando quebrei a perna, há dois anos.

– Então a senhorita sabe como é quebrar um osso?

Ela assentiu com uma expressão sombria.

– O pior de tudo é o barulho que faz.

– É possível ouvir? – perguntou lorde Charters, com certa surpresa.

– O senhor nunca quebrou nenhum osso?

– Meu, não. Nem de ninguém – acrescentou rapidamente, quando a viu arregalar os olhos –, mas... – A expressão dele se tornou mais encabulada e ao mesmo tempo mais do que um pouco orgulhosa. – Causei, *sim*, alguns danos à mobília. E aos pratos. E, ah, é possível quebrar uma árvore?

Gwen tentou com todas as forças manter a expressão séria.

– Acho que sim.

– Então eu também já quebrei uma dessas. – Ele levantou uma das mãos. – Não pergunte. Era uma brincadeira entre meninos extremamente complexa, envolvendo bolas, espadas e um carneiro.

Gwen o encarou por um momento, tentando ver se ele estava brincando. Achava que não.

– Por favor, diga que não quebrou o carneiro.

– O carneiro nunca tirou as patas do chão – garantiu ele.

E, enquanto Gwen tentava digerir aquilo, lorde Charters acrescentou:

– Não por falta de tentativa.

Ela não comentou. Na verdade, não estava certa se *havia* algo a comentar em relação a uma declaração daquelas.

Lorde Charters inclinou a cabeça para o lado e seu olhar ficou distante.

– Na verdade, acho que talvez também tenha havido uma catapulta envolvida.

Ela balançou a cabeça.

– Acho impressionante que qualquer um de vocês tenha sobrevivido até a idade adulta.

– Nós meninos? – Ele voltou ao presente e sorriu para ela. – Sim, bem, somos uns selvagens. Não dá para evitar. Fazemos brincadeiras idiotas, bebemos demais, entramos em guerra, e isso não é nem o começo...

Mas Gwen não ouviu o resto da frase. A menção de lorde Charters à guerra havia lhe trazido à mente a imagem de Toby, cujo rosto já começava a ficar levemente borrado, e isso parecia o mais triste de tudo. Ela estava esquecendo o rosto do irmão. Era como se Toby morresse duas vezes, só que a segunda vez levava anos.

– Me deixe ver esse pulso de novo – disse lorde Charters, e pegou a mão dela.

– Não, não – garantiu Gwen, horrorizada com o tremor na própria voz. – Estou bem.

– A senhorita parecia...

– Estava só pensando em alguém, só isso.

– Alguém? – perguntou ele, baixinho.

– No meu irmão – explicou Gwen, porque não viu razão para esconder. – Ele morreu em Waterloo. Ainda sinto muita falta dele.

Para surpresa de Gwen, lorde Charters não lhe ofereceu condolências, nem fez algum comentário completamente desinformado sobre Toby ser um herói. Ela odiava quando as pessoas faziam isso. O que *as pessoas* sabiam sobre a morte dele? Nem *ela mesma* tinha ideia das circunstâncias em que ele fora morto, só sabia que acontecera. A família havia recebido uma carta, então a visita de um oficial, mas ninguém realmente testemunhara a morte.

Em vez disso, lorde Charters a encarou com compaixão e disse:

– Um ano não é tanto tempo assim quando se trata de uma pessoa que amamos.

Gwen não pôde deixar de pensar... *ele sabe. Ele sabe o que é perder alguém.*

Ela não disse nada, não deu qualquer pista do que estava pensando, mas ele respondeu à pergunta da mesma forma.

– Minha mãe – disse lorde Charters, baixinho. – Há dois anos.

– Sinto muito.

– Eu também. – Ele deu um longo suspiro. – Foi um acidente idiota. Uma carruagem sem manutenção.

Gwen não disse nada, só assentiu em solidariedade. Ele a encarou e ela soube, simplesmente soube, que eles eram parecidos naquele ponto – que ele também apreciava demonstrações de solidariedade honestas e simples.

Lorde Charters tinha belos olhos, pensou Gwen. Cinza, mas não totalmente. A borda era de um azul muito, muito escuro. Ela se perguntou como não havia percebido aquilo na véspera.

Então ele se levantou e pigarreou, interrompendo o momento.

— Além do seu pulso — disse bruscamente —, como está se sentindo? Consegue caminhar?

Gwen já estava se sentando, e, com a ajuda do braço dele, se colocou cuidadosamente de pé, testando o peso em cada perna de uma vez.

— Acho que vou ficar bem — disse ela. — Não torci o tornozelo.

— A senhorita está mancando — argumentou lorde Charters.

— Estou só um pouco dolorida da queda. Logo passa.

— Posso acompanhá-la de volta à casa? — perguntou ele, educadamente.

— Sim, eu agradeceria muito.

Por mais desagradável que lorde Charters tivesse sido na noite anterior, não estava sendo naquele momento. Gwen decidiu que era muito mais fácil começar do zero do que se aborrecer com o passado. Ela deu um passo, e então se lembrou...

— Ah! Meu caderno de desenho.

Gwen olhou para trás e viu o caderno caído perto da beira da água, por sorte ainda seco.

— Eu pego. — Lorde Charters se desvencilhou com cuidado do braço dela e recuperou o caderno. — Estava desenhando a vida selvagem? — perguntou, voltando para o lado de Gwen.

Ela se lembrou dos esquilos monstros.

— Ahn... mais ou menos.

Lorde Charters a encarou com um sorriso de curiosidade.

— Como assim?

— Nada — disse ela, desejando que ele lhe entregasse o caderno.

— Posso olhar?

— Eu realmente preferiria que não fizesse isso.

— Só uma espiada...

Gwen não conseguiria imaginar nada mais humilhante.

— Não, milorde, eu...

— Não estava desenhando nus, estava? — interrompeu ele, com os olhos cintilando.

— Não! — exclamou ela, sentindo o rosto enrubescer instantaneamente. Santo Deus.

Ele fez menção de olhar, o dedo indicador deslizando entre as folhas do caderno.

– Por favor – murmurou, e ela quase cedeu.

Uma sensação muito estranha e pouco familiar começou a despertar em Gwen. Era como se estivesse zonza por dentro. E seu coração não batia do jeito certo. Não estava disparado, nem batendo forte demais...

Estava dançando.

Cantando.

Pronto. Estava ficando louca. Provavelmente tinha batido a cabeça. Não que tivesse sentido algo, mas talvez fosse só porque estivera tão concentrada no pulso. O mesmo pulso que agora já não doía tanto e... por que não estava sentindo o tal machucado na cabeça?

– Srta. Passmore? – chamou lorde Charters, baixinho. – Algum problema?

Ela piscou, então levantou os olhos para ele e logo se deu conta de que aquilo provavelmente tinha sido um erro, porque lorde Charters agora olhava para ela com tanta gentileza e preocupação que, por algum motivo, o coração dela ficou ainda pior.

– Sim, quer dizer, não – balbuciou Gwen. – Estou bem, acho que só fiquei um pouco tonta ao me levantar.

Ele não comentou o fato de que ela já estava em pé havia um minuto antes de se sentir tonta, e Gwen ficou profundamente grata por isso. Então, para sua grande surpresa, lorde Charters tirou o dedo de dentro das páginas do caderno e segurou-o bem fechado. Ele estendeu o caderno para a frente, como se fosse devolvê-lo, então disse:

– Posso levá-lo de volta para a senhorita, com todo o prazer, se assim puder caminhar melhor.

– O senhor não vai olhar?

Ele a encarou com uma expressão séria.

– A senhorita me pediu para não olhar.

Gwen entreabriu os lábios, surpresa.

Lorde Charters deu um sorrisinho torto.

– Achou que eu desobedeceria?

Não havia como dar uma resposta sincera sem insultá-lo.

– Há... sim – falou Gwen, com uma expressão contrita.

Para seu alívio, ele apenas sorriu. Então, estendeu o braço livre para que ela se apoiasse e virou-a na direção da Mansão Finchley. Enquanto subiam a ladeira suave, lorde Charters disse:

— A senhorita está muito mais sociável agora do que na noite passada.

Gwen não respondeu imediatamente, e quando falou, manteve os olhos fixos no caminho.

— Não gosto de multidões — disse baixinho.

Ele a encarou por um momento, então parou, forçando-a a fazer o mesmo.

— Deve ter odiado a temporada social.

— Odiei — confirmou Gwen, em uma afirmação muito direta. Foi um *alívio* dizer aquilo. Ela levantou a cabeça e encontrou um conforto inesperado nos olhos dele. — É um período *terrível* para alguém como eu. Passei todos os segundos querendo estar em casa.

— Acho que nunca ouvi uma jovem dama dizer algo assim.

— Costuma falar com jovens damas com frequência?

Ele a encarou, confuso.

— É claro. Eu...

— Não para — interrompeu-o Gwen —, *com*.

Lorde Charters franziu a testa, mas a expressão em seus olhos ainda era bem-humorada.

— A senhorita me imagina parado na frente de um salão, dando uma palestra?

— Não, é claro que não. Mas... bem, o senhor deve admitir que é muito raro ter uma conversa relevante durante um evento social, certo? E onde mais o senhor falaria com uma jovem dama?

Ele começou a dizer alguma coisa, mas ela voltou a interrompê-lo:

— Sua irmã não conta.

Por um momento, Gwen pensou que talvez o tivesse ofendido. Lorde Charters não respondeu imediatamente, ficou apenas olhando para ela, com uma expressão de certa forma avaliadora. Então disse:

— Pensei que a senhorita fosse tímida.

— Ah, eu sou — retrucou Gwen.

Só que, surpreendentemente, com ele...

Ela não era.

Deus do céu...

CAPÍTULO CINCO

Alec normalmente não era do tipo que se levantava ao nascer do sol. Em casa, mantinha as cortinas pesadas bem fechadas. Se a luz da manhã não invadisse o quarto, ele poderia muito bem dormir o dia todo. No entanto, acordava instantaneamente se o menor raio de sol atingisse seu rosto, e não adiantava tentar voltar a dormir.

No minuto em que viu o quarto na Mansão Finchley, soube que acordaria ao raiar do dia. As janelas eram altas e largas, com cortinas que, no máximo, filtravam a luz. Como não tolerava ficar privado de sono, Alec se obrigou a ir dormir cedo. O que fez com que estivesse surpreendentemente bem-humorado quando se sentou na cama às cinco e meia da manhã.

O que era bastante impressionante. Despertares às cinco e meia da manhã normalmente não vêm acompanhados de bom humor.

Alec sabia que a maior parte de seus conhecidos não compartilhava dessa esquisita incapacidade de dormir com o sol brilhando, por isso não ficara surpreso ao ver a casa silenciosa ao escapulir para dar um rápido mergulho no laguinho. Mas ficara, sim, surpreso – muito surpreso, na verdade – quando, ao emergir de um espetacular mergulho ao estilo bala de canhão, ouvira um gritinho.

Quem teria imaginado que a Srta. Passmore era do tipo que acordava cedo?

Ou, pensou Alec com certa tensão, que ela conseguiria ser ainda mais bonita à luz da manhã? As mulheres não pareciam inchadas e com a pele manchada nesse horário? As irmãs dele eram um desastre antes de fazerem a *toilette* matinal e de terem os cabelos arrumados.

Isso dito com o maior carinho, é claro.

Mas não a Srta. Passmore: mesmo com os dentes cerrados de dor, ela rivalizava com a Mona Lisa. Aquilo certamente não era justo com o resto da humanidade.

Mas Alec supunha que não era culpa dela ser tão absurdamente linda, e a jovem estava *de fato* machucada, por isso ele saiu do lago e conseguiu fazer uma representação respeitável de um bom cavalheiro. Examinou os machucados dela, e a moça foi extremamente agradável. Gentil até, na verdade, com uma tranquilidade que, segundo ele desconfiava, ela não exibia com frequência.

– Gosta de cavalos, Srta. Passmore? – perguntou ele, de repente.

Porque, se Hugh pretendia cortejá-la, era melhor que a resposta fosse sim.

A Srta. Passmore se voltou para ele, um pouco surpresa com a súbita mudança de assunto.

– Não desgosto deles.

– Mas não ama.

– Bem... – Ela fez uma careta, claramente insegura em relação à resposta que deveria dar. – Acho que amo o *meu* cavalo.

– A senhorita acha.

– Ora, é um cavalo.

Então ela o encarou como se dissesse: *Consegue entender isso, certo*?

Alec a encarou com uma expressão próxima do alarme. Ela não poderia se casar com Hugh. Alec não conseguiria imaginar um par mais infeliz.

– Algum problema? – perguntou ela.

– Ainda não – disse ele, em tom sombrio.

Parecendo preocupada, ou talvez desconfiada, ela chegou a abrir levemente a boca para dizer algo.

Moça sensata. Até mesmo Alec tinha que admitir que soara como um palhaço meio louco.

– Acho que devo um pedido de desculpas – falou.

A Srta. Passmore voltou a encará-lo com surpresa, e ele sabia exatamente como ela se sentia, porque estava quase certo de que não tivera a intenção de dizer aquilo.

Mas percebeu que tivera, sim, a intenção de falar.

– Não entendi – disse ela.

– Julguei mal a senhorita.

A Srta. Passmore ficou muito quieta, então disse:

– As pessoas fazem isso com frequência...

Ela olhou para a direita e para a esquerda, como se estivesse se certificando de que ninguém poderia ouvi-la. O que era um absurdo, porque eles estavam completamente sós. Mas, por algum motivo, aquilo lhe pareceu a coisa correta a fazer, e algo naquele gesto aqueceu o coração de Alec. Porque independentemente do que a Srta. Passmore estava prestes a dizer...

Seria para ele. Só para ele.

A jovem inclinou-se para a frente, mas só um pouquinho.

O coração de Alec parou por um segundo. Aquele meio centímetro, aquele minúsculo espaço entre eles que ela havia eliminado...

Tirou o fôlego dele.

Então a Srta. Passmore se afastou.

– Esqueça. Não é nada – disse ela, e baixou os olhos, constrangida pelo que não tivera coragem de dizer.

– Não – disse Alec, com um fervor que o surpreendeu. – Era alguma coisa.

Os olhos da Srta. Passmore encontraram os dele. Aqueles olhos fantásticos de espuma do mar. Como alguém podia ter nascido com olhos como aqueles?

– É bobagem.

– Deixe que eu julgue isso, está bem?

– Eu só ia dizer que... É realmente óbvio. – Ela desviou os olhos para o lado, então para baixo, e depois voltou a olhar para Alec, mas sem encará-lo. – O senhor já disse.

Ele não conseguiu conter um sorriso.

– O que eu disse?

– Todos acham que sou fria, mas não sou. Eu só não sei conversar com a maioria das pessoas. E as aglomerações... me apavoram. – Ela voltou a baixar os olhos, franzindo a testa na direção da relva úmida, então voltou a erguê-los, a expressão ainda mais franzida. Então, como se nunca tivesse pronunciado as palavras em voz alta antes, disse: – Eu sou tímida.

Alec, que nunca havia ficado parado, nervoso, em um canto, nem se sentira nauseado antes de entrar em um salão, comentou:

– Não é culpa sua.

Ela deu um sorrisinho triste.

– Em Londres, é.

– Mas não estamos em Londres.

– Poderíamos muito bem estar – retrucou ela, lançando um olhar vagamente condescendente a ele. – Não há ninguém aqui na Mansão Finchley que eu já não tenha encontrado antes. A não ser por lorde Briarly, é claro.

Alec pensou em Hugh. O monotemático e louco por cavalos Hugh. Ele amava o amigo. De verdade. Era capaz de se jogar na frente de uma carruagem por ele – na verdade, fizera exatamente isso em uma ocasião memorável, salvando a vida de Hugh. Era um milagre Alec ter escapado sem uma costela quebrada.

Mas Hugh não poderia se casar com a Srta. Passmore. Nem importava o que aquele casamento faria a Hugh, acorrentando-o a uma mulher que não compartilhava suas paixões. Naquele momento, Alec estava pensando *nela*. A Srta. Passmore seria profundamente infeliz.

E, enquanto observava o rosto dela, os lábios se curvando em um sorriso secreto que revelava inteligência e uma ponta de travessura, Alec se deu conta de que não poderia permitir que ela fosse infeliz.

– Acho que vou beijá-la – sussurrou.

A Srta. Passmore pareceu espantada. *Ele* ficou espantado. Mas aquela era a coisa mais óbvia do mundo. Se Alec não a beijasse *naquele momento*, naquele campo, naquela névoa, naquele segundo...

Seria trágico.

Alec tocou o rosto dela, ergueu-o e por um momento simplesmente sorveu a imagem diante de si. Os cabelos dela refletiam a luz do início da manhã, e ele precisou se controlar para não levar a mão à cabeça dela e tirar os grampos de cabelo. Alec queria ver o comprimento, queria experimentar a textura dos cachos. Queria examinar aquela belíssima rede de fios, mecha por mecha, para tentar descobrir como era possível existir aquela cor entre o ruivo e o dourado.

Ele quase sussurrou que ela era linda, mas a Srta. Passmore certamente já sabia disso, e percebeu, quando ela levantou a cabeça para encará-lo, que seus olhos estavam cheios do mesmo encantamento que Alec sentia, que aquela sensação de tirar o fôlego não tinha a ver com a beleza física.

Ela precisava saber que não tinha a ver com isso.

Assim, Alec não disse nada e simplesmente balançou a cabeça, fascinado.

Começou como um beijo suave, apenas os lábios roçando, algo que Alec tinha toda a intenção de manter. Queria ser gentil, reverente, e tudo o mais que um homem deveria ser com a mulher que ele...

A mulher que ele...

Alec se afastou e voltou a encará-la, como se tivesse acabado de despertar.

Os lábios da Srta. Passmore se entreabriram, e ele soube que ela estava prestes a dizer "milorde".

– Não – disse Alec, e tocou os lábios dela com o dedo. – Diga o meu nome.

Ela pareceu prestes a dizer alguma coisa profunda, mas então sussurrou:

– Não sei o seu nome.

Ficou paralisado. Sem nem respirar. Então, caiu na gargalhada. Ele estava se apaixonando – maldição, era muito possível que já estivesse apaixonado –, e ela não sabia o primeiro nome dele.

– É Alec – disse, incapaz de conter o sorriso bobo que se espalhou pelo seu rosto. – Meu nome é Alec, e não quero nunca mais ouvi-la me chamar de qualquer outra forma.

– Alec – murmurou ela. – Combina com você. – Ela abriu um sorriso que iluminou todo o seu rosto. – Gwendolyn.

– Eu sei – confessou Alec.

Afinal, Octavia contara tudo sobre a jovem diante dele, embora Alec desconfiasse que a maior parte do que a irmã dissera estava errado. Mas o nome dela... isso, ele sabia.

– Algumas pessoas me chamam de Gwen.

Gwen. Alec gostou. Era simples. Normal. Encantador.

Era *ela*.

– Minha mãe queria que eu me chamasse Guinevere, mas meu pai disse que era extravagante.

– Ele tinha razão – comentou Alec, com firmeza.

Ela sorriu, e deu uma risadinha.

– Por que acha isso?

– Não sei – admitiu Alec. – Só sei que é verdade. Você é uma Gwen. Não, você é *a* Gwen.

– A Gwen – repetiu ela, parecendo achar a ideia muito divertida.

– *A* Gwen. – Ao vê-la arquear uma sobrancelha, Alec acrescentou: – É importante dizer da forma certa.

– E você está certo de que essa é a forma certa?

– Ah, com certeza – murmurou ele. – É totalmente óbvio.

– Totalmente, é?

Alec abriu um sorriso lento.

– Totalmente.

Gwen sorriu também, mas dessa vez sua expressão era maliciosa. Ele decidiu que gostava disso.

– Acho que você deveria me beijar de novo – disse Gwen.

Alec decidiu que *amava* quando ela parecia maliciosa.

Pegou a mão dela, entrelaçou os dedos dos dois e puxou-a junto ao corpo, lentamente, até ela estar a um sopro de distância.

– Quer outro beijo, então?

Gwen assentiu.

– Aqui? – murmurou ele, beijando-a no nariz.

Ela balançou a cabeça.

– Aqui? – perguntou ele ao beijar a testa.

Gwen voltou a balançar a cabeça.

– Aqui? – perguntou ele, baixinho, a palavra quente sobre os lábios dela.

– Isso – sussurrou ela.

Alec foi de um canto da boca ao outro.

– Aqui? Aqui?

Ela não falou, mas Alec ouviu a respiração de Gwen acelerar, sentiu seu hálito quente e úmido roçando na pele dele. Mais ousado, ele correu levemente a língua pela parte interna do lábio inferior de Gwen.

– Aqui? – provocou.

Mais uma vez, ela não falou, mas usou o corpo para dizer sim: passou as mãos pelas costas de Alec e se inclinou em sua direção, apoiando seu peso nele. O pulso dele acelerou imediatamente e, de repente, ele precisou se esforçar para se controlar. Suas mãos, seus braços, sua alma – tudo nele queria puxá-la com força. Queria beijá-la, tocá-la. Queria venerá-la.

Queria que Gwen conhecesse a sensação de ser venerada.

Então a beijou de novo, e de novo, naquele que com certeza foi o beijo mais longo, mais profundo e mais delicioso da história. Era material para lendas, para canções. Em algum lugar, pensou Alec, poetas estavam chorando. Nenhum verso conseguiria rivalizar com aquele beijo único e perfeito.

Alec sorveu-a, absorveu o perfume dela. Ele se encostou em Gwen, imprimindo o corpo dela ao dele. Quando terminou, soube que a conhecia completamente, que sentira a verdadeira essência da alma dela.

E ainda nem a vira nua.

Santo *Deus*.

Alec se afastou, tossindo como louco. De onde viera *aquele* pensamento? Estava sendo um cavalheiro. Um romântico. Aquela era Gwen. Uma flor delicada, um tesouro inestimável. Ele não deveria estar fantasiando Gwen nua, por mais que pensasse regularmente em mulheres nuas.

Não era isso o que os homens faziam?

Mas não com *Gwen*, censurou-se. Não com as mulheres com quem iriam se casar. Não que ele tivesse decidido se casar com ela, embora, na verdade, parando para pensar no assunto, parecesse uma ideia maravilhosa. No entanto, ainda assim, Gwen era o tipo de mulher para casar, não o tipo com que um homem fantasiava em vários estágios de nudez.

Ela era melhor do que isso.

Só que...

Deus, Gwen seria incrível em *todos* os estágios de nudez.

Alec começou a ter dificuldades para respirar.

– Você está bem? – perguntou ela.

Gwen soou preocupada, mas ele não ousou encará-la. Se olhasse, serviria apenas para que começasse a pensar de novo nela... *daquele* jeito. O que acabaria tendo efeitos profundos e possivelmente dolorosos em certas partes do corpo dele.

Ah, muito bem, as partes em questão já estavam bastante afetadas, mas se ao menos ele conseguisse parar de pensar nela, e em como seria a sensação de colocar as mãos em...

Aquilo precisava parar.

Naquele instante.

– Acho que nós precisamos voltar para casa – disse Alec, com a voz engasgada.

– Agora?

Ele assentiu e engoliu em seco, sem olhar diretamente para Gwen. Alec conhecia os próprios limites.

– Talvez você deva ir na frente.

– Como assim? Agora quer que eu volte sozinha?

– Não – disse Alec. Embora estivesse assentindo.

– Você... *não* quer que eu volte sozinha.

Ele *queria* estender a mão e puxá-la de volta para junto de si. *Queria* arrancar as roupas dela e beijá-la de novo, dessa vez em lugares indizíveis. *Queria* ouvi-la gemer de paixão, e *queria*...

– Lorde Charters? Quer dizer, Alec? Você está bem?

Ela soou preocupada. Pior, soou como se estivesse prestes a estender a mão para tocá-lo.

Com certeza, Gwen teria que voltar sozinha. *Ele* ia pular de volta no lago.

CAPÍTULO SEIS

No que dizia respeito a primeiros beijos, Gwen estava certa de que o dela havia sido espetacular.

Não que tivesse com o que comparar, é claro, e nunca tivera ninguém com quem trocar informações, ou relatos de outros primeiros beijos, de qualidade inferior. Não tinha irmãs, e, até onde sabia, nenhuma de suas amigas fora beijada, ao menos não por alguém que importasse. Mas Gwen sabia – Deus do céu, como sabia – que o dela fora o primeiro beijo que viera para acabar com todos os primeiros beijos.

Estava praticamente certa de que lorde Charters – *Alec*, lembrou a si mesma – tinha sido afetado da mesma forma. Mas então ele interrompeu o momento, deu-lhe as costas e, para ser bem franca, parecia que estava passando mal.

O que significava que, provavelmente, ela também estaria doente ao cair da noite.

Gwen sorriu, embora ele não pudesse ver, já que estava de costas. Não, ela sorriu *justamente* porque ele não poderia ver. Era cruel sorrir na frente de alguém que parecia estar passando tão mal. Mas Gwen não conseguiu evitar. Tudo em que conseguiu pensar foi...

Que modo *maravilhoso* de pegar uma gripe.

– Alec? – chamou baixinho. Ele não tinha respondido da primeira vez, quando Gwen perguntara se ele estava bem. – Alec? Posso fazer alguma coisa para ajudar?

Ela achou que talvez o tivesse ouvido gemer, então, com a respiração alterada, Alec se voltou para encará-la.

– Gwen – disse ele, parecendo totalmente desconfortável ao cruzar os braços –, você sabe o que acontece entre um homem e uma mulher?

Ela arregalou os olhos e balançou a cabeça, negando.

– Se você não voltar para casa neste minuto – alertou Alec, com a voz rouca –, vai descobrir.

Por um momento, Gwen só conseguiu encará-lo, então, em um rompante, entendeu tudo.

– Ah!

– Você entendeu – murmurou Alec.

– Não exatamente – balbuciou ela –, mas também... sim?

Alec descruzou os braços, então voltou a cruzá-los, e logo cruzou as mãos na frente do corpo. Gwen achou que nunca o vira tão pouco à vontade.

– Não estamos longe da casa – falou Gwen.

– Não.

Ela engoliu em seco.

– Tudo bem, mas antes preciso pegar meu caderno de desenho.

Ela indicou a direção onde o caderno havia caído sobre a relva, completamente esquecido para ambos.

Alec não se moveu, e nem Gwen, a princípio. Finalmente, consciente de que um dos dois precisava quebrar aquele feitiço de constrangimento, Gwen pegou o caderno e recuou de volta, abraçando-o junto ao corpo.

– Nos vemos mais tarde, sim? – disse Alec, ainda com as mãos cruzadas firmemente na frente do corpo.

– É claro. Estarei ansiosa por isso.

Alec indicou o caderno dela com um gesto de cabeça.

– Talvez você me mostre um de seus desenhos.

Gwendolyn pensou em seus esquilos gigantescos, com os dentes malvados e os chapéus festivos. E, ao menos naquele momento, não viu razão para se sentir envergonhada.

– Quem sabe – murmurou ela. – Talvez.

⁂

Várias horas depois, Alec sentia-se muito mais recomposto e renovado. O segundo mergulho tinha sido muito útil, e ele era quase humano de novo quando retornou à Mansão Finchley.

Molhado, mas humano.

Um banho quente e uma nova muda de roupas completaram a transformação, e Alec estava quase pronto para descer para o café da manhã quando ouviu uma batida na porta. Estava começando a dizer "Entre" quando a porta foi aberta, o que significava, é claro, que só podia ser a irmã dele.

— Alec! — disse Octavia, entrando rapidamente. — Onde você estava?

Ele pensou por um momento. Não era possível que ela estivesse procurando por ele. Alec conhecia os hábitos de sono da irmã, e não havia como ela ter acordado cedo o bastante a ponto de notar sua ausência.

— Já estão todos lá embaixo para o café da manhã — continuou ela.

Ah, então era a isso que ela se referia.

— Por que você não está lá, então? — perguntou Alec.

Octavia comprimiu os lábios, em uma expressão irritada.

— Vim procurar você.

Ele ajeitou os punhos da camisa, esticou o casaco e assentiu para que o valete deixasse o quarto.

— Desde quando você é incapaz de comer ovos com bacon sem a minha elevada presença?

— *Alec.*

— Está bem. O que houve?

— É a Srta. Passmore — disse Octavia, fazendo com que Alec ficasse instantaneamente alarmado com o tom alegre na voz da irmã.

— O que há com a Srta. Passmore? — perguntou ele, com cuidado.

Octavia se inclinou para a frente, os olhos cintilando com a promessa de fofoca.

— Ao que parece, ela estava fora de casa, caminhando, bem cedo essa manhã.

— Ao que parece? — Alec odiava essa expressão.

— Eu não a vi — admitiu Octavia. — Mas parece que viram.

— Não vejo nada de errado em uma caminhada matinal — disse ele, tentando dar outro tom à conversa. — Eu permitiria que você saísse para caminhar em casa, caso mostrasse alguma inclinação para isso.

Se Octavia percebeu a sutil reprimenda do irmão, não deu qualquer sinal. Em vez disso, continuou a falar como se Alec não tivesse dito nada:

— Emily Mottram diz ter razões para acreditar que ela não estava sozinha.

Emily Mottram? Quem diabos era Emily Mottram? E o que ela achava que sabia? Alec tinha quase certeza de que ele e Gwen estavam sozinhos naquela manhã. Não tinha como alguém tê-los visto. Não mesmo.

— Emily viu quando Gwendolyn retornou — voltou a falar Octavia. — Ela estava muito desalinhada.

— A Srta. Mottram? — perguntou Alec, impaciente.

— *Não*. A Srta. Passmore. Emily disse que ela parecia ter rolado na lama.

— Ora, talvez isso realmente tenha acontecido — retrucou Alec, irritado. — Choveu, e o solo está escorregadio. Ela pode ter caído.

— Ah, por favor — disse Octavia, afastando a hipótese. — Isso nunca teria acontecido.

Alec quase jogou os braços para o alto, exasperado.

— Do que você está falando?

Octavia bufou, irritada.

— Ela é muito graciosa. Jamais teria simplesmente *caído*.

— Você realmente precisa superar essa inveja — falou Alec com severidade. — Está se tornando inconveniente.

Octavia recuou, a boca aberta de indignação.

— E você se tornou um ranzinza.

— Sou tão ranzinza quanto você é uma víbora.

Ela arquejou.

— Você realmente me chamou de víbora?

Alec não viu razão para responder.

— Por que você está defendendo a Srta. Passmore?

— Não estou — devolveu Alec, ainda irritado, embora achasse que estava, sim. — Estou apenas apontando o fato de que *você* está fazendo intriga, e isso não é nada atraente.

— Alec! — exclamou ela, e ele quase esperou que a irmã batesse o pé, de birra.

Alec apenas cruzou os braços.

— Você não está entendendo — insistiu Octavia. — Nunca encontrarei um marido com ela por perto. Jamais.

Se era daquele jeito que a irmã se comportava em público, pensou Alec, então provavelmente estava fazendo um bom trabalho em repelir, ela própria, qualquer pretendente. No entanto, ele não foi tão cruel a ponto de dizer isso, e tentou colocar as coisas de forma mais gentil. Alec não resistiu a revirar os olhos, e disse:

— Você não pode culpar a Srta. Passmore por seus infortúnios.

– Ah, eu posso sim – retorquiu Octavia. – E antes que me insulte de qualquer outra forma digna e engraçadinha, posso garantir que não sou a única dama que se sente assim.

– Octavia, eu conversei com a Srta. Passmore na noite passada. Na verdade, isso aconteceu exatamente quando eu estava retirando a dama em questão do meio de um rebanho de cavalheiros, para que *você* tivesse uma oportunidade de atrair a atenção deles.

– Obrigada por isso – disse Octavia, ainda rabugenta.

Alec balançou a cabeça. A irmã seria a morte dele.

– Achei a Srta. Passmore uma jovem extremamente simpática e de bom coração.

– Isso é porque você é homem – praticamente cuspiu Octavia.

– Isso é porque sou uma pessoa. Santo Deus, irmã, o que você se tornou? Quando passou a ser essa pessoa tão maldosa?

– E quando *você* se apaixonou por Gwendolyn Passmore? – retrucou ela no mesmo tom.

– Não estou...

Alec se interrompeu, porque a verdade era que não tinha ideia se estava ou não apaixonado por Gwendolyn Passmore. Com certeza estava apaixonado pela ideia dela. De Gwen. *A* Gwen, com os olhos risonhos e o sorriso tranquilo.

E o beijo. Aquele beijo perfeito, impressionante, de abalar a alma.

Nunca na vida Alec sentira uma conexão tão instantânea com outro ser humano como sentira com Gwen, poucas horas antes.

– Octavia – disse Alec, tentando soar razoável –, você não tem motivos para acreditar que a Srta. Passmore tenha feito qualquer outra coisa diferente de sair para uma caminhada hoje cedo. O que me leva a deduzir que você está espalhando rumores sobre ela por despeito. E não sei nem como dizer a vergonha que sinto de você.

– Não consigo acreditar que você está me dizendo isso – falou Octavia, os lábios entreabertos de choque e consternação. – Você é meu irmão.

– Exatamente. – Ele cruzou os braços e a encarou com severidade.

– Vou descobrir com quem ela estava – disse Octavia em voz baixa.

– Estou avisando, Octavia – disse Alec. – Esqueça isso.

– Mas...

– Pare com isso – ordenou ele, incapaz de ouvir mais uma palavra que fosse a respeito. – Já ocorreu a você que a Srta. Passmore pode simplesmente ser tímida? Que ela se contém na esperança de que *você* lhe dê abertura?

Octavia o encarou por um momento, então disse:

– Ninguém com a aparência dela seria tímida.

– Não é uma escolha, sabe?

Mas Octavia já tinha uma opinião formada e não estava disposta a abrir mão disso. Ela balançou a cabeça.

– Não importa se ela é tímida. Não é nem um pouco gentil da parte da Srta. Passmore não levar em consideração os sentimentos das outras damas que não atraem tantos pretendentes.

– Santo Deus, Octavia, o que a Srta. Passmore fez para magoar você? Por acaso existe algum cavalheiro aqui em Finchley por quem você gostaria de ser cortejada?

Aquilo pareceu calar a jovem, ao menos por um momento. Depois de alguns segundos rangendo os dentes, Octavia murmurou:

– Hugh.

Meu Deus, só faltava *isso*.

– Hugh não vai se casar com ninguém que não se sinta encantada pela ideia de dar à luz em cima de um cavalo – declarou Alec com rispidez. – Além disso, ele não está interessado em você porque ainda a vê como uma menina de 12 anos.

– Você *falou* com ele sobre mim? – perguntou Octavia, horrorizada.

– Hugh me disse que estava pensando em se casar. Eu mencionei você.

– Você *o quê*? – praticamente guinchou ela. – Como você *pôde* fazer uma coisa dessas?

Alec abaixou a cabeça e gemeu. Tinha que encontrar um marido para aquela garota. E logo. Não aguentava mais.

– Como eu vou encarar Hugh agora, Alec? – perguntou ela em um gemido. – Ele vai achar que eu estou me insinuando para ele.

– E não está?

– Não!

– Muito bem. Então quem você quer? Hammond-Betts? O outro? Não diga Bretton, porque nem eu sou capaz de conseguir um duque para você.

– O outro é o Sr. Glover – disse ela, em um tom baixo e petulante.

– Você gosta dele?

– Não desgosto.

Ele já não tivera essa mesma conversa de manhã? Sobre cavalos?

– Vou ver o que posso fazer para que você se sente ao lado dele esta noite – disse Alec, que, de preferência, estaria ele mesmo bem longe de ambos.

Octavia arregalou os olhos.

– O que você vai fazer?

– Ah, pelo amor de Deus, não vou fazer uma placa, está bem? Vou pedir a Carolyn. Com muita discrição. Ela ficará feliz em ajudar. Carolyn é uma casamenteira de primeira.

Octavia cerrou os lábios, claramente tentando decidir se podia confiar no irmão em uma missão tão crítica. Por fim, deve ter concluído que não tinha escolha, porque disse, um tanto friamente:

– Obrigada.

Alec não disse nada por vários segundos, então perguntou:

– Posso descer para o café da manhã agora?

Ela assentiu, então foi com ele até a porta. Mas antes que o irmão pudesse partir, Octavia soltou uma exclamação baixinha e pousou a mão no braço dele.

– Só mais uma coisa, irmão.

Ele se virou, desconfiado.

– O que é?

– Foram organizadas brincadeiras e jogos para hoje. Arco e flecha, badminton e esconde-esconde.

– Não atire na Srta. Passmore – disse Alec na mesma hora.

– *Alec*. Não vou... – Octavia bufou de uma forma bem feminina e balançou a cabeça, obviamente chegando à conclusão de que não adiantaria muito tentar se defender. – Só queria perguntar se você pode me fazer um favor. Pode brincar de esconde-esconde?

– Quer que eu seja o *terceiro elemento*? – perguntou ele em um tom sarcástico.

– Todos vão participar – disse Octavia, ignorando a provocação. – Você seria o par da Srta. Passmore?

Alec enrijeceu o corpo. Agora *aquilo* começava a parecer interessante. Só que...

– Desde quando se brinca de esconde-esconde em pares?

– Desde nunca. Mas você poderia dar certa atenção a ela? – Octavia fez um gesto fluido com as mãos. – Puxá-la para o lado, ou coisa assim. Distraí-la.

– Está querendo dizer afastá-la do resto do grupo.

– *Sim* – confirmou Octavia, como se estivesse falando com um colegial de raciocínio lento. – Se ela não estiver lá, os cavalheiros talvez realmente prestem atenção no resto de nós.

– O que a faz pensar que ela vai querer passar algum tempo comigo? – perguntou Alec.

Octavia o encarou como se ele fosse um idiota.

– Porque você é... ah, pelo amor de Deus, Alec. Todas as minhas amigas são apaixonadas por você. Até eu admito que você é bonito.

– Meu coração está inflado de amor com tamanha demonstração fraterna de afeto.

– *Não* seja assim – alertou ela.

– Assim como?

– "Meu coração está inflado" – imitou ela. Então, saiu rapidamente da caricatura e disse com severidade: – Não gostamos de ser tratadas com sarcasmo.

– Vocês só gostam de *tratar* com sarcasmo – provocou ele.

Octavia nem sequer fingiu se sentir insultada.

– Por favor, tente manter a Srta. Passmore longe das outras damas esta tarde. Pode fazer isso por mim?

Alec achou que, sim, poderia.

CAPÍTULO SETE

— Regras, ouviram? – avisou lady Finchley. – Existem regras.

Gwen esperou pacientemente, enquanto a anfitriã tentava chamar a atenção da pequena multidão de convidados. Todos pareciam ter se dispersado em grupos menores. Gwen supôs que estivesse no grupo de lady Finchley, lorde Briarly e o duque de Bretton, se não por outra razão, ao menos por um acidente de localização.

– Ninguém me escuta – disse lady Finchley ao irmão, que estava parado bem ao lado dela, parecendo estar com a cabeça em outro lugar.

Gwen os observou com interesse. Adorava observar as pessoas. Além do mais, isso a ajudava a manter os olhos afastados de Alec, que estava a vários metros de distância, cumprindo seu dever de prestar atenção na irmã, que parecia interessada em Allen Glover.

Octavia estava sendo bem óbvia em relação a isso, mas Allen não parecia se importar. Na verdade, ele estava ruborizado e exultante com a atenção. Gwen ficou feliz por ele – assim como ela, o rapaz era tímido, e era bom ver que estava se divertindo.

– Todo mundo! – tentou novamente lady Finchley. – Atenção, por favor!

Mas Octavia continuou a conversar com Emily Mottram, que lançava olhares para George Hammond-Betts. A mãe de Gwen estava colada a uma mulher mais velha que Gwen achava ser a tia-avó de Alec, e as duas discutiam apaixonadamente sobre aves aquáticas.

Gwen torceu para que a Sra. Darlington não fosse uma grande defensora das aves – a mãe dela achava que patos eram melhores ensopados.

À sua direita, o duque de Bretton conversava com lady Sorrell, provavelmente sobre o cavalo que ele estava se empenhando tanto em comprar de lorde Briarly. Lady Sorrell assentia, e pareceu até ter algo com que contribuir para a conversa, o que Gwen achou interessante. Ela mesma não tinha muito interesse em cavalos, mas achava que a maior parte dos homens não dava muito valor à opinião de uma mulher sobre o tema.

– Alguém quer saber as regras? – tentou lady Finchley.
Ao que parecia, ninguém.
– Hugh – chamou a anfitriã, com um suspiro.
Lorde Briarly levou dois dedos à boca e soltou um assovio impressionante.
A conversa cessou.
– Muito bom, Hugh – murmurou Alec.
Gwen também ficou impressionada.
Lady Finchley reconheceu o fato com um sorrisinho.
– Meu irmão é um homem de talentos únicos.
– Posso ser útil de vez em quando – disse lorde Briarly em um tom bem-humorado.
– Agora que tenho a atenção de todos... obrigada, Hugh – lady Finchley inclinou a cabeça na direção do irmão –, talvez eu possa explicar as regras.
– Existem regras de esconde-esconde? – perguntou alguém.
– Na *minha* casa, sim – retrucou lady Finchley, objetivamente. – Antes de mais nada, ninguém vai sair da propriedade. Nosso vizinho no lado norte é bastante desagradável e tem uma pontaria terrível. É provável que confunda um de vocês com um ganso.
Várias jovens damas pareceram chocadas.
– É brincadeira – disse Alec a elas.
– Ah, não é, não – disse lady Finchley, sem parar para respirar antes de continuar: – Se chover, a brincadeira está cancelada, e nos reuniremos no salão de visitas com conhaque e biscoitos.
– Existe alguma boa razão para não cancelarmos agora e passarmos direto para o conhaque? – murmurou o duque de Bretton.
– Acho que vi uma nuvem – murmurou mais alguém, em um tom esperançoso.
– Quietos, vocês dois – continuou lady Finchley. – Duas pessoas serão designadas para procurar, mas não vão fazer isso juntas. O resto de vocês vai se esconder, e...
– O resto de *nós*? – interrompeu seu irmão, virando-se para ela com uma expressão desconfiada. – E quanto a você?
– Alguém precisa ficar supervisionando. – Ela acenou com a mão pelo ar como se estivesse movendo uma tela grande. – Alguém precisa monitorar todos os detalhes.

– Essa pessoa poderia ser eu – sugeriu ele.

– Quando forem encontrados – continuou ela, determinada a não olhar para o irmão –, devem voltar para a casa e me dizer quem os encontrou. O vencedor será a última pessoa a ser encontrada por outra, e o prêmio de consolação vai para quem tiver encontrado o maior número de pessoas escondidas.

A resposta à anfitriã foi o silêncio.

– Ganha quem não for encontrado – disse ela bruscamente –, e em segundo lugar fica quem encontrar mais pessoas.

Pareceu mais claro, ainda mais depois que o Sr. Hammond-Betts perguntou:

– Há prêmios?

– É claro que sim! – exclamou lady Finchley. – Que graça tem jogos sem prêmios? – Ela abriu um sorriso largo para todos. – Contarei a vocês sobre os prêmios assim que decidir quais são.

– Carolyn! – gemeu alguém.

– Certo, certo. Podem me chamar de relapsa – disse ela, com um aceno de mão. – Mas vou fazer o meu melhor.

– Ainda voto no conhaque – insistiu o duque de Bretton.

– Só por isso – disse lady Finchley –, *o senhor* será uma das duas pessoas a procurar os escondidos.

Ela então se virou para Gwen, provavelmente porque era a mulher mais próxima.

– O que garante que ele não consiga escapar da brincadeira escolhendo um esconderijo óbvio para ser descoberto nos primeiros cinco minutos.

– Muito sagaz da sua parte – comentou Gwen.

– Também acho. Eu também colocaria você para procurar – disse ela, virando-se para o irmão –, mas acho que deve ser uma mulher. Ela examinou o grupo todo, os olhos caindo primeiro em Gwen, que fez uma oração silenciosa para não ser escolhida. Lady Finchley deve ter reparado no pânico em seus olhos, porque, depois de mover os braços esticados no ar como um transferidor, apontou para a irmã mais nova de Alec e disse:

– Srta. Darlington! A senhorita será a outra pessoa a procurar.

Octavia bateu palmas, encantada, e cochichou alguma coisa com o Sr. Glover que Gwen não conseguiu ouvir. Gwen não conseguia imaginar o que levava alguém a gostar de ser quem procura. Ter que andar pela propriedade inteira olhando em todos os cantos... que horror. Gwen já estava imaginando uma forma de conseguir pegar seu caderno de desenho antes de ir se esconder. Se encontrasse um bom local, poderia ganhar a disputa e ter horas de abençoada solidão.

Embora...

Ela olhou de relance para Alec, então desviou os olhos ao ver que ele fazia o mesmo na direção dela. Mas Gwen não conseguiu conter um sorriso. Talvez a abençoada solidão não fosse o que realmente desejava naquele exato momento. Estava tão acostumada a passar todo o tempo nas reuniões sociais tentado escapar de companhias, que sequer lhe ocorrera que, daquela vez, talvez houvesse alguém de quem não desejava fugir.

Daquela vez, talvez houvesse alguém *com quem* desejasse fugir.

Gwen sentiu o rosto ficar quente e manteve os olhos na relva, com medo de que vissem a vermelhidão óbvia em suas bochechas. No entanto, qualquer esperança de passar despercebida foi por água abaixo quando ouviu uma voz cálida em seu ouvido:

– Você está vermelha.

– Não estou, não – mentiu, mas sabia que seu rosto estava ainda mais rubro só de ouvir a voz de Alec.

– Mentirosa – murmurou ele. – No que será que está pensando?

Gwen levantou a cabeça para retrucar, mas, antes que pudesse falar, Octavia Darlington se aproximou.

– Dê o seu melhor, irmão – disse ela, com um sorriso para Alec. – Vou encontrá-lo.

– Por favor, faça isso – retrucou ele. – Estou ansioso para saborear meu conhaque enquanto Bretton arrasta os pés pela lama.

– Não está tão enlameado assim – comentou Gwen.

– Estará, com esses sapatos – disse Alec, indicando com a cabeça os sapatinhos delicados da irmã.

– Ah, essas velharias? – falou Octavia. – Já estão bem usados. Eu estava quase me livrando deles.

– Alguma dúvida sobre por que as contas são tão altas lá em casa? – murmurou Alec.

Gwen conteve uma risada, então ficou séria rapidamente quando Octavia lhe lançou um olhar de reprovação.

– Sua irmã não gosta de mim – comentou ela, depois que Octavia se afastou.

– Nesse momento, eu mesmo não gosto muito da minha irmã – disse Alec, tenso.

Gwen não soube o que responder àquilo. Provavelmente era de se esperar que fizesse algum comentário doce e leve como "Ah, não diga isso!". Mas fazia quatro meses que recebia olhares de desaprovação de Octavia Darlington e, sinceramente, já estava farta.

– Ela só está com inveja – disse Alec, deixando escapar um suspiro cansado. Então rapidamente escondeu o aborrecimento com um balançar de cabeça. Virou-se para Gwen com um sorriso e disse: – Octavia sempre quis ter cabelos *à la* Ticiano.

Gwen revirou os olhos.

– É verdade – insistiu ele. – E olhos verdes também.

– Não acredito em você.

– Tudo bem. A parte dos olhos é mentira, mas ela de fato resmunga sobre o cabelo.

– Ela provavelmente gostaria que fossem mais encaracolados – disse Gwen. A maior parte das jovens damas queria isso.

Alec parecia perplexo com toda aquela conversa.

– Seja o que for que ela queira, não é o que ela tem.

– Mas sua irmã é encantadora – comentou Gwen.

Era verdade. Octavia tinha um cabelo cheio muito bonito, tanto quanto os olhos cinza. Bem parecidos com os de Alec, a respeito de quem Gwen se tornara bem parcial recentemente.

– Não tanto quanto você – falou Alec, baixinho –, e temo que ela saiba disso.

Os olhares dos dois se encontraram, e Gwen quase se permitiu cambalear na direção dele. O momento parecia implorar por um beijo, e quando ela levantou os olhos...

– Pode parar? – pediu Alec, com uma voz estrangulada.

– Parar com o quê?

– De me olhar desse jeito.

Gwen engoliu com dificuldade, nervosa, e recuou, olhando rapidamente ao redor para ver se alguém havia notado que ela estava encarando Alec como uma bezerrinha apaixonada. Lady Finchley estava com os olhos voltados na direção deles, mas Gwen não estava certa se era para eles que estava olhando ou para o duque de Bretton, que estava apoiado contra uma árvore, contando alto com uma demonstração exagerada de paciência.

– Trinta e quatro... trinta e cinco... Cem, você disse?
– Mil – falou lady Finchley, com um sorriso malvado.
– Vamos nos esconder? – sussurrou Alec.

Gwen olhou para ele, chocada.

– Juntos?
– Não existe nada nas regras que diga que não podemos.
– Acho que me lembro de ter me saído mal em matemática no Eton College – disse o duque. – Algo a ver com não entender bem números de três dígitos.
– É mesmo um conceito difícil – comentou lady Finchley –, mas estou certa de que vai conseguir.

Gwen riu ao ver o solteiro mais cobiçado da Inglaterra apoiado displicentemente no tronco de uma árvore, contando como um colegial.

– Não sei o que ele estava pensando – disse Alec, balançando a cabeça. – Deveria saber que é melhor não tentar ser mais esperto do que Carolyn Finchley.
– Você já tentou, então? – perguntou Gwen.
– Ah, muitas e muitas vezes – disse Alec, enquanto eles seguiam juntos na direção da parte de trás da casa. – Conheço Carolyn desde que ela ainda usava vestidinhos de avental. O irmão dela é um dos meus amigos mais próximos.
– Ele parece ser um homem muito digno – comentou Gwen.

Alec a encarou com intensidade.

– Mas você *não* vai se casar com ele.

Gwen quase engasgou com a própria língua.

– Como?
– Ele está querendo arrumar uma esposa. Não sei bem o que provocou essa urgência, mas... – Alec fez uma pausa, então falou: – Consegue guardar um segredo?
– Consigo – confirmou Gwen.

– Hugh fez uma lista. Ou melhor, as irmãs dele fizeram. De noivas em potencial.

De repente, vários eventos da véspera começaram a fazer sentido.

– E eu estou nela? – perguntou Gwen, franzindo a testa.

– É claro – retrucou Alec como se fosse óbvio, deixando Gwen sem jeito. Ele se virou para ela, surpreso. – Achou que não estaria?

– N-não sei.

– Bem, não importa. Se ele pedir você em casamento, não aceite de jeito nenhum.

Gwen se perguntou se Alec teria um plano alternativo em mente, mas antes que pudesse chegar a lamentar a própria ausência de ousadia (ela jamais conseguiria se forçar a perguntar algo assim, jamais), ele balançou a cabeça e disse:

– Você seria muito infeliz.

– Seria? – Então, algum diabinho dentro dela a fez perguntar: – Por quê?

Ele a encarou com uma expressão muito séria.

– Hugh vive para os cavalos. Não vai ter tempo para uma esposa que não nutra a mesma paixão.

– Algumas mulheres achariam esse arranjo interessante.

Alec a encarou com intensidade.

– Você acharia?

Gwen engoliu em seco.

– Acho que depende do marido.

Eles haviam chegado à beira da clareira e agora estavam entrando no bosque. Uma sombra caiu sobre a pele de Gwen e ela estremeceu.

Mas não sabia se tinha sido por causa do frio. Alec havia parado de caminhar e uma de suas mãos havia encontrado a dela. Os dedos deles se entrelaçaram, e ele a puxou para junto de si. Gwen prendeu a respiração. Alec a encarava com tamanha intensidade que ela teve certeza de que ele conseguia ver através de sua alma.

– E se eu fosse o marido? – perguntou ele, baixinho. – Agradaria a você um arranjo desse tipo?

Ela balançou a cabeça em negativa, sem dizer nada.

– Nem a mim – murmurou Alec, e levou os dedos dela aos lábios. – Acho que um marido e uma esposa devem compartilhar paixões.

Gwen sorriu. Sentia-se feminina. Ousada.

– Não estamos mais falando de cavalos, estamos?

– Com certeza, não.

– De livros? Meu pai é apaixonado por sua biblioteca.

– Alguns livros – disse Alec, a voz tão sedutora que não pôde deixar de se perguntar em quais títulos estava pensando.

– Bordado? – provocou ela. – Minha mãe é muito apaixonada por seus bordados.

– Só sou apaixonado pelos bordados que você possa estar usando.

O rosto dela ficou muito quente, e ela se sentiu muito ansiosa. Ansiosa e encantada.

Alec se inclinou e beijou o canto da boca de Gwen.

– E sou ainda mais apaixonado pelos bordados das peças que possam ser removidas do seu corpo.

– Ah – sussurrou ela. – Acho que não entramos o bastante no bosque.

Ele deixou escapar uma gargalhada, então agarrou a mão de Gwen e puxou-a. Ela correu com ele, as pernas tendo que se esforçar para acompanhar a longa passada de Alec. Gwen foi rindo por todo o caminho, feliz e sem fôlego, pulando raízes de árvores e abaixando a cabeça para passar sob os galhos.

– Pare! – implorou Gwen, mal conseguindo desviar de um arbusto que surgira em seu caminho. – Não consigo... Ah!

Alec parou.

Ela esbarrou nele, os corpos dos dois se encontrando com uma força súbita e intensa, e então... não foi possível conter. Alec não disse uma palavra, e Gwen não queria mesmo que ele dissesse. Os braços dele estavam ao redor dela, as mãos dela nos cabelos dele, e, fosse o que fosse que eles tivessem feito naquela manhã, não tinha sido nada parecido com *aquilo*.

Gwen não sabia o que a possuíra, jamais teria sonhado se ver dominada por tamanha sensação de urgência. Mas quando esbarrou nele, a pressão dos corpos unidos, algo dentro dela se libertou. Ela queria – não, precisava senti-lo, beijá-lo, *mostrar* a ele que não era só a Gwendolyn Passmore tímida. Ela era uma mulher, uma mulher com paixões. E que *o* desejava.

Gwen gemeu o nome de Alec e puxou-o com mais força junto ao corpo. Sentia-se poderosa. Sentia-se forte. Queria ser dona da própria vida. Daquele momento.

Do mundo!

Ela riu. Jogou a cabeça para trás e riu.

– O que foi? – perguntou Alec, ofegante.

– Não sei – admitiu ela, também sem fôlego. – Só estou feliz. Eu me sinto... me sinto...

Alec puxou-a contra si, mas não a beijou de novo. Ficou apenas abraçando Gwen com força, os olhos fixos nos dela.

– Eu me sinto livre – sussurrou ela.

CAPÍTULO OITO

Alec não tivera a intenção de beijar Gwen.

Está bem, isso não era verdade. *Tivera* a intenção de beijá-la. Só não pretendera que o beijo fosse *daquele* jeito. Mas agora...

Não conseguiria parar nem se o próprio rei tivesse chegado ao bosque e ordenado. Pela primeira vez na vida, via-se movido por algo além do desejo, além até da necessidade. Gwen era sua. Precisava fazê-la sua. Tinha que *mostrar* a ela...

Que diabos... Ele não sabia o que tinha que mostrar a ela. Só sabia que tinha que...

Era isso. Ele não sabia nada. Não sabia nada a não ser que ela, ele, aquele momento, aquele beijo, e o vento, e as folhas, e o cheiro de terra molhada, e...

– Você é tão linda... – sussurrou Alec.

Precisava dizer aquilo. Tinha que dizer.

– Eu me sinto linda – disse ela baixinho. – Você faz como que eu me sinta linda.

Ele tocou os cabelos dela, as mechas deslizando entre seus dedos. Gwen estava com os cabelos presos para o alto, mas a corrida pelo bosque desfizera o penteado e agora os cachos se espalhavam pelos ombros.

– Como eles sabem como fazer isso? – murmurou ele.

– Eles quem? Fazer o quê?

Ele levantou um cacho de cabelo, observou sua flexibilidade, então deslizou o dedo para dentro do cacho.

– Como todos os fios sabem como se juntar para fazer um cacho?

Ela pareceu prestes a começar a rir.

– Meu cabelo é muito inteligente.

– Só o cabelo?

– Meus dedos dos pés são muito espertos também.

Alec se viu subitamente consumido por um desejo de ver os pés dela.

– Isso está ficando interessante.

– E você?

– Eu? – Ele fingiu pensar seriamente na pergunta. – Tenho mãos muito inteligentes.

Ela pegou uma das mãos dele e levou à boca.

– Gosto das suas mãos.

Alec não disse nada, não confiava em si mesmo para dizer qualquer coisa naquele momento. Mal conseguia respirar, mal se lembrava do próprio nome enquanto Gwen beijava cada nó dos dedos dele.

– São boas mãos – comentou ela, baixinho. – E muito capazes.

– Ah, meu Deus – gemeu ele. – Gwen.

Mas ela não parou, e virou a mão dele para examinar a palma.

– Está vendo isso? – perguntou, tocando a elevação sensível logo abaixo da base dos dedos. – Calos. Como um conde mimado conseguiu calos?

– Gosto de trabalhar com as mãos – disse Alec, a voz rouca.

Gwen assentiu.

– Eu também.

– E de fazer longas caminhadas – falou ele.

Ela beijou a palma da mão dele.

– Eu também.

Então, porque parecia combinar com o momento, Alec disse em um rompante:

– Gosto de verde.

Ela levantou a cabeça e o encarou com aqueles olhos incrivelmente verdes. Alec nem estava pensando nos olhos dela quando falou. Ou estava?

– É a sua cor favorita? – perguntou Gwen.

Alec assentiu.

– Também é a minha – disse ela, sorrindo.

Alec se perguntou quando é que havia se tornado tão fascinante simplesmente ver outro ser humano piscar. Mas, no caso de Gwen, a coisa era como um balé. Ele poderia ter ficado ali a tarde toda, observando os cílios dela subirem e descerem. A cor deles contrastando com o rosto dela, o fato de que ela parecia sorrir cada vez que seus olhos se fechavam...

Ele estava começando a delirar.

Estava ficando idiota.

E não se importava nem um pouco.

– Minha segunda cor favorita é roxo – disse Gwen, sorrindo para ele.

Alec quase disse "A minha também", só que não era verdade. Assim, ele sorriu de volta e falou:

– Gosto de laranja.

– Gosto de laranja*s*.

Alec se inclinou até que sua testa encostasse na dela.

– Gosto de ameixas.

Os lábios dela encontraram os dele, mas muito rapidamente.

– Gosto de morangos – disse Gwen.

Ele fez uma pausa.

– O que isso tem a ver?

Ela deu de ombros, como quem não fazia ideia, e deu uma risadinha.

– Não sei.

Alec tocou o queixo de Gwen, então correu os dedos pela curva do maxilar até o pescoço.

– Você faz alguma ideia do quanto quero beijar sua boca neste exato momento?

– Alguma – sussurrou ela.

– Nunca me senti assim antes – disse Alec.

Porque era urgente dizer. Gwen precisava saber que ele não era inexperiente. Que estivera com mulheres. Que raramente estava sem mulheres. Mas precisava que Gwen soubesse que com ela era tudo novo.

– Nem eu – falou Gwen, então admitiu: – Não entendo o que está acontecendo.

Ele a beijou de novo, mordiscando levemente o lábio inferior dela.

– Acho que não precisa entender.

Alec deixou os lábios descerem pelo pescoço de Gwen, e grunhiu de desejo quando ela deixou a cabeça cair para trás, permitindo acesso total à pele quente e macia.

Ele virou Gwen até as costas dela estarem apoiadas em uma árvore, então prendeu-a contra o tronco, a boca encontrando mais uma vez a base do pescoço, descendo até o nicho da clavícula e depois até a elevação dos seios, acima do babado do vestido.

– Alec – gemeu Gwen, mas nada na voz dela indicava que ela desejava que ele parasse.

E assim Alec desceu ainda mais, ousando, correndo a língua por baixo do babado de renda do decote. As mãos dele estavam nos ombros dela, e, antes que Alec se desse conta, estava puxando para baixo um dos lados do corpinho do vestido.

Beijou o ombro de Gwen, a pele macia do braço dela e o seio, até que, lenta e dolorosamente, capturou o mamilo e mordiscou-o de leve, grunhindo de prazer quando ouviu o gemido baixo de surpresa dela.

Em algum lugar nos recônditos da mente, Alec sabia que precisava parar. Gwen era uma dama inocente, pelo amor de Deus, e ele estava fazendo amor com ela contra a árvore. No meio de uma brincadeira de esconde-esconde. Mas ele simplesmente não conseguia se obrigar a se afastar. Ainda não; não com Gwen tão doce e tão apaixonada em seus braços. Não quando ela estava deixando escapar aqueles sons indescritíveis e infinitamente sedutores, vindo do fundo da garganta.

– Aquilo que eu disse antes – disse Alec com a respiração entrecortada, e pressionou sua ereção nela, mesmo sabendo que isso só o faria se sentir mais frustrado –, sobre se eu fosse seu marido...

Ela deixou escapar um barulhinho. Alec pensou que poderia significar um "Sim?".

– Foi um pedido de casamento. – Ele se afastou, apenas o bastante para conseguir respirar. – Um pedido bem desajeitado, eu sei, mas... – Alec tentou se apoiar sobre um dos joelhos, mas descobriu que estava sem equilíbrio, e acabou apenas se inclinando de um jeito engraçado. – Quer se casar comigo?

Gwen não disse nada por algum tempo, o que talvez o tivesse deixado preocupado, mas Alec percebeu que ela estava claramente tentando voltar a respirar. Finalmente, ela levantou os olhos e perguntou:

– Está falando sério?

Alec assentiu.

Ela assentiu.

E foi assim que Alec Darlington, o sétimo conde de Charters, e a Srta. Gwendolyn Passmore, filha de lorde e lady Stillworth, ficaram noivos.

Aquela não era a história que eles contariam aos filhos, é claro. A versão para os filhos teria pétalas de rosa, um anel de noivado com um diamante e (este foi um acréscimo de última hora à narrativa) uma catapulta.

Teriam conseguido escapar impunes com isso, também, se tia Octavia (como acabaria sendo conhecida) não tivesse decidido contar o lado dela da história.

⁓

— AH, MEU DEUS!

Era o que Gwen estava pensando. *Ah meu Deus ah meu Deus ah meu Deus.* Sinceramente, o que mais ela poderia estar pensando? Acabara de (estava quase certa disso) ficar noiva do conde de Charters, que (estava bem certa disso) estava fazendo coisas muito ousadas com o seio esquerdo dela, coisas de que (estava absolutamente certa disso) ela estava gostando demais.

— AH, MEU DEUS!

Os pensamentos de Gwen, no entanto, raramente tomavam a forma de um gritinho.

— ALEC!

Gwen ficou paralisada. Ou melhor, Alec ficou paralisado, a mão grande ainda cobrindo a dela. Então o rosto dele assumiu uma expressão de pavor.

— Alec Darlington, não me ignore!

Gwen ouviu Alec xingar, mas mesmo assim ele não se mexeu. Com grande apreensão, ela espiou atrás dele.

— O que vocês estão fazendo? — gritou Octavia Darlington.

Ela estava com os braços no ar, agitando-os loucamente, e Gwen não pôde evitar pensar que era bastante óbvia a resposta. Ela voltou a baixar a cabeça atrás de Alec, mortificada.

— Alec! — gritou Octavia de novo, e dessa vez ela não se conteve e bateu nas costas do irmão. — O que você está fazendo? Ah, meu Deus, Alec, quando pedi para você se livrar da Srta. Passmore, não estava me referindo a isso!

— Octavia — grunhiu ele. — Cale a boca.

Mas Octavia Darlington, que já estava no embalo da ação, se recusou a se conter.

— Não diga...

— Quieta! — disse Alec com rispidez.

Ele se virou para uma posição que pareceu extremamente desconfortável. Mas continuou a manter Gwen encoberta enquanto virava o rosto para a irmã, ao que Gwen sentiu-se muito grata.

– Santo Deus, Octavia, você parece uma feirante.

– Como pôde fazer isso comigo? – gritou ela.

– Eu posso garantir – murmurou ele – que isso não tem nada a ver com você.

Mas então Gwen começou a pensar.

– O que ela quis dizer com...

– Você estava beijando a Srta. Passmore! – disse Octavia com um gritinho. – Beijando!

– Pelo amor de...

– O que ela quis dizer – insistiu Gwen, agora mais alto – com "se livrar" de mim?

– Nada – apressou-se a dizer Alec. – Octavia, vire de costas.

– Não vou fazer isso.

– Vire-se, ou juro por Deus que vou deixar você sem dote.

Octavia arfou, ultrajada, mas obedeceu. Gwen se afastou de Alec e arrumou o vestido.

– O que ela *quis dizer* – disse com firmeza – com "se livrar" de mim?

– Ela é uma idiota – respondeu Alec, irritado.

– Eu ouvi isso! – disse Octavia, também irritada.

– Era para ouvir mesmo!

– Ah! – Ela plantou as mãos na cintura. – Já posso me virar?

– Hã... sim – respondeu Gwen, já que Alec estava ocupado demais olhando com raiva para as costas da irmã.

Octavia se virou e Gwen mal conseguiu conter a vontade de recuar um passo. A jovem parecia furiosa. Estava muito vermelha, os cachos (que Gwen não achava que fossem naturais) balançavam, e os olhos dela destilavam veneno.

– Você é o pior irmão do mundo – disse ela para Alec.

– Não! – interrompeu-a Gwen, furiosa. – Não diga isso. Você não pode falar assim.

– E você não pode falar comigo desse jeito.

Gwen se adiantou e apontou o dedo para Octavia.

– Nunca mais diga uma coisa dessas. Você por acaso tem ideia do que eu daria para ter mais um minuto com meu irmão? Uma oportunidade para dizer o quanto eu o amava?

Octavia franziu os lábios com força. Gwen não saberia dizer se ela estava com raiva ou constrangida, mas naquele momento não se importou.

– Meu irmão era meu melhor amigo, e ele tomava conta de mim, e se ainda estivesse vivo, estaria aqui comigo, como o seu está com você, portanto não *ouse* dizer que seu irmão é...

– Gwen – disse Alec com gentileza, e pousou a mão no braço dela.

Mas Gwen não estava disposta a deixar que ele a confortasse. Ela se desvencilhou dele e deu outro passo na direção de Octavia.

– Por que você me odeia? – quis saber.

– Não estou falando com ela – disse Octavia, virando-se enfaticamente para o irmão.

– Não – insistiu Gwen. – Você não pode simplesmente me ignorar.

– Alec – falou Octavia –, quero que me acompanhe de volta para casa.

– Você não pode simplesmente me ignorar – repetiu Gwen.

Durante toda a temporada social, Octavia Darlington havia sido péssima com ela. Nunca convidava Gwen para ir a lugar nenhum. Os grupinhos de amigas dela pareciam se fechar quando Gwen estava por perto. E quando as duas eram forçadas a fazer contato, Octavia era mal-humorada e seca.

A menos que houvesse testemunhas.

E Gwen simplesmente estava farta disso.

– Por que você me odeia?

– Não odeio você – fungou Octavia.

– Ah, odeia, sim. – Gwen se virou para Alec e pôs as mãos na cintura. – Ela me odeia.

– Eu sei – disse ele, com um suspiro.

Octavia suspirou também, apontando um dedo raivoso para Gwen.

– É *ela* que é rude e distante. *Ela* quem rouba todos os cavalheiros disponíveis do resto de nós. Ela por acaso faz algum esforço para mandá-los em nossa direção? Não!

Gwen só conseguiu ficar boquiaberta.

Se Octavia ao menos soubesse o quanto ela odiava a temporada social... o quanto teria ficado feliz em dispensar *todos* os cavalheiros, se soubesse como fazer isso...

– Ora, você não vai ter mais que se preocupar com isso – disse Alec para Octavia. – Porque acabei de pedir a Srta. Passmore em casamento e ela aceitou. – Ele se virou com um movimento rápido e urgente para Gwen. – Você aceitou, não foi?

Gwen começou a dizer sim, mas então cerrou os olhos.

– Você não me disse o que ela quis dizer sobre você se livrar de mim.

– Não foi nada – afirmou Alec. – Octavia me pediu para distrair você, para que os outros homens não a procurassem. Um pedido que, devo acrescentar, fiquei feliz em aceitar.

– Você não me disse que estava interessado nela – resmungou Octavia.

– Isso teria feito alguma diferença? Santo Deus, Octavia, e não diga que teria! – Ele ergueu a mão, impedindo qualquer coisa que a irmã estivesse prestes a dizer naquele momento. – Se disser que sim, não vou perdoar você. Eu juro.

– Mas...

– Não! – bradou ele. – Se você disser que sim, isso significa que se preocupa mais em magoar a Srta. Passmore do que com a própria felicidade, e se isso for verdade, não suporto pensar que tive alguma participação em sua criação.

Finalmente Octavia ficou em silêncio.

Alec se virou para Gwen e pegou as mãos dela.

– Gwen – disse ele. – *A* Gwen.

Ela sorriu para si mesma. Não conseguiu se conter.

– Eu amo você. Não tenho ideia de como uma coisa dessas aconteceu em tão pouco tempo, mas eu me conheço e sei que é verdade.

Gwen engoliu em seco, tentando conter as lágrimas. Ela também não sabia, e não teria imaginado que algo assim fosse possível, só que...

Ela se sentia exatamente da mesma forma.

– Eu adoro você.

Ela assentiu, torcendo para que ele interpretasse aquilo corretamente como "Eu também".

– Quero passar a minha vida com você.

– Mas eu desenho coelhos – disse Gwen em um rompante.

Alec a encarou, confuso.

– O quê? – perguntou Octavia.

– No meu caderno de desenhos – explicou Gwen. Ela não fazia ideia de por que estava dizendo aquilo e, na verdade, já tinha começado a se arrepender de ter falado, mas agora já não conseguia parar. – Você me pediu para ver os desenhos. Eu desenho coelhos. E esquilos.

– Isso não é...

– Com presas.

– Presas? – Octavia pareceu curiosa, e talvez um pouco satisfeita também.

Gwen a ignorou, e manteve a atenção em Alec.

– Alguns deles se parecem com pessoas que eu conheço.

Ele começou a sorrir.

– Algum se parece comigo?

Ela quase mentiu. Quase.

– Houve um esquilo – admitiu. – Hoje de manhã.

O sorriso de Alec ficou maior.

– Ele é bonito?

– Não é muito, não.

Ele riu.

– Mas na verdade eu já tinha desenhado antes de ver você no lago. Se fosse desenhá-lo agora...

– Se você fosse desenhá-lo agora... – provocou ele.

– Não sei – disse Gwen, como se estivesse pensando na pergunta. – Acho que talvez ele se parecesse um pouco com lorde Briarly.

Alec deixou escapar uma gargalhada ao ouvir isso.

– O que Hugh lhe fez?

– Nada – admitiu ela –, mas não consigo pensar em mais ninguém. E ele fez aquela lista horrível.

– Que lista? – perguntou Octavia.

– Talvez você pudesse desenhá-lo com dentes de cavalo – sugeriu Alec, puxando-a um pouco mais para perto –, em vez de presas.

– Eu poderia fazer isso.

– Que lista? – perguntou Octavia de novo.

Gwen sorriu para o agora noivo e se deixou envolver pelos braços dele.

– Eu poderia desenhá-lo como um cavalo – disse ela, começando a perder o foco na conversa, pois Alec estava olhando para ela daquele jeito de novo, e...

– Não a beije de novo! – gritou Octavia. – Não a beije na minha frente.

Tarde demais.

Alec beijou Gwen.

E ela amou.

Quase tanto quanto o amava.

CAPÍTULO NOVE

Carolyn não achava que estaria se gabando se dissesse que seus planos em geral saíam exatamente como desejava. Não era possível administrar as três casas do marquesado de Finchley e não se tornar uma especialista em organizar pessoas e coisas. Mas naquele momento estava se vendo presa de uma emoção nova, bem frustrante.

O duque de Bretton ainda estava apoiado na árvore e contando, tentando chegar a mil e obviamente torcendo para que ela não estivesse reparando quando ele pulava alguns números. Ou algumas centenas de números.

– Isso é esconde-esconde, duque – disse Carolyn. – Por favor, tente se concentrar nesses números.

Bretton gemeu e continuou.

– Querido – disse ela ao marido, que acabara de se aproximar vagarosamente –, você viu com quem Gwendolyn Passmore se afastou?

O marido olhou ao redor, parecendo tão desinteressado quanto poderia parecer um homem sinceramente entediado com as práticas casamenteiras da aristocracia.

– Na última vez que a vi, estava com Charters arfando a seus pés como uma truta no anzol.

– Não é possível – sibilou Carolyn. – Eu a escolhi para Hugh. E se a Srta. Passmore não quiser Hugh, supostamente seria por estar apaixonada por *ele* – ela acenou na direção do duque –, mas agora, sabendo que o homem nem consegue contar direito, terei que perdoá-la por isso.

– Não há nada de errado com Charters – disse o marido. – Família boa, antiga; ele é um conde, um bom camarada.

– Mas eu a escolhi para Hugh – falou Carolyn, sentindo-se um pouco chorosa. – Agora meu irmão talvez nunca consiga se casar. Não sei se a Srta. Peyton é adequada.

– Por que não? Tive uma conversa interessante com ela ontem, sobre drenagem.

– Exatamente por isso – argumentou Carolyn. – Gosto de Kate, gosto mesmo. Mas não sei bem se Hugh vai apreciar todo o conhecimento dela. E Kate é tão direta!

– Homens gostam de objetividade – falou o marido, de forma objetiva. – Além do mais, ela tem uma boquinha tão bonitinha... Embora – emendou ele, inclinando-se e dando um beijo nos lábios da esposa – não tão bonitinha quanto a sua.

O duque esticou o corpo e afastou-se da árvore.

– Mil – disse, triunfante. – Ué, cadê todo mundo?

– É exatamente o que você tem que descobrir – lembrou Carolyn, quase com raiva, a não ser pelo fato de que nunca ficava com raiva. Bem, quase nunca. – As pessoas estão *escondidas*, já que se trata de esconde-esconde. A Srta. Darlington chegou a mil pelo menos dois minutos atrás, e já saiu correndo para encontrar as pessoas.

O marido pegou a mão dela.

– Precisamos nos esconder – disse.

– Esconder? Não posso me esconder. Devo supervisionar. Tenho que ficar aqui.

Ele a puxou consigo.

– Comece a procurar! – gritou Carolyn para o duque, por cima do ombro. Então, porque Sua Graça tinha a expressão de um homem prestes a tirar uma soneca ou a ir atrás daquele copo de conhaque, acrescentou: – Vá, encontre-os!

O marido puxou-a direto para dentro de casa, subiu as escadas com ela e entrou no quarto. Por sorte, a camareira de Carolyn não estava à vista.

– O que está fazendo, Finchley, pelo amor de Deus? – perguntou ela, arfando.

Ele fechou a porta.

– Estamos sozinhos.

– E?

– Então não sou *Finchley*, sou?

Carolyn não conseguiu conter o sorriso.

– Acho que não.

Ele a encostou na porta, o corpo grande e quente pressionando-a contra a madeira.

– Qual é o meu nome, então?

Ele inclinou a cabeça e começou a fazer alguma coisa deliciosa com o pescoço dela.

– Hugh chama você de Finch – disse ela, em um tom provocador. E se viu desamarrando a gravata dele sem sequer saber direito como chegara àquilo.

– Meu nome – grunhiu o marido – é Piers.

– Sim, mas você não gosta de ser chamado de Piers em público – sussurrou ela.

Carolyn teve que sussurrar porque ele tinha conseguido abaixar o corpinho do vestido dela e...

– Não estamos em público – disse Piers, erguendo-a no colo.

Carolyn pousou a mão na curva do rosto dele.

– Eu não deveria estar fazendo isso. Deveria estar organizando jogos e brincadeiras para os meus convidados. Logo as pessoas vão se perguntar onde estou.

– Jogos e brincadeiras – disse ele, em tom malicioso. – Deixe o pessoal em paz, Carolyn. Em alguns poucos dias, vi mais jogos e brincadeiras do que em toda a minha infância. São todos homens e mulheres adultos. – Piers colocou-a na cama.

Carolyn ficou deitada de costas, perguntando-se se deveria deixá-lo continuar.

– Jogos e brincadeiras são úteis – disse ela, amando as ruguinhas ao redor dos olhos de Piers, e o modo como ele desabotoava o vestido dela, mais rápido do que a camareira seria capaz de fazer em um dia bom.

– Bobagem – refutou ele, despindo o vestido dela e começando a tirar o espartilho.

– Eles obrigam as pessoas a socializar – explicou ela, chutando os sapatos para longe. – É parte do meu plano de mestre para garantir que Hugh encontre alguém apropriado para se casar.

– Talvez ele ainda não queira se casar – disse Piers.

– Ele quer! Foi ele que pediu a tal lista, esqueceu? Mas agora estou com medo de que Charters tenha roubado Gwendolyn Passmore. Agora não terei outra opção senão me concentrar em Kate.

– Muito bem – falou Piers, lutando com o cadarço teimoso do espartilho.

– Ih, arrebentou. Mas acho que Gwendolyn não teria mantido Hugh alerta.

– E eu o mantenho alerta? – Carolyn o encarou, um pouco zonza.

Ele finalmente tirou o espartilho. Carolyn abaixou os olhos. De algum modo, o marido conseguira despi-la até deixá-la só de camisa de baixo sem ter tirado uma só peça de roupa de si próprio. Ela estendeu a mão e começou a desabotoar o colete dele.

– Piers? Eu o mantenho alerta?

O marido estava totalmente concentrado em acariciar a curva do seio dela, e, embora Carolyn apreciasse a ideia, insistiu:

– Eu o mantenho alerta?

– Não – disse ele sedento, despindo o paletó e jogando-o de lado.

Ela o encarou, confusa.

– Não?

A camisa dele voou para o outro lado do quarto e as botas caíram no chão.

– Não? – Carolyn se sentiu absurdamente desapontada. É claro que Piers a amava. Ele...

Então aquele corpo grande de homem aterrissou sobre o dela.

– Você não quer que eu esteja *alerta* – grunhiu Piers no ouvido dela, pressionando o corpo para baixo de tal forma que... bem... fez Carolyn sentir uma súbita onda de calor. Ela passou os braços ao redor do pescoço dele.

– Sou uma companhia muito melhor quando não estou nem um pouco alerta – continuou o marido, despindo a camisa de baixo da esposa e colocando o seio dela na boca.

– Não sei... deveríamos estar lá fora, brincando de esconde-esconde – sussurrou ela, mordiscando a orelha dele.

Carolyn sentiu um tremor dominar todo o seu corpo.

– Mas é exatamente de esconde-esconde que vou brincar agora – disse Piers, alguns minutos depois, sorrindo para ela.

A essa altura, Carolyn já havia se esquecido completamente da conversa. Ela ergueu o corpo de encontro ao dele.

– Por favor, eu tenho que...

– Primeiro vou *esconder* – falou ele, com um brilho maravilhosamente travesso nos olhos –, e mais tarde vamos nos preocupar em *encontrar*.

A marquesa perdeu o ar e... bem, perdeu o ar outra vez.

Quando o marquês e a marquesa finalmente desceram de novo, a brincadeira de esconde-esconde havia acabado. Com bastante relutância, Carolyn soltou a mão do marido. Havia um grupo de damas aglomeradas ao redor da Srta. Octavia Darlington, que, aos olhos experientes da anfitriã, parecia agitada.

Piers puxou a esposa para trás e sussurrou em seu ouvido:

– Quanto tempo até a hora dormir?

Carolyn olhou para ele, sentindo um leve rubor colorir seu rosto. Ela balançou a cabeça.

– Quieto!

Então se afastou do marido, com a sensação de que nada no mundo seria melhor do que subir novamente e tirar um longo cochilo.

– Olá, minhas caras – falou, inserindo-se com destreza no círculo de damas. – Compartilhe a história comigo, Octavia.

Octavia estava com a mão no rosto e dizia aos gemidos:

– Meus olhos! Meus olhos!

Mas, ao ouvir a voz de Carolyn, deixou a mão cair.

– Ah, não foi nada, lady Finchley – disse. Outras duas moças assentiram.

– Nada mesmo.

Carolyn suspirou. Conhecia aquele *nada*.

– Agora eu insisto – falou com gentileza. – O que aconteceu com seus olhos, Octavia? Está com terçol? Ou alguma inflamação?

– Não! – exclamou Octavia. – É só que o meu irmão...

Carolyn manteve o sorriso cintilante. Apostaria 100 libras que Gwendolyn Passmore não se juntaria a sua família estendida. Pobre Hugh.

– Deixe-me adivinhar – disse ela. – Seu irmão se apaixonou.

– Bem, a senhora *poderia* chamar assim – retrucou Octavia, em um tom desaprovador.

Carolyn pegou a jovem dama pelo braço.

– Poderíamos chamar assim porque seria a verdade, não é mesmo?

Octavia ficou em silêncio por um momento, por isso Carolyn lhe deu um leve beliscão.

– Estou só supondo, mas percebi que seu irmão parecia interessado em Gwendolyn Passmore.

– Ele... no bosque...

– Seu irmão pediu Gwendolyn em casamento no bosque – completou Carolyn, cortando com habilidade fosse qual fosse a indiscrição que Octavia estava prestes a deixar escapar. – Não é romântico? – Ela fixou cada uma das outras moças com um olhar ameaçador e todas assentiram obedientemente. – Acho que todas concordamos que a querida Gwendolyn foi a dama mais linda da temporada social, e também podemos concordar que é muito bom vê-la tão feliz com alguém.

Todas assentiram de novo, como marionetes.

– Além do mais – acrescentou Carolyn –, agora todos os pretendentes dela estarão livres para olharem para outro lado.

O rosto das jovens se iluminou. Carolyn não conseguia se lembrar de jamais ter sido tão tolinha, mas era preciso presumir que sim. Ela abaixou a voz:

– Alguma de vocês já conheceu o capitão Neill Oakes?

Todas balançaram a cabeça, negando.

– Um herói de guerra – contou Carolyn. – Eu estava presente quando ele foi apresentado à rainha.

As meninas sorriram com educação. Não, ela nunca tinha sido tão tola.

– É claro que ele tinha uma reputação terrível antes de partir para o Continente – acrescentou. – Um libertino! Um homem tão bonito como ele sempre é um perigo para jovens damas. As mães de vocês devem ficar muito atentas, a menos que o tigre tenha mudado suas listas. – O desinteresse gentil cobriu o rosto das moças, com seus olhos cintilantes.

Ela puxou Octavia pelo braço.

– Vamos dar uma caminhada, querida. Gostaria de lhe mostrar a vista da janela oeste.

Mas Carolyn ignorou a vista ao chegar à janela.

– Gwendolyn vai ser sua cunhada – disse a Octavia. – E, se não me engano, você estava prestes a dizer algo muito indiscreto sobre um futuro membro da sua família.

Octavia cerrou o maxilar com tamanha força que foi possível ouvi-la rangendo os dentes.

– A senhora deveria ter visto...

– Seu irmão está *apaixonado* – falou Carolyn, sentindo um pouco de pena da Srta. Darlington. Claramente, havia tanta inveja nela que não conseguia ver além do próprio nariz.

Octavia assentiu.

– Eu sei.

– E Gwendolyn como um membro da família pode ser muito diferente de Gwendolyn como uma rival – argumentou Carolyn. – Ela é uma pessoa encantadora, e eu adoraria tê-la como irmã. Tinha a esperança de que se apaixonasse pelo meu irmão, Hugh.

– Suponho que eu tenha tido sorte, então – comentou Octavia. Carolyn lamentou profundamente ver os olhos da jovem se encherem de lágrimas.

– Terei que ficar parada ao lado dela pelo resto da minha vida, assim todos vão poder comparar minha figura à dela, e comentar como ela é boa, e doce, e então vão poder se divertir comentando quanto sou desagradável!

– Octavia! Não vai ser assim!

Octavia limpou uma lágrima do rosto.

– Ela me fez parecer simplesmente horrível diante do meu irmão – disse, soluçando baixinho. – Ela... ela disse que daria tudo para ter só mais um minuto com o irmão dela que morreu, como se... como se eu não amasse o *meu* irmão, e eu amo.

– Tenho certeza de que não foi isso o que ela quis dizer – argumentou Carolyn, e passou o braço ao redor do ombro da moça. – Imagino que você tenha dito alguma coisa a Alec, não foi? Algo de que Gwendolyn não gostou?

Octavia assentiu.

– E ela saiu em defesa dele. Sabe de uma coisa, Octavia? A partir de agora, seu irmão vai ter alguém que o ama tanto que vai *sempre* defendê-lo. Alec encontrou alguém que estará com ele e ao lado dele por toda a vida. Que o apoiará, dará filhos a ele e, de um modo geral, o amará demais.

Octavia deu um sorrisinho choroso.

– Isso soa tão... bom. A senhora... ama o marquês desse jeito?

Carolyn olhou para trás, para encontrar os olhos de Piers. Seu coração doeu de amor só de olhar para ele.

– Sim – respondeu sem hesitação. – Sim, amo. E você também vai encontrar alguém assim, Octavia. Mas, enquanto isso, deve simplesmente ficar feliz pelo seu irmão, e por Gwendolyn.

– Farei isso – disse Octavia, e respirou fundo. – Eu tenho sido bem desagradável e... Farei isso.

Piers tocou o ombro de Carolyn.

– Achei que estava precisando de mim – disse. – Estava com aquela expressão no olhar.

Octavia fez uma mesura.

– Vou falar com meu irmão – disse. – Acho que me esqueci de parabenizá-lo pelo noivado.

Piers passou o braço ao redor de Carolyn.

– Estava se intrometendo, não é mesmo?

Ela levantou os olhos para ele e sorriu.

– Só um pouquinho.

CAPÍTULO DEZ

Quatro anos antes...

A Srta. Katherine Peyton observou o jovem alto e de ombros largos descer rapidamente a entrada da mansão da família e viu uma oportunidade para a conversa particular que vinha querendo ter com ele havia dias.

Se fosse mais velha, ou mais sábia, ou se estivesse menos obcecada com as próprias intenções, talvez tivesse percebido a rigidez no porte de Neill Oakes, a ligeira raiva em seu jeito de andar, ou notado que, embora ele tivesse esquecido o chapéu e seus cabelos cheios e negros como ébano estivessem desalinhados pelo vento, que, embora o rosto estivesse vermelho pelo frio do dia tempestuoso de novembro, ele parecia não se dar conta disso. E a Srta. Peyton deveria ter se perguntando por quê.

Mas ela não era mais velha, nem mais sábia, e como estava obcecada com as próprias emoções confusas e tumultuadas, não se questionou. A Srta. Peyton tinha apenas 16 anos, fazia pouco tempo que passara a ter consciência da própria feminilidade e estava ansiosa para testar seus efeitos – especialmente com o rapaz que descia a entrada da casa naquele momento. Nunca lhe ocorreu perguntar a si mesma o que ele estava fazendo em Bing Hall, antes de mais nada. Neill Oakes tratava a residência como sua própria casa, e agia assim desde que ela conseguia se lembrar, um fato que nem a mãe da moça – quando estava viva – nem o pai haviam refutado até aquele dia.

Talvez o Sr. Peyton sentisse pena de Neill porque o rapaz não tinha irmãos e a mãe morrera havia pouco. Neill precisara suportar a importação de uma madrasta *muito pouco* tempo depois, e a chegada de dois meios-irmãos logo em seguida, gêmeos que todos no condado de Burnewhinney concordavam ser curiosamente bem-desenvolvidos para crianças prematuras, como era alegado.

Ou talvez o Sr. Peyton apreciasse o fato de Neill ter intercedido por Tom em Eton – Tom era o herdeiro do Sr. Peyton e dois anos mais novo que Neill, que o livrou da subserviência que a maior parte dos calouros tinha que suportar lá. Ou quem sabe o Sr. Peyton simplesmente gostasse do camarada, porque Neill Oakes realmente tinha uma inteligência rápida e sagaz e um jeito cativante, e não apenas com os rapazes locais. Era simplesmente o tipo de sangue novo e ousado que os cavalheiros mais velhos do campo gostavam de pensar que eles mesmos haviam sido naquela idade.

Mas nenhuma dessas coisas passou pela mente da Srta. Peyton quando ela pegou o *bonnet* na cômoda, desceu as escadas apressadamente e atravessou o saguão dos fundos para entrar na cozinha, onde pegou o xale da governanta, de um gancho perto da porta, e escapou, correndo atrás de Neill.

Porque estava com a ideia fixa em um beijo.

Nuvens cinza-chumbo se deslocavam baixo pelo céu, acima das folhas douradas e castanhas dos choupos que ladeavam a avenida. Um vento agudo, pesado com a promessa de tempestade, beliscou o nariz dela e agitou as longas fitas de cetim do *bonnet* de Kate, fazendo-as voar atrás dela como flâmulas em uma corrida de cavalos. Neill estava cerca de 100 metros à frente dela quando Kate chegou à alameda. Chamou alto por ele, mas sua voz foi suprimida pelo farfalhar das folhas, por isso a jovem ergueu as saias leves de musselina e correu, sem se importar com o decoro.

Kate amava Neill Oakes desde que conseguia se lembrar e, embora nunca houvesse confundido suas emoções com um afeto fraternal, também nunca lhe ocorrera até pouco antes que o que sentia era mais do que amizade. Mas ao longo do último ano Kate se pegara ansiando pelas visitas de Neill, ávida pelas longas argumentações com ele e cada vez mais sem fôlego ao ver as mangas da camisa dele dobradas, mostrando os antebraços extremamente másculos. Ela se pegou examinando a forma dos lábios dele e imaginando sua textura, e percebeu que ao longo dos últimos meses o ligeiro sotaque que Neill aprendera com a mãe a havia cativado. Kate se viu ansiosa para entrar em qualquer conversa que o incluísse como tema – e como ele era um belo rapaz, muito determinado, costumava ser o tema da maior parte das conversas.

A reputação de Neill como um patife em formação não a preocupava, ela o conhecia bem. Melhor do que qualquer um.

Kate estava presente quando o filho do cavalariço caíra no rio e Neill mergulhara direto no rio para salvá-lo, sem nunca dizer uma palavra a ninguém, para que o rapaz não fosse punido por ser descuidado. Kate também testemunhara o modo carinhoso com que Neill cuidava dos meios-irmãos pequenos e sua maneira educada de reagir às críticas incessantes da madrasta. E sabia também como era profundo o senso de honra daquele homem cujo nome era sinônimo de libertino.

Depois que Neill dava a sua palavra, nada o fazia voltar atrás. O irmão de Kate, Tom, contara a ela que Neill havia trabalhado no campo de Bucky Buckstone, levantando pedras do tamanho de melões por cinco dias direto depois que o pai dele, furioso por alguma suposta irregularidade em uma conta, se recusara a pagar uma dívida. Neill assumiu a dívida e se ofereceu para pagar com trabalho.

Ah, não que Kate achasse que Neill era um santo. Longe disso. Ele apostava com frequência; sua imprudência colocava outros – incluindo os irmãos dela – em risco, assim como a ele mesmo; e por mais que ouvisse com gentileza as reclamações da madrasta, elas não influenciavam o comportamento dele. Nem um pouco. Neill adorava uma boa briga – Tom e ele haviam deixado olhos roxos um no outro várias vezes – e bebia demais, com muita frequência.

Além de tudo isso, Kate estava *plenamente* consciente da reputação dele com as jovens locais. Ela teria que ser surda para não ouvir seus irmãos – que consideravam Neill um paradigma de tudo o que era mais viril– comentando o tempo todo sobre as conquistas de Neill, sem fazer grande esforço para evitar que ela ouvisse. Na verdade, às vezes Kate entreouvira o próprio Neill elogiando alguma jovem – bem, dificilmente ele poderia ser chamado de virtuoso.

No entanto, nos últimos tempos a vida amorosa de Neill, para a qual Kate já torcera o nariz com desprezo, agora provocava... bem, ciúmes. Ele estava sempre brindando a alguma beldade do campo no Black Lion, mas nunca a ela. Nunca dançava com ela em nenhum dos bailes e festas locais, a não ser nas quadrilhas bobas das quais até mesmo as crianças eram convidadas a participar.

Mas deveria, porque Kate era muito bonita. Bastava se olhar no espelho para ver que tinha pele muito clara e delicada, os cabelos reproduzindo a cor e o brilho de uma seda avermelhada, e os olhos, em vez de pálidos, como costumava acontecer com pessoas ruivas, eram do azul mais escuro, quase negro, muito marcantes. É claro, ela nunca teria um corpo impressionante. Era baixa e magra demais. Mas Harry Fentmorgan, sobrinho do pároco e visconde, havia lhe dito, no baile da colheita daquele ano, que ela era delicada como uma princesa das fadas.

Quando Kate contou isso a Neill, ele riu.

Mas três noites antes, Billy Eggs, o aprendiz de ferreiro, havia erguido sua caneca no Black Lion e brindado a ela. Kate soube disso em primeira mão pela camareira, Nell, que era prima em segundo grau de Nance Hightower, uma das empregadas da taberna. Nance contou a Nell, que contou a Kate, que Billy Eggs havia erguido seu caneco às dez e quinze da noite da última sexta-feira e declarara em alto e bom som:

– À Srta. Kate Peyton, a moça mais bonita do condado de Burnewhinney.

Alguns outros homens presentes haviam gritado "À Srta. Peyton" – o que por si só era extremamente gratificante –, mas Neill Oakes saltara da cadeira "como um touro espetado no traseiro" e derrubara a caneca da mão de Billy, dizendo:

– Você não vai brindar à Srta. Peyton como se ela fosse uma rapariga qualquer. Não na minha presença.

E todos ficaram muito surpresos ao ouvir isso, porque Neill Oakes era o último homem no condado a se mostrar cerimonioso. E ouvi-lo censurar Billy Eggs, com quem já vivera muitas aventuras inconvenientes, e de um modo tão rude, foi impressionante.

Então Billy acertou um soco em Neill e o lugar virou palco de uma briga de bêbados...

Mas não era essa a parte que interessava a Kate – as noites nas tabernas com frequência acabavam em brigas como essa –, o que a interessava era por que Neill Oakes havia ficado tão incomodado em ouvir o nome dela em um brinde na taberna. Poderia ser, perguntou-se ela, porque ele tinha uma preocupação especial com o bom nome dela? E se fosse isso, qual seria o motivo? Por ele ser um amigo da família *ou* por algo mais...?

A pergunta, uma vez plantada em sua mente, havia ganhado mais importância a cada hora que passava, atormentando-a tanto quanto a urticária que tivera depois de comer mariscos na última primavera. E estava tendo a mesma dificuldade de encontrar alívio para o tormento. Porque Neill, que antes estava sempre à vista, havia desaparecido da casa dela subitamente e sem motivo aparente, tirando de Kate a oportunidade de avaliar se havia algum sinal de ternura por ela naqueles olhos negros.

Mas e se não conseguisse perceber nada diferente? Ora, então não restaria nada a fazer senão perguntar diretamente a Neill por que a briga com Billy Eggs. E se as ações dele tivessem sido motivadas não por sentimentos românticos, mas por algumas canecas de cerveja, então já estava na hora – na verdade, já passara da hora – de Neill Oakes começar a vê-la como uma mulher.

Fosse como fosse, Kate tinha toda a intenção de conhecer em primeira mão a textura dos lábios dele quando deixasse a companhia de Neill naquela tarde.

Ela o encontrou nas margens do rio que dividia as propriedades, bem no momento em que Neill estava prestes a atravessar o pontilhão que levava às terras da família dele.

– Neill! – chamou Kate, segurando com força o *bonnet* em meio à ventania que jogava seus cabelos contra o rosto vermelho de frio.

Ele se virou, a expressão tempestuosa um pouco mais branda ao ver que era ela, embora não sorrisse para encorajar Kate a se aproximar mais. Mas como ela nunca precisara de convite para fazer o que queria, apressou-se até chegar ao lado dele. E ficou surpresa quando Neill se inclinou em uma mesura, como se ela fosse uma dama e ele um cavalheiro e os dois estivessem se encontrando nas ruas de Londres, e não ao lado de um rio lamacento. As boas maneiras de Neill duraram o tempo exato que ele levou para inclinar a cabeça, porque quando ergueu os olhos, estava carrancudo de novo.

– O que está fazendo aqui, Kate?

– Seguindo você – respondeu ela, buscando nos olhos dele algum sinal de ardor.

Mas a única emoção que viu foi exasperação, a mesma que vira em Neill quando ela, aos 10 anos, pintara de rosa a égua reprodutora premiada do pai dele. Kate apertou o xale com mais força ao redor do corpo, enquanto mantinha uma das mãos no *bonnet*, já que ainda ventava.

Neill afastou os cachos escuros para trás.

– E então, o que você quer?

– Por onde tem andado? Já faz quase uma semana desde que apareceu pela última vez. E você esteve lá em casa, mas foi embora sem ver Tom, e ele estava lá. É estranho. Só posso deduzir que você foi banido – comentou Kate, em um tom leve, de brincadeira, o que fez com que lhe escapasse o ligeiro sobressalto que suas palavras provocaram. – Finalmente fez alguma coisa que ultrapassou a habilidade aparentemente ilimitada do meu pai de encontrar desculpas para defender você?

– Ninguém nunca ensinou a você que é feio bisbilhotar? – retrucou Neill.

– Tentaram – disse ela –, mas como vou descobrir as coisas se ninguém se oferece para me contar? Você iria preferir que eu ficasse escondida pelos cantos tentando desvendar os mistérios que me desafiam? É claro que não. Seria do maior mau gosto. E, no fim das contas, prefiro que me considerem rude do que ardilosa.

Ele balançou a cabeça, mas a testa franzida logo se transformou em um sorriso melancólico e, depois, em uma gargalhada.

– O que sai da boca dos bebês... – brincou ele.

– Estou muito longe de ainda ser um bebê, Neill – falou Kate, bem no momento em que as primeiras gotas geladas de chuva começaram a cair em seu rosto levemente voltado para cima. Ela estremeceu. – Tenho 16 anos.

Neill sorriu de novo.

– Sim, acho que me lembro de você me atormentando por causa de um presente algumas semanas atrás – disse.

Então ele tirou o casaco grande que usava e passou-o ao redor dos ombros dela. O casaco quase a engoliu e a bainha se dobrou na relva molhada, cobrindo os pés de Kate. Em segundos o cheiro de Neill a cercou e o calor da lã a aqueceu. Mas Kate queria conhecer o aroma dele mais de perto, e queria o calor dos braços de Neill, não do casaco dele.

– Muitas jovens damas já debutaram na minha idade, e algumas já estão até noivas.

Ele levantara a lapela do casaco e estava ocupado fechando os botões para protegê-la ainda mais do frio, mas as palavras o fizeram parar de repente e a expressão dele se fechou.

– Sim.

– Ouso dizer que devo ter a minha cota de pretendentes.

– Não tenho dúvida.

A situação não estava transcorrendo totalmente diferente do que Kate imaginara. Ela preferiu abandonar as tentativas de provocar ciúmes nele de forma sutil e partiu para o *modus operandi* costumeiro: a franqueza.

– Sem dúvida também devo ser beijada – falou.

– Maldita seja!

As palavras irromperam dele com uma agressividade tão inesperada que Kate o encarou sem compreender. Neill estava vermelho de raiva.

– O que está querendo com isso, Kate? Por que está me atormentando com seus planos para um futuro desonroso?

Ela arregalou os olhos.

– Desonro... Neill Oakes, era de se imaginar que você já estivesse satisfeito com a sua coleção de defeitos, sem precisar acrescentar hipocrisia. Se um beijo torna uma moça... uma *mulher* desonrada, então não existe em Burnewhinney nem uma única jovem dama acima de 17 anos que possa alegar ser respeitável, a não ser Nigella Lumley, e o status de não-beijada dela com certeza não se deve a falta de esforço.

– Tenho certeza que você está exagerando.

– Não estou – afirmou Kate, com tanta sinceridade e ardor que acabou se inclinando para a frente e apoiando as duas mãos pequenas no peito dele. O coração de Neill batia com força. – E devo pensar que você, entre todas as pessoas, saberia disso, já que, com quase toda a certeza, é o responsável por violar muitos desses lábios.

– Você não deveria dizer essas coisas, Kate. Nem deveria saber dessas coisas – disse Neill, com raiva e ainda mais vermelho do que antes.

– Por que não? – perguntou Kate, sinceramente perplexa.

– Porque não é... não é gentil, por isso – retrucou ele.

Ela riu diante daquela estranha encarnação de Neill Oakes, o libertino mais conhecido do condado.

– Não é isso o que Mary Grant diz. Ou Beatrice Lumley.

– Que Deus me ajude – murmurou ele, a voz engasgada.

Kate levantou a sobrancelha.

– E de que exatamente o Todo-Poderoso deve salvá-lo?

– De você.

– De mim? – perguntou ela, a surpresa nos olhos arregalados se transformando rapidamente em fascinação. – Por que de mim?

Ele baixou os olhos por um longo momento, antes de afastar uma mecha de cabelo do canto da boca de Kate com uma expressão infeliz.

– Você é uma peste, Kate Peyton.

– É claro que sou. Ou ao menos é o que você me diz há anos. O que houve? Você está agindo de um jeito muito estranho, Neill.

Porque finalmente ela se dera conta de que ele estava mesmo agindo de forma estranha. Andava agitado e furioso, o olhar acusador, agressivo e... infeliz. Kate chegou mais perto, buscando no rosto sombrio alguma pista do que pudesse estar atormentando aquele homem.

– O que houve, Neill? Você... você *realmente* fez alguma coisa terrível dessa vez? – perguntou, preocupada.

– Sim. Não! – corrigiu-se Neill. – Maldição! O que você quer de mim, Kate?

Ela o encarou.

– Ora, um beijo.

Neill olhou para Kate, que, mesmo distraída, de repente reparou como a chuva fria se prendia como cristais nos cachos negros dele, e como os ombros do paletó de Neill estavam ficando escuros de umidade, e como a boca dele era firme, e como os cílios eram longos e cheios.

– Achei que isso estivesse perfeitamente claro – disse ela, baixinho.

– Não – sussurrou Neill, como um homem condenado e sem esperança.

Isso teve o extraordinário efeito de fazer Kate sentir uma embriaguez de feminilidade, sentir-se mulher como nunca antes, uma mulher ao mesmo tempo sedutora e poderosa. E lhe deu a coragem e a inspiração necessárias para fazer algo que nunca fizera com Neill Oakes: flertar.

– Não, isso não estava perfeitamente claro? Ou não, você não vai me beijar? – perguntou ela, abusando dos ardis e do despudor feminino.

Em resposta, Neill deixou escapar um gemido estranho, estrangulado, que Kate interpretou como um sinal muito encorajador.

– Pois eu acho que você deveria – disse ela, sorrindo na chuva, o rosto erguido para o dele.

Em resposta, Neill segurou as lapelas do casaco que emprestara a ela e inadvertidamente puxou-a para mais perto.

– Você está sendo absurda – grunhiu.

Kate não sentiu medo. Estava arrebatada. Amava Neill tanto quanto uma jovem de 16 anos pode amar, e confiava nele.

– De jeito nenhum. Estou sendo prática. Eu previ que era inevitável ser beijada e, depois de pensar um pouco, decidi que quero que minha primeira experiência seja boa, o mais *prazerosa* possível, e como você é conhecido por ter certa experiência nessa área, faz todo o sentido que eu queira que meu primeiro beijo seja com você.

Ela sorriu para ele e ergueu uma sobrancelha, já esperando que Neill abaixasse a cabeça e a beijasse. Mas ele não fez isso e simplesmente a ficou encarando com muita seriedade. Só que, ao mesmo tempo, Neill também não soltou a lapela do pobre casaco, nem recuou. Kate então ficou bem na ponta dos pés, esticou o corpo o mais alto que conseguiu e... e...

Beijou Neill.

Os lábios dele estavam frios e úmidos da chuva e completa e absolutamente impassíveis. Ao que parecia, Neill realmente não queria aquilo. Kate teria perdido a coragem e fugido constrangida se, ao afastar os lábios, não tivesse sentido a cabeça dele se inclinando, os lábios se colando, se moldando aos dela. Os lábios de Neill permaneceram nos dela, se entreabriram ligeiramente, então ela sentiu seu hálito quente, a língua deslizando pelos lábios femininos, provocando um sobressalto de prazer. Kate estremeceu quando o beijo ficou mais urgente, mais exigente, a boca de Neill faminta contra a dela, negando a paralisia que parecia ter tomado conta do resto do corpo dele. Ele não a tocou de nenhuma outra forma, e, embora não soltasse a lapela do casaco, também não se aproximou nem mais um centímetro.

Impotente, Kate se deixou dissolver com as mãos espalmadas sobre o peito largo dele, preparando-se à medida que o coração dele batia mais forte e o corpo ficava mais tenso. Quando enfim ela passou os braços ao redor do pescoço dele e pressionou o corpo todo contra o dele, a imobilidade de estátua de Neill acabou. Com um som que era meio um gemido, meio um grunhido, ele a segurou pelos braços e literalmente a ergueu para afastá-la.

– Não vou arriscar o que mais prezo por um momento de prazer. – A voz dele era tão baixa que Kate mal ouviu.

Ela o encarou, a mente atordoada, o corpo ardendo com o desejo insatisfeito.

– Como? – perguntou.

– Estou comprando uma patente de oficial da cavalaria – disse Neill, ofegante. – Estou indo embora.

– O quê? – perguntou Kate, estupefata.

Neill nunca havia falado em entrar para a cavalaria, nunca havia expressado qualquer desejo de usar um uniforme. Nunca. E ainda assim aquilo era o que ele mais queria no mundo? E ele tinha medo de que beijá-la pudesse prejudicar isso porque...? Meu Deus, não era possível que Neill achasse, nem por um segundo, que ela fosse insistir que ele a comprometera, era? Não era possível que pensasse tão pouco dela! Mas mesmo assim... ela deixou escapar um soluço.

– Kate, por favor. Eu preciso ir.

– Muito bem. Pode ir! – O grito saiu engasgado em meio à dor e à humilhação.

– Kate, você nem sempre pode ter o que quer. Não dessa vez. Daqui a alguns anos, quando você não for tão jovem...

– Não sou uma criança! – gritou ela, as lágrimas escorrendo pelo rosto e se misturando com a chuva.

Kate se desvencilhou e arrancou o casaco, que jogou em cima dele. Neill pegou o casaco com uma das mãos e deu um passo na direção dela, a outra mão estendida, o rosto pálido.

– Kate...

– Vá para o inferno, Neill Oakes – disse ela.

Então lhe deu as costas e saiu correndo.

CAPÍTULO ONZE

Quatro anos depois

— Está adorável, Srta. Peyton – murmurou Hugh, conde de Briarly, parando diante de uma roseira de floração tardia no jardim da irmã, a marquesa de Finchley.

Era fim de tarde e os outros hóspedes estavam descansando antes do jantar, mas lorde Briarly havia sugerido que Kate talvez quisesse visitar o jardim, e, como isso se encaixava perfeitamente bem nos planos de Kate – e ela se considerava uma grande estrategista –, ela concordou.

Lorde Briarly ergueu o queixo de Kate entre o polegar e o indicador, inclinando o rosto dela para cima com inesperada gentileza. Mas Kate não era mais uma debutante inexperiente e entendeu perfeitamente bem quais eram as intenções dele. Na verdade, ela as havia antecipado. Kate prendeu a respiração, preparando-se para ser beijada e preparando-se para gostar.

Hugh era um homem muito bonito e muito másculo. Na verdade, era muito parecido com o chefe dos cavalariços do pai dela, um homem grande e musculoso, com cabelos escuros, castanho-avermelhados, e olhos cor de chocolate. Seria bom, é claro, se aparasse um pouco o corte. Isso teria dado a Hugh um ar de elegância que de certa maneira, bem... lhe faltava. Ele também estava, para falar a verdade, um tanto empoeirado. E, já tendo duas temporadas sociais registradas, Kate se sentia segura para opinar que um conde não deveria se apresentar assim.

Ainda assim, ele *era* um conde, dono de cavalos magníficos, e tomava banho. O que, até pouco antes, era mais do que ela poderia ter dito a respeito dos quatro irmãos... Kate se repreendeu. Deveria estar prestando mais atenção no que Briarly estava prestes a fazer, porque enquanto estava ali ruminando sobre a ausência de esplendor do vestuário dele, a cabeça do conde descia lentamente na direção da dela. Mas então ele parou, com uma expressão estranha, hesitante.

Kate conhecia aquele olhar. Como assumira o papel de matriarca depois da morte da mãe, seis anos antes, estava bastante acostumada a ler as expressões masculinas. O conde precisava de um sinal. Homens, jovens e velhos, criados ou condes, *sempre* precisam de um sinal.

Então, quando ele a encarou sorrindo, Kate sorriu de volta e levantou ainda mais o queixo para garantir que ele compreendesse que o beijo era bem-vindo. Porque seria muito agradável ser cortejada por um conde, especialmente naquele momento. Então ela fechou os olhos. E esperou. E quando nada aconteceu, ficou levemente irritada. Teria que fazer tudo sozinha? Kate esticou os lábios convidativamente. Briarly xingou.

Assustada, Kate abriu os olhos bem a tempo de ver o conde girar o corpo, enquanto a mão grande que surgira de repente pousava no ombro dele e o afastava com força. Briarly cambaleou para trás, os braços musculosos já se preparando para um conflito. Mas Kate, àquela altura já acostumada a conter embates masculinos, já se colocara rapidamente entre Briarly e seu agressor. Ela se virou para encarar fosse quem fosse e...

Neill.

Kate sabia que ele havia sido convidado, havia esperado vê-lo, mas mesmo assim... Fazia quatro anos...

Ela o encarou, o coração parecendo prestes a sair pela garganta, a respiração acelerada por entre os lábios entreabertos, e deu um passo involuntário na direção dele. As mãos de Kate se ergueram em um gesto inconsciente de boas-vindas enquanto ela reparava em cada detalhe da fisionomia dele, cada mudança, cada alteração: uma cicatriz vermelha em forma de foice no queixo firme, rugas profundas marcando o rosto agora sem qualquer arredondado de menino, sobrancelhas negras cerradas sobre o nariz grande, romanesco. Neill parecia mais alto, mais moreno, mais largo. Tudo nele era ao mesmo tempo familiar e estranho.

Diziam que o tempo no Exército o fizera amadurecer, e que Neill já não era mais o canalha ousado cujo nome já fora um sinônimo para libertinagem naquela região. Mas como ele acabara de agredir Briarly, em uma atitude muito típica de seu passado, Kate questionou a veracidade desses comentários. E a única referência da qual dispunha eram mesmo comentários. Neill tinha permanecido em Londres desde que voltara da guerra, e fora apresentado à rainha.

– Chegue para o lado, Kate – disse Neill, surpreendendo-a com uma voz que era ao mesmo tempo mais grave e mais rude do que ela se lembrava.

Chegue para o lado, Kate? Depois de quase quatro anos longe, na guerra, na primeira vez que ele a via desde que voltara só conseguia dizer *"Chegue para o lado, Kate"*?

– Não farei nada disso, Neill Oakes – retrucou Kate, pousando as mãos na cintura.

Capitão Oakes, lembrou a si mesma, embora na verdade não precisasse ser lembrada. Os irmãos dela – um mais velho e três mais novos – viviam falando aos quatro ventos sobre a ascensão meteórica de Neill na cavalaria a cada oportunidade. Por causa disso e de todas as cartas que Neill trocara com a família de Kate, alguém poderia até imaginar que *ele* era o filho da casa, em vez de filho dos vizinhos. E por que não? Neill tivera acesso livre a Bing Hall a vida toda.

– Você *atacou* Sua Graça – disse Kate, batendo o pé.

– Nada disso. Simplesmente o removi. Ele estava prestes a comprometer você – retrucou Neill, fixando os olhos negros nela.

– A me comprometer? – bradou ela. – Ora, pelo amor de Deus, Neill. Só uma velha seria capaz de pensar que algo tão banal... – Kate percebeu a expressão estupefata de Briarly, enrubesceu e começou de novo: – Nada que aconteceu, ou que pudesse estar prestes a acontecer seria suficiente para me comprometer. E devo acrescentar – disse ela, encarando Neill com uma expressão sombria – que se cada beijo levasse ao altar, você neste momento estaria com um verdadeiro harém!

O rosto fino de Neill enrubesceu, mas seu olhar não se desviou de Briarly.

– Como seu guardião nesta casa, me vejo obrigado a cuidar do seu bem-estar, tanto físico quanto social.

– Meu guardião? – repetiu ela, sem acreditar.

– Maldito seja se você é o guardião da Srta. Peyton – falou Briarly, manifestando-se pela primeira vez.

Kate se afastou, alinhando-se visualmente com ele, sentindo-se culpada por quase tê-lo esquecido. Briarly estivera, afinal, prestes a beijá-la. Era de se imaginar que uma coisa dessas fosse digna de nota.

– Maldito seja você, então, Vossa Graça – retrucou Neill, no mesmo tom. – Porque eu sou acompanhante da Srta. Peyton. Sou o guardião dela. Seja qual for o nome que dão a quem assume o papel de garantir a segurança da virtude de uma dama.

Kate o encarou com atenção.

– Por acaso desenvolveu hábitos de moral duvidosa, capitão?

Neill pareceu ligeiramente desconcertado.

– Não... eu... Do que diabo você está falando?

– Ouvi dizer que alguns oficiais baseados em locais exóticos desenvolvem o hábito de fumar uma erva que dizem deixar a pessoa com tendência a ter delírios. Como essa é a única explicação que encontro para essa sua alegação absurda, me pareceu provável que o posto de capitão tivesse acrescentado um novo vício ao seu já extenso repertório.

Briarly deixou escapar um som que lembrou muito uma risada abafada.

– Não, Kate – declarou Neill. – Não estou delirando. Se duvida de mim, basta perguntar à irmã de Sua Graça. Ela vai contar que assim que cheguei, hoje à tarde, o idiota do seu irmão se apressou a ir embora, logo *depois* de me nomear seu substituto.

Infelizmente, Kate não achava que Neill estivesse mentindo. Tom não ficara nada feliz ao ser designado para o papel de guardião dela naquela ocasião, e só aceitara por insistência do pai deles. Quando chegaram à Mansão Finchley, o bando de noivas em potencial à espera de conhecer o irmão grande, forte e bonito de Kate (ela não tinha a menor ilusão de que as jovens tinham qualquer interesse em conhecer a ela, Kate) havia provocado uma expressão de pânico desesperado no rosto de Tom. Aquela expressão se tornara mais pronunciada ao longo dos últimos dias, quando ele se dera conta de que a armadilha do casamento talvez não ameaçasse apenas o "pobre e velho Briarly", como Tom chamava o conde, mas a ele mesmo também. Desde então, Tom passara a atormentar Kate para ir embora da reunião festiva assim que a educação permitisse.

Era mesmo bem típico de Tom simplesmente abandoná-la ali. Ele dificilmente poderia ser descrito como consciencioso, um defeito que se devia em grande parte à escolha infeliz de um modelo de perfeição, o mesmo irlandês de cabelos negros que estava parado diante de Kate naquele momento, encarando-a com uma serenidade indecifrável. Mas quando é que

Neill havia desenvolvido essa característica, afinal? Isso era o mais desconcertante.

Ainda assim, Kate supunha que havia certa ironia no fato de que o mesmo patife que liderara os irmãos dela em incontáveis zombarias havia sido recrutado à força para bancar a babá da caçula. A única questão era que naquele exato momento ela não estava com o menor humor para achar graça. A deserção de Tom destruíra os planos de Kate, e ela teria que reconsiderar, reorganizar e reavaliar. Maldito Tom.

Kate tinha ido à Mansão Finchley com o objetivo específico de garantir um marido, e era o que pretendia fazer. A casa em Peyton Hall se transformara em um caos durante as duas temporadas sociais em Londres que Kate frequentara. Os criados, ao que parecia, declararam-se de férias assim que ela saiu pela porta, o famoso queijo produzido na propriedade não ganhou o primeiro lugar na feira do condado nas duas ocasiões e o pomar foi infestado por pulgões em um ano e por ácaros-aranha no outro. Isso sem falar nas inúmeras brigas entre os dois irmãos jovens demais para acompanhá-la a Londres... Kate estremeceu.

– Nem por um instante ache que isso é mais confortável para mim do que é para você, Kate. Posso garantir que não – disse Neill, interrompendo os pensamentos dela.

Ela não duvidou. O aborrecimento de Neill era óbvio. Onde estavam a risada, as bravatas e a postura desafiadora de sempre?

– Não vim para cá esperando ter que bancar a ama-seca para você – continuou ele. – Mas a alternativa, que é você permanecer aqui sem acompanhante e desprotegida – Neill lançou um olhar severo para Briarly –, é intolerável.

– Dificilmente se poderia dizer que estou desprotegida. Lady Finchley...

– Foi extremamente gentil ao garantir que ficaria encantada em tomar conta de você – interrompeu Neill. – Mas não foi quem Tom indicou para assumir o lugar dele, e, como anfitriã, ela já tem muito com que se ocupar.

Ah, ele estava cumprindo seu dever. Kate sentiu vontade de bater o pé de irritação. Não queria Neill de guardião.

– Escute aqui... – começou Briarly, então se interrompeu abruptamente. – Afinal, quem diabo é você?

– Neill Oakes – respondeu Kate. – Filho do nosso vizinho. Capitão Oakes.

Neill inclinou a cabeça.

– Ao seu serviço... ahn...

– Conde de Briarly – apresentou Kate, rabugenta, virando-se para encarar Neill. – Agora peça desculpas – sussurrou, tentando soar autoritária, mas com medo de parecer simplesmente desesperada.

Ela precisava permanecer ali. E se Neill conseguisse ser expulso da casa, todos os planos dela estariam arruinados.

Neill a observou por um momento, antes de se virar para Briarly.

– Perdão, milorde. No ímpeto de cumprir com o dever que me foi designado, acabei me excedendo.

Kate soltou o ar que nem havia percebido que estava prendendo, estranhamente desconcertada. O antigo Neill jamais teria se desculpado por algo do qual não se arrependia, e, como não se arrependia de nada, ele nunca se desculpava. Mais do que tudo, o pedido de desculpas dele a fez se dar conta de que Neill não era mais o jovem insolente e arrogante da infância dela. E como assim ele apenas *empurrara* o conde? O Neill de antes teria derrubado o outro homem. Ele havia derrubado muitas pessoas. A maior parte, em brigas na taberna.

– Entendo – disse Briarly, por alguma razão parecendo mais irritado do que um momento antes. – Creio ter ouvido falar a respeito de seus feitos na guerra, capitão Oakes. Minha irmã está muito feliz com a sua presença, portanto desculpas aceitas. E imagino que eu mesmo também lhe deva um pedido de desculpas, Srta. Peyton. Espero que não pense mal de mim.

– Não! – garantiu ela. – Não penso e não pensarei.

Kate não sabia mais o que dizer, não com Neill quase em cima deles, o olhar severo indo dela para Briarly. Por um momento constrangedor, os três evitaram olhares.

– Então, como você acabou vindo parar aqui? – perguntou Kate a Neill, por fim. – Já que não veio com a intenção de "bancar a ama-seca".

– Acho que lady Finchley pensou que me convidar seria um gesto patriótico apropriado – respondeu ele.

– Patriótico?

– Sim. Já que estive em uma guerra nos últimos tempos. – A postura contida dele mostrou uma leve rachadura. – Onde você acha que eu estava, Kate? O que achou que eu estava fazendo?

É claro que ela sabia que ele tinha ido à guerra. A ideia de Neill correndo perigo havia arruinado muitas boas noites de sono de Kate, e mesmo agora tinha o poder de destruir sua paz de espírito.

– Não sei – retrucou Kate, abatida. – Você nunca *me* escreveu. Achei que estivesse desperdiçando sua vida em cantos fétidos do... de onde quer que haja cantos fétidos – mentiu ela, para que ele não desconfiasse da quantidade de tempo que passara pensando nele. – Você sempre me pareceu destinado a levar uma vida dissoluta.

Neill se recusou a aceitar a provocação.

– Eu escrevi, sim, para você. E você nunca respondeu.

Era verdade, mas, como Kate não tinha a menor intenção de se explicar, continuou calada.

– Com certeza ao menos um entre a turba de irmãos que você tem deve ter lhe contado o que eu estava fazendo – continuou ele. – Nós trocamos muitas cartas.

– É claro que contaram – retrucou ela, irritada. – De acordo com eles, você ganhou sozinho muitas batalhas, restaurou o trono espanhol e se infiltrou no círculo íntimo de Napoleão, depois de andar de elefante, lutar com um crocodilo e atravessar a nado o estreito de Gibraltar.

Pela primeira vez desde sua infeliz chegada, Neill sorriu, e Kate se viu obrigada a lembrar como aquele sorriso podia ser devastador, sensual e irresistível. E junto com essa constatação veio outra: por mais patife e libertino que Neill pudesse ter sido – e que talvez ainda fosse –, o amor que ela um dia sentira por ele não tinha desaparecido, apenas crescido e amadurecido. Kate ainda amava aquele homem. Sempre amara.

– Ora, eu realmente nadei no estreito de Gibraltar – confirmou ele, dissimulado. – Mas só porque caí de um píer enquanto estava meio bêbado.

Kate não conseguiu controlar uma risada, e algo se acendeu nos olhos de Neill.

– Sentiu saudades, Kate? – perguntou ele, a cabeça ligeiramente inclinada, a expressão indecifrável.

Como ela poderia responder àquilo, quando não sabia o que ele pretendera com a pergunta? Kate também tinha mudado ao longo de quatro anos. Havia desenvolvido mais sutileza e sofisticação. Não era mais uma criança, agora era uma mulher.

— É claro que senti. Estava acostumada a ter você por perto. Senti saudade até daquele cavalo detestável de Tom depois que o vendemos.

Neill franziu a testa.

— Isso tudo é muito interessante — disse Briarly. — Mas talvez possa colocar a conversa em dia com a Srta. Peyton em um momento mais apropriado, capitão Oakes. Porque, embora seja convidado da minha irmã, neste momento o senhor está sendo *de trop*.

— Estou? — perguntou Neill. — Por favor me permita consertar isso agora mesmo. — Ele se virou para Kate. — Acho que vi você mancando há pouco, senhorita.

Ela o encarou, sem entender. Não estava mancando...

Antes que Kate se desse conta do que estava acontecendo, Neill segurou a mão dela, puxou-a para a frente e pegou-a no colo com a mesma rapidez e despreocupação que uma lavadeira recolhe a roupa de cama. A expressão de Briarly ficou sombria e Kate percebeu que bastaria uma palavra dela para que ele interviesse. Porém, por mais que ela *achasse* que o novo Neill não se envolveria em uma briga de socos com um conde, não dava para ter certeza absoluta.

Por isso, em vez de argumentar, Kate disse:

— Que astuto da sua parte perceber isso, capitão.

Neill sorriu.

— Até logo, senhor.

Ele inclinou a cabeça para Briarly e, sem esperar por uma resposta, saiu pisando firme com ela no colo.

CAPÍTULO DOZE

—Srta. Peyton! – exclamou lady Finchley ao ver o capitão Oakes surgir da lateral da casa carregando a jovem vizinha.

Carolyn deixou a porta aberta e desceu correndo os degraus da frente da casa, onde estava se despedindo dos Singleworths, já que a filha solteira deles havia anunciado no almoço que estava grávida e que pretendia se casar com o pai do bebê, o que tornava inútil a permanência deles ali.

O que estava acontecendo? A Srta. Peyton estava ferida? E por que o capitão Oakes a estava carregando, e não Hugh? Mais cedo, Carolyn vira o irmão desaparecer com a Srta. Peyton no jardim perfumado pela noite, e torcera para que ele estivesse conhecendo melhor a herdeira de aparência delicada. Mas, ao que parecia, isso não acontecera, já que o homem errado vinha trazendo a jovem no colo.

Carolyn só havia se encontrado com o capitão algumas poucas vezes, quando chegara à Mansão Finchley, ainda recém-casada. Na época, ele ainda não era o capitão Oakes, é claro, apenas o filho rebelde de uma beldade irlandesa e de um baronete muito rico, cujo sobrenome era quase tão antigo quanto o dos Dales e a propriedade quase tão vasta quanto.

Carolyn se lembrou de como a nobreza local ficou surpresa quando Neill Oakes comprou uma patente de oficial e partiu para a guerra, todos se perguntando se um jovem de hábitos tão indisciplinados conseguiria se curvar à autoridade. Mas ela estivera na corte, no fim da temporada social, algumas semanas antes, quando ele e vários outros soldados heroicos tinham sido apresentados à rainha. Oakes pareceu exausto, os olhos assombrados e sérios, mas se manteve firme, muito alto, os ombros largos, com uma dignidade que Carolyn admirou, e depois conversou com ela e com Finchley com humildade e sobriedade. Claramente, o rapaz inconsequente se tornara um homem atencioso.

Ele era o tipo que Georgina poderia amar, Carolyn tinha certeza disso. A parte irritante daquela história era que, assim que o capitão chegara, o irmão patife da Srta. Peyton tinha ido embora, mas não antes de transferir os cuidados com a irmã para o capitão Oakes – que não ficou nada satisfeito, mas aceitou o encargo por educação.

No entanto, pensou Carolyn, observando o capitão Oakes com desconfiança, não conseguia perceber qualquer traço de infelicidade na expressão dele naquele momento. O capitão parecia bastante satisfeito por ter Kate nos braços. E ele era o tipo de homem que parecia arrojado com uma mulher no colo. Talvez arrojado demais?, perguntou-se ela, repensando a decisão de convidar alguém com a riqueza e a boa aparência do capitão para uma reunião cujo único propósito era conseguir uma esposa para Hugh. Embora ela também quisesse que a querida Georgina se apaixonasse, era ainda mais importante encontrar alguém para o irmão.

Pelo menos a Srta. Peyton parecia totalmente imune ao charme do capitão Oakes. Parecia tão fria quanto sua delicada beleza loura permitia, portanto congelante, na verdade. Ao contrário dos irmãos, grandes e fortes, a Srta. Peyton era bem pequena, de compleição delicada.

Na verdade, pensou Carolyn, Deus devia estar querendo pregar uma peça quando criou Kate Peyton, porque Carolyn não conseguia imaginar exemplo melhor de embalagem que não anuncia bem o conteúdo. A Srta. Peyton não era nem um pouco delicada, frágil. E, independentemente do que sua figura etérea e muito *petite*, as feições de porcelana e os ossos delicados pudessem evocar, a impressão desaparecia no momento em que a pessoa conversava com ela.

Não que Kate Peyton fosse ousada ou atrevida, era simples e espantosamente direta. Carolyn, cujos poucos anos de casamento já lhe haviam ensinado que qualquer forma sutil de comunicação era ausente na psique masculina, desconfiava que o jeito de ser de Kate tinha a ver com o fato de que a jovem era a única mulher em uma família com muitos homens. Carolyn a encontrara várias vezes em Londres na última temporada social e achara a pequena beldade revigorante, mesmo que um pouco assustadora. A Srta. Peyton não parecia nem um pouco ansiosa para encorajar pedidos de casamento e, embora tivesse sua cota de pretendentes devotados, a maior parte dos cavalheiros achava sua assertividade perturbadora.

– Está tudo bem? – perguntou Carolyn assim que o par se aproximou o bastante para conseguir ouvir.

– Sim, está – respondeu o capitão Oakes, enquanto subia os degraus do terraço da frente.

– Está machucada, Srta. Peyton? – quis saber Carolyn.

A Srta. Peyton não parecia estar passando por nenhum sofrimento físico, embora as pupilas de seus olhos azuis fossem como duas poças negras dilatadas e sua expressão só pudesse ser descrita como tensa.

– Meu tornozelo – disse ela. – Eu o torci e Ne... o capitão Oakes insistiu em me trazer no colo. – Kate levantou os olhos para o capitão. – Obrigada por sua ajuda, capitão Oakes, mas já pode me colocar no chão. Estou certa de que meu tornozelo já consegue suportar meu peso. Não foi nada sério.

– Não acho bom arriscar a piorar o machucado – disse o capitão Oakes, erguendo a moça mais alto nos braços.

Um cacho negro caiu sobre os olhos dele e Kate encarou aquilo com irritação, como se a mecha de cabelo a houvesse ofendido pessoalmente, antes de afastá-lo da testa dele. O capitão Oakes ficou imóvel e, embora nenhum músculo se mexesse em seu rosto anguloso, sua expressão ficou mais tensa.

Carolyn observava a cena, fascinada, confusa e completamente perdida sobre como agir. Principalmente porque não sabia direito *o que* estava acontecendo.

– Por favor, não me ache excessivamente íntimo, lady Finchley – pediu o capitão Oakes. – Os Peyton e eu vivíamos na casa uns dos outros quando éramos pequenos. Ao menos até a minha mãe morrer. A Srta. Peyton também transtornava a paz da família, devo acrescentar. Sempre se pendurando nos candelabros, escorregando pelos corrimãos e aterrorizando os cavalariços. Para não mencionar os pobres cavalos.

– A Srta. Peyton aterrorizava seus cavalos?

O sorriso de Carolyn se congelou no rosto. *Ah, Deus.* Hugh não gostaria nada daquilo. Não mesmo.

– Ela pintou de rosa a égua reprodutora premiada do meu pai, para a feira do condado – contou o capitão, baixando a voz, em um tom confidencial.

– Eu tinha 10 anos – defendeu-se a Srta. Peyton, irritada. – E dificilmente se pode contar um evento isolado como "aterrorizava os cavalos".

Carolyn relaxou. Hugh seria capaz de superar uma tolice da infância.

— De fato, você aterrorizou os cavalos quando ensinou seu cão pastor a subir no lombo deles, e o bicho começou a correr pelo nosso pasto e saltar em cima de cavalos desavisados.

Ao se ver sem saída, um brilho travesso apareceu nos olhos da Srta. Peyton e sua boca se curvou em um sorriso irreprimível. Os olhos do capitão Oakes dançaram em resposta. Nossa, ele era realmente um belo homem.

Com esforço, a Srta. Peyton pareceu lembrar que deveria estar aborrecida.

— Capitão. *Por favor*. Pode me colocar no chão — disse ela, sem deixar opção para o capitão Oakes.

Ele obedeceu com todo o cuidado.

— Obrigada.

As saias da jovem voaram quando ela deu as costas a ele e se afastou. Atrás, sem que ela visse, o capitão Oakes abriu um largo sorriso.

— A Srta. Peyton sempre se curou muito rápido — disse ele.

Abruptamente, a jovem em questão começou a mancar da perna esquerda.

— Ah! Como eu suspeitava — falou o capitão para Carolyn, em um sussurro exagerado. — Ela sempre faz isso, para que as pessoas não fiquem preocupadas. Finge que não está sentindo dor. Mas por mais que seja uma criatura corajosa, não consegue disfarçar a agonia por muito tempo.

Um som estranho veio da direção da Srta. Peyton. Ela estava *rindo*? Ou fungando?

— Muito corajosa mesmo — disse Carolyn. Ela ergueu a voz para garantir que a Srta. Peyton ouvisse o elogio. — É muita consideração da sua parte, Srta. Peyton.

— Exatamente — concordou o capitão Oakes. — Mas ela é a alma da consideração. O verdadeiro epítome de uma dama.

A Srta. Peyton se virou de volta. Ela *estava* rindo. Um rubor coloria sua pele de porcelana e seus olhos cintilavam.

— Você se superou, Neill — disse, antes de desviar o olhar para Carolyn. — É o sangue irlandês dele, sabe? Neill não consegue resistir a inventar histórias. Não sou corajosa. Muito menos uma dama elegante, como Gwendolyn Passmore. Mas posso garantir que lorde Briarly não vai precisar trancar as portas do estábulo por medo de que eu acabe cedendo a um desejo de montar um cavalo lilás.

– É claro que não – falou Carolyn. – Eu jamais pensaria uma coisa dessas e estou certa de que a senhorita é uma dama tão elegante quanto...

– Por favor, lady Finchley – interrompeu Kate, o sorriso de forma alguma tímido. – Sei quem eu sou e confesso que me sinto satisfeita comigo mesma de uma forma nada atraente. – Nesse momento, ela dirigiu um olhar tão rápido ao capitão Oakes que Carolyn não teve certeza se realmente acontecera. – Tanto quanto, felizmente, estão Certas Pessoas. Certas Pessoas cuja boa opinião é guiada pelas delas próprias.

Ah...? Ah! Carolyn se deu conta. Ela provavelmente estava se referindo a Hugh. A Srta. Peyton tinha medo de que Carolyn não gostasse dela e que essa opinião influenciasse Hugh. Ora, pensou Carolyn, mas a jovem não precisava ter se preocupado com nenhuma das coisas. Carolyn gostava muito da Srta. Peyton, mas isso não fazia grande diferença, porque Hugh não costumava se deixar guiar pela opinião de ninguém.

– Estou aqui, Kate – disse o capitão Oakes, e a voz dele, quase um ronronar, provocou um ligeiro arrepio de apreensão em Carolyn. – Tem certeza de que quer ter essa conversa com a nossa anfitriã agora, na minha frente?

– Eu jamais esqueceria sua presença, já que o senhor não sai de cima de mim, capitão. Portanto, sim, tenho certeza absoluta – garantiu Kate.

Carolyn não vira o capitão Oakes em cima de ninguém, mas ele pareceu achar algo de agradável na acusação, já que sorriu de novo.

– Perdão – disse ele, inclinando-se em uma mesura e recuando um passo, o que o colocou a quase meio metro de distância da jovem.

A Srta. Peyton pareceu se dar conta subitamente da injustiça da acusação, porque ficou muito vermelha... Era a primeira vez que Carolyn via a convidada ser vítima de uma reação tão feminina. Quando ela percebeu que Carolyn a fitava, o rubor se tornou ainda mais intenso.

– Eu... eu, ahn, é melhor eu descansar o meu tornozelo.

– É claro – falou Carolyn.

– Vou acompanhar a senhorita.

O capitão Oakes estendeu a mão e Kate se afastou dele rapidamente, arisca como um dos potros selvagens de Hugh.

– Não! Não, eu.... acho que vai me fazer bem exercitá-lo um pouco – explicou ela, e rapidamente colocou isso em prática: saiu mancando pela porta da frente.

– Achei que a Srta. Peyton tivesse machucado o outro tornozelo – murmurou Carolyn, e levantou os olhos para o capitão Oakes.

Na mesma hora, qualquer dúvida que Carolyn pudesse ter sobre o tornozelo certo desapareceu ao ver a expressão no rosto do capitão. Era como se a Srta. Peyton tivesse levado consigo todo o fogo e a paixão que animavam o rapaz. A luz se apagou nos olhos negros dele e uma sombra cobriu seu rosto, comprometendo a bela aparência, fazendo-o parecer exausto e muito sério.

Talvez ele estivesse arrependido de ter se oferecido para ficar no lugar de Tom? Certamente não era um papel fácil ou natural para um rapaz – apesar de ele ter garantido que não havia mais ninguém tão bem qualificado para supervisionar Kate Peyton e que, na verdade, ele considerava a missão como sua... qual tinha sido mesmo a palavra que o capitão usara? Não fora obrigação, ou dever... Carolyn achara estranho o termo que ele usara no momento... *expiação*. Sim, fora isso que o capitão Oakes dissera, que considerava a missão sua expiação.

Ela torcia para que ele não levasse o papel a sério demais. O capitão devia saber que Carolyn tomaria conta de Kate. Precisava lembrar a ele que poderia muito bem relaxar e se divertir.

– O senhor realmente não deve levar isso muito a sério – disse Carolyn com gentileza.

Ele se virou para ela, as sobrancelhas negras erguidas, como se não compreendesse.

– Madame?

– Ficarei feliz em ocupar o papel de guardiã da Srta. Peyton. O papel do jovem Sr. Thomas Peyton era mais encenado do que real, certo? Na verdade, ele foi chamado para completar o número de cavalheiros, que estava baixo – admitiu Carolyn. – Portanto, o senhor não precisa levar tão a sério sua oferta gentil de cuidar do bem-estar da Srta. Peyton.

– Não tenho certeza se a Srta. Peyton concordaria que a minha oferta foi gentil.

– Ah, mas ela é muito jovem.

– Apenas em termos técnicos – comentou o capitão em um tom distraído. – Porque na vida real Kate arcou com responsabilidades demais quando a mãe morreu. Nada de cavalos coloridos depois disso.

Carolyn assentiu, compreendendo.

– Uma moça deve ter um pouco de diversão.

– Assim como o senhor – disse Carolyn, baixinho.

Ele pareceu se encolher.

– Acho que muitos diriam que já tive mais do que a minha cota de diversão quando jovem. Infelizmente, criei para mim uma reputação bastante desagradável. Ela sempre me viu como uma má influência para os irmãos, sabe? Por tentar atraí-los para os meus caminhos censuráveis.

Ele estava falando mais uma vez da Srta. Peyton. Pobre Georgie.

– Tenho certeza de que o senhor vai se redimir de qualquer pecado agora, agindo de forma mais exemplar com a Srta. Peyton.

– Será? – perguntou ele, em tom enigmático, e por um instante seus olhos negros voltaram a brilhar. Os lábios do capitão se repuxaram em uma expressão melancólica. – É claro, a senhora está certa. Ela merece apenas o melhor.

E, com isso, inclinou a cabeça e desejou uma boa noite a Carolyn.

⸙

Carolyn ainda estava fitando a figura alta e empertigada daquele homem quando o irmão apareceu ao seu lado. Então, ele *estivera* no jardim com a Srta. Peyton. Ora, que bem isso lhe fizera.

Por mais que a Srta. Peyton tivesse garantido que Hugh e ela tinham muito em comum – principalmente a falta de interesse de ambos pela alta aristocracia, o que pensando bem não parecia ser uma grande base para um casamento –, o capitão Oakes obviamente não se importava nem um pouco com isso. Carolyn vira a expressão no rosto dele, uma determinação que provavelmente era a mesma que tivera ao conquistar um território em batalha, e ela duvidava que alguém, menos ainda a Srta. Peyton, tivesse qualquer chance contra tamanha determinação. Nem mesmo Hugh.

Agora, Carolyn só precisava arrumar um jeito de contar aquilo ao irmão – a lista dele estava sendo dizimada! – e decidir quem seria a próxima jovem dama que ofereceria à contemplação dele.

– Você por acaso viu um brutamontes de cabelo escuro carregando a Srta. Peyton? – perguntou Hugh, ao chegar ao lado dela. – Por favor, me diga, caso contrário vou ser forçado a montar um grupo de busca. Não confio naquele patife irlandês, embora ele alegue ser o guardião da jovem. Ele não é, certo?

– Bem, de certa forma é. Tom Peyton realmente deu um tapinha nas costas do capitão e disse para tomar conta da irmã dele. E então foi embora o mais rápido possível... *Por que* certos rapazes são tão avessos a um pouco de companhia feminina?

– Porque eles sabem que a companhia para uma noite com frequência se torna companhia para a vida toda. Agora, sobre a Srta. Peyton...

– Ah. Sim. Bem, o capitão Oakes realmente subiu com ela a escada da frente, mas ela entrou em casa andando. Mancando. Aliás, como ela torceu o tornozelo, Hugh? Você não...

– Se eu a persegui? – perguntou Hugh com ironia. – Pelo amor de Deus, Carol, ela é uma potranquinha de ótima aparência, mas não tanto a ponto de me fazer perder a cabeça. Na verdade, você deveria estar me agradecendo por ter tido autocontrole o bastante para não derrubar aquele patife no chão.

Carolyn encarou o irmão horrorizada.

– O que você fez?

– Ah. Essa é a minha irmã amorosa – falou Hugh. – Sou maltratado por um dos seus convidados e você me pergunta o que *eu* fiz? Não fiz nada inconveniente ou sequer inesperado. Você me disse para cortejar uma esposa em potencial, não disse? Ora. Cortejei a Srta. Peyton. Ou talvez eu deva dizer, para ser mais preciso, que estava *prestes* a... ahn... cortejá-la quando aquele irlandês apareceu e me empurrou para o lado.

O capitão Oakes tinha empurrado Hugh? Ah, céus. Por sorte, Hugh não parecia furioso, apenas irritado. Ela realmente deveria agradecer ao irmão por não entrar em uma briga que acabaria arruinando a reunião dela, por isso disse com toda a gentileza:

– Foi muito gentil da sua parte não revidar, Hugh.

Ele bufou.

– Não faria sentido. A moça está loucamente apaixonada pelo camarada, e ele por ela. Seria uma total perda de tempo tentar ficar entre eles.

Carolyn encarou o irmão, estupefata. Embora tivesse chegado à mesma conclusão, ficou impressionada que Hugh tivesse feito o mesmo. Ela jamais imaginaria que ele fosse tão atento.

– Por que acha isso? Você não sabe nada sobre jovens damas.

– Não sei mesmo – concordou ele. – Mas a Srta. Peyton me lembra uma potrinha árabe que coloquei junto de Richelieu na última primavera: se esquivando, dançando e mordiscando o...

– Hugh! – falou Carolyn, e deu um tapa no ombro do irmão, para lembrar a ele que ela não era um de seus cavalariços.

Hugh pareceu recuperar o decoro e teve a decência de parecer um tanto constrangido.

– Perdão, Carol – falou. – A questão é que a Srta. Peyton foi riscada da lista, e, mesmo se o capitão não tivesse aparecido, acho que foi melhor assim. A objetividade dela dá nos nervos, verdade seja dita.

Diante dessa análise, tão parecida com a que ela mesma fizera, Carolyn não pôde conter um sorriso.

– Bem, isso nos deixa com um problema – resmungou, e acrescentou: – Lamento *muito* que você não tenha gostado dela, Hugh.

– Pelo contrário, gostei muito – discordou ele. – Só preferiria contratá-la como capataz da minha propriedade do que me casar com ela para tê-la na cama.

– Hugh!

Ele deu de ombros.

– Eu passaria o tempo todo com medo de não estar cumprindo com meus deveres matrimoniais do modo adequado, e de precisar de instruções, entende? Seria desmoralizante demais.

Carolyn riu abertamente.

– Você é incorrigível. Minha casa está cheia de jovens damas lindas, por isso não estou preocupada com o seu futuro. Mas tinha a esperança de que o capitão Oakes se interessasse por Georgie. Ela sempre gostou de homens de uniforme.

– Georgie? – exclamou Hugh, parecendo mais irritado do que quando estava descrevendo o embate com Oakes.

– Sim, Georgie. Eu não me conformo com essa decisão dela de não se casar novamente.

– E você estava pensando em juntá-la com *Oakes?* Ficou louca? O homem tem a reputação de ser parente do demônio, por aqui. E a guerra certamente só fez dele ainda mais suscetível aos demônios que o possuíam antes de comprar a patente que o levou ao exército.

— A má reputação do capitão é da época em que ele ainda era um garoto, Hugh. E, assim como você, ouso dizer que ele superou esses demônios que o possuíam.

Hugh não pareceu convencido.

— É diferente. Não, eu jamais vou aceitar isso. Além do mais, Georgie está muito acima dele.

— Eu jamais imaginaria que você era um esnobe! — exclamou Carolyn. — O capitão Oakes é um homem abastado, vem de uma família muito antiga e distinta, e todos que o conhecem e que serviram com ele dizem que é um verdadeiro herói de guerra.

— Ainda assim, ele não é bom o bastante para Georgie — disse Hugh. — Seja como for, Carol, isso não importa. Seu herói de guerra está apaixonado pela Srta. Peyton, portanto, mesmo que Georgie gostasse dele, não poderia tê-lo.

Havia um inegável tom de satisfação na voz dele.

— Ora, mas eu não disse que ela o queria — falou Carolyn, tentando não soar curiosa demais. — Embora é claro que talvez quisesse. Sabe, Hugh, Georgie não quis entrar na sua lista.

Ele encarou a irmã, e ela viu a sombra de algo em seus olhos.

— Ela não disse isso — afirmou Hugh.

— Disse, sim.

— Ela disse, e, citando as próprias palavras dela, ela não tem vontade de se casar de novo.

— Meu Deus — comentou Carolyn, achando aquilo extremamente interessante. — Você com certeza ouviu com muita atenção essa parte da conversa, Hugh.

Ele voltou a encará-la.

— Sim, ouvi.

Carolyn não conseguiu conter um sorriso largo.

— E eu não sou esnobe — continuou Hugh abruptamente. — Só quis dizer que é bom que o capitão Oakes esteja apaixonado pela Srta. Peyton. Porque ele e Georgie não têm absolutamente nada a ver. Nada.

E, com o que pareceu ser a última palavra em relação ao assunto, Hugh se afastou.

CAPÍTULO TREZE

No jantar daquela noite, Neill esperou enquanto a Srta. Emily Mottram e sua tia-avó e acompanhante, lady Diane Nibbleherd, ocupavam seus lugares antes de se acomodar entre elas. Kate, que o evitara quando os convidados se reuniram no salão de visitas antes do jantar, ainda não tinha entrado no salão de jantar. Provavelmente ainda estava instruindo o pobre Finchley a respeito de sistemas de irrigação.

O primeiro contato não acontecera como o planejado. Neill certamente não tinha esperado esbarrar com Kate nos braços de outro homem, a cabeça inclinada para trás, convidando-o para um beijo. Se ela tivesse demonstrado a mínima relutância que fosse de estar nos braços do desgraçado, as coisas não teriam corrido de forma tão civilizada. Mas não havia qualquer desconforto aparente, por isso Neill apenas afastou o camarada, consciente da responsabilidade da qual tinha sido incumbido, porém mais consciente ainda da onda de ciúmes que o invadira.

E, depois de ter lidado com o homem – que findou sendo o irmão da anfitriã –, ele fitou Kate, e, por um instante maravilhoso, os olhos dela se arregalaram e sua boca ensaiou o começo de um sorriso. Naquele momento, Neill sentiu que finalmente, depois de quatro anos na guerra, estava em casa. E foi preciso fazer uso de todo o seu parco autocontrole para não tomá-la nos braços e beijá-la.

Mas no instante seguinte, mesmo ainda encarando apaixonadamente as feições adoráveis dela, Neill viu Kate se lembrar das circunstâncias que haviam levado os dois a se afastarem, e a expressão dela se tornou impenetrável. Foi desconcertante. A Kate que ele deixara jamais teria escondido os sentimentos por trás de uma fachada... ela não possuía uma fachada antigamente. Mas a Kate de agora era capaz de exibir uma barreira totalmente educada. A moça delicada havia se tornado uma mulher estonteante – os malares pareciam mais proeminentes, o nariz mais delicado, os olhos maiores, mais escuros e misteriosos.

Quando Kate finalmente chegou à mesa, foi acomodada entre Albert Hunt e Louis DuPreye. Como o *affair* entre Albert Hunt e lady Fourveire – que estava sentada mais adiante na mesa – era um segredo conhecido por todos, e Louis DuPreye era um cavalheiro casado, Neill ficou satisfeito. Não seria bom ter que ficar tomando conta de solteiros lançando olhares sedutores para a Kate dele.

E ela era, e sempre fora, a Kate *dele* – apesar da forma péssima, ou melhor, da forma *desastrosa* com que se comportara com ela quatro anos antes. Neill não conseguia acreditar no quanto havia sido idiota. Mas, pensando melhor, talvez conseguisse, sim. Na época, ele era um jovem idiota, imprudente e arrogante. Sempre presumira que se casaria com Kate – embora nunca tivesse mencionado isso a ela, pois estava esperando que ela crescesse. Mas quando Kate fez 16 anos, Neill começou a notar o modo como os outros camaradas a observavam e julgou que já era hora de reivindicá-la para si.

Neill tinha muito orgulho da nobre deferência com que sempre tratara Kate. Nunca um beijo sequer, muito menos uma declaração. Tinha sido um modelo de decoro. Não dissera, nem fizera nada com Kate que o pai dela pudesse considerar desrespeitoso. Na verdade, Neill estava muito satisfeito consigo mesmo no dia em que foi visitar o Sr. Peyton para lhe pedir permissão para cortejá-la. Jamais imaginara a possibilidade de Marcus Peyton recusar tal pedido. Afinal, por que o pai de Kate faria isso? Neill era inteligente, tinha boa aparência, era saudável e vinha de uma família antiga, nobre e muito rica.

Mas se equivocara de uma forma humilhante.

Marcus Peyton foi inflexível. Ele considerava Neill "estragado", "sem rumo na vida", "irresponsável e imprudente", e que por mais que tivesse "alguma esperança" de que o tempo pudesse fazer de Neill "um homem", ainda não via o rapaz dessa forma. Mas a acusação que mais doeu foi que ele, Neill, "tinha, na melhor das hipóteses, não mais do que uma ideia passageira do conceito de honra pessoal". Neill tinha muitos pecados. Jamais negara isso. Mas sua honra provavelmente era a única coisa que nunca tinha arriscado.

A falta de honra pessoal do pai, que para ele tinha ficado clara quando demonstrara publicamente seu sofrimento pela morte da mãe de Neill ao mesmo tempo que se preparava para instalar a amante em seu lugar, havia instilado em Neill uma profunda repugnância por toda desonestidade desse tipo.

Mas se Peyton o considerava desonrado, então toda Burnewhinney provavelmente achava o mesmo. Aquilo abriu os olhos de Neill, para dizer o mínimo. E mais, Peyton não achava que Kate já tivesse visto bastante do mundo para escolher um "jovem demônio tão pouco promissor, quando poderia ter um conde, ou até mesmo um marquês".

O Sr. Peyton prosseguiu com sua explicação, até com certo prazer, dizendo que Kate merecia tudo o que a mãe, caso estivesse viva, desejaria para ela e que isso incluía alegria, frivolidade, uma apresentação devida à sociedade, algumas temporadas sociais em Londres e uma ampla escolha de pretendentes. Na condição de pai, ele tinha toda a intenção de que Kate conseguisse tudo isso.

Neill, por mais chocado e embaraçado que estivesse, ainda defendeu suas intenções, e fez isso de forma apaixonada. No fim, conseguiu uma pequena concessão: Peyton não diria um "não" inequívoco ao pedido se Neill prometesse não cortejar Kate, nem tentar de qualquer modo influenciar as emoções dela – que ele considerava suscetíveis e infantis –, até ela ter sido apresentada à sociedade e completado 18 anos. Peyton daria a Neill uma oportunidade de provar que era realmente um homem honrado. E se Neill recusasse? O Sr. Peyton jurou banir Neill totalmente de sua casa.

Furioso e humilhado, Neill deixou Bing Hall disposto a se embebedar. Só que Kate o emboscou no caminho. Ele ainda conseguia ver o rosto dela, travesso, a expressão coquete, absurdamente desejável. E ali, encarando a jovem, Neill se deu conta de que não queria se casar só porque sempre presumira que era isso o que faria, mas porque a amava de verdade.

Ele, na época, não fazia ideia do que dizer, de como dizer, ou mesmo se a promessa que acabara de fazer ao pai dela lhe deixava algo *para* dizer. Sua honra, a única coisa que Neill não arriscara em sua curta mas brilhante carreira como libertino, insistia para que ele acatasse as regras de Peyton. Portanto, ele não fez absolutamente nada.

Até Kate beijá-lo.

Neill precisou de cada gota de força de vontade em si para não levantá-la nos braços e simplesmente carregá-la para o estábulo do pai. Mas... era

Kate. Se a tomasse nos braços, se dissesse a ela que a amava... Diabos. Se sequer a pedisse em casamento, iria perdê-la. E Neill não a queria apenas por um beijo, ou por uma hora de beijos em uma tarde, ou por uma noite, ou por uma semana ou mesmo um ano. Ele a queria para sempre.

A guerra entre um jovem voluntarioso, acostumado a ter as coisas a seu modo, e o homem que emergia dentro dele, disposto a sacrificar um desejo imediato por um objetivo futuro, nunca fora travada de forma tão silenciosa e tão violenta. Ele estremeceu sob o beijo inocente de Kate, suou ao sentir as mãos dela espalmadas de forma tão descuidada no peito dele, cerrou os dentes de frustração ao perceber pela primeira vez em sua curta vida o que sua péssima reputação poderia lhe custar. Não podia deixar isso acontecer.

Mas também não podia ficar ali por dois anos, sofrendo com um desejo inalcançável, incapaz de falar qualquer coisa enquanto rapazes e logo homens se aglomerassem ao redor dela, sempre se perguntando se ela estava beijando outra pessoa. Só havia uma coisa a fazer: ir embora e entrar para o Exército. E foi isso o que ele deixou escapar para Kate, tornando tudo pior por não conseguir explicar que precisava partir porque a amava e ainda não podia cortejá-la. Quando tentou dar uma pista dos seus motivos, só conseguiu piorar ainda mais a situação ao chamá-la de criança.

Ela o mandou para o inferno.

E, de certo modo, ele realmente foi, porque comprou uma patente para se juntar à cavalaria e foi lutar na França.

Neill não quis em momento algum ficar longe por tanto tempo, mas, como se para se redimir por ter demorado tanto a emergir, seu senso de dever não lhe permitiu o contrário. Ele precisava ver Napoleão ser derrotado. Era sua expiação. Sua obrigação. Foi esse tipo de homem que ele se tornou. Mas a cada carta que recebia de um dos irmãos de Kate, as mãos de Neill tremiam ao abri-la, com medo de descobrir que ela ficara noiva.

Agora, finalmente, o pequeno corso fora devidamente derrotado, e Neill estava livre de suas obrigações e responsabilidades. Ele mantivera a palavra que dera ao pai de Kate, e *finalmente* poderia falar. Só que... só que o destino e o maldito Tom Peyton empurraram para ele o papel de guardião de Kate, e a honra, essa maldita megera, exigia que ele não a importunasse enquanto ela estivesse sob sua proteção. E, por Deus, ele *seria* honrado. Não daria ao pai de Kate qualquer desculpa para recusar o pedido de casamento.

– Está pensando na guerra, capitão Oakes? – perguntou a bela morena ao lado dele.

– Perdão, Srta. Mottram?

– Por um instante o senhor pareceu um tanto abatido. Achei que talvez estivesse se lembrando de alguma experiência perturbadora no campo de batalha.

– Ah – disse ele. Jovens damas gostavam de ouvir histórias de heroísmo e ousadia. Neill desejou que a guerra fosse apenas isso. – Eu estava, realmente, pensando em uma batalha.

– E o senhor saiu vitorioso? – perguntou ela, os olhos arregalados e cintilando com idolatria.

– Não – respondeu ele.

– Ah – disse a moça, parecendo desapontada.

– Recebi ordens de deixar o campo de batalha.

– Ah – repetiu a Srta. Mottram, no momento em que Kate apareceu de braços dados com o Sr. DuPreye.

Kate estava nitidamente constrangida e havia apenas um toque de inquietude em seus modos, algo que teria escapado à maioria das pessoas, mas Neill estava sintonizado com cada aspecto das feições dela e com o vocabulário silencioso de seu olhar e gestual. E só podia concluir que era ele mesmo a causa do mal-estar. Sentiu-se culpado por privá-la da diversão da festa.

– ... infeliz. No entanto, suponho que seja preciso cumprir as ordens.

– Perdão?

Concentrado em Kate, Neill havia esquecido as boas maneiras e só ouvira as últimas palavras ditas por lady Nibbleherd, a tia-avó da Srta. Mottram.

– Eu disse que o senhor não pareceu muito feliz por receber a ordem de deixar o campo – comentou a velha solteirona.

– Eu estava infeliz a maior parte do tempo – retrucou Neill, falando devagar, plenamente consciente de que Kate, apesar de estar com a cabeça voltada para seu companheiro no jantar, ouvia tudo que Neill dizia. – Mas agora entendo que eu não estava pronto. Era jovem demais e impetuoso demais, muito cheio de mim. Na verdade, se eu tivesse permanecido no campo de batalha, era bem provável que tivesse perdido tudo.

– Está se referindo à sua vida e à de seus homens. – A Srta. Mottram assentiu em um tom sensato.

Ele não respondeu e percebeu a testa franzida na pele clara de Kate.

Ela sempre parecera a obra de arte de um confeiteiro, uma coisinha pequenina, feita de algodão-doce, tão leve que chegava a ser diáfana, pálida e fugidia, tão frágil que talvez derretesse sob o orvalho da manhã. Os anos a haviam tornado ainda mais etérea. No entanto, ela também parecia mais velha, mais madura: a rainha das fadas, agora. Os cabelos louros quase brancos cintilavam com o mesmo brilho de vitalidade despontando sutilmente dos malares delicados e rosados e dos lábios cheios. Tudo nela estava mais claro, mais iluminado, mais cintilante. Tudo, menos os olhos. Os olhos de Kate haviam escurecido e estavam mais complexos, mais profundos, mais intensos e intoxicantes: amores-perfeitos na sombra, o mar de Creta à meia-noite.

Ela lançou um olhar rápido e irritado para DuPreye, que estava inclinado próximo demais, e, quando Kate afastou os olhos, o olhar do sujeito se fixou no decote dela. DuPreye percebeu a reprimenda no olhar de Neill e apenas deu de ombros, nada envergonhado. Neill cerrou o maxilar e DuPreye deslocou sua atenção para outra companheira de mesa.

– Acredito que o senhor conheça a Srta. Peyton – disse lady Nibbleherd, reparando no interesse de Neill.

– Sim. Nossas famílias são vizinhas.

– Seu pai é Sir John Oakes, não é? – perguntou a Srta. Mottram. – Ouvi dizer que ele não está bem. Sinto muito.

O pai de Neill na verdade estava muito bem, mas alegara problemas de saúde para levar a jovem esposa e os filhos adolescentes para climas italianos mais amigáveis, deixando a fazenda nas mãos de Neill.

– Obrigado, senhorita – retrucou Neill. – Ele está tão bem quanto as circunstâncias permitem.

– Então, o senhor conhece a Srta. Peyton a vida toda? – continuou lady Diana.

– Sim. – *E amei-a por metade desse tempo.*

– Então me diga – disse a Srta. Mottram –, ela sempre foi assim tão... sensata? – E se apressou a acrescentar: – Não que a Srta. Peyton não seja absolutamente encantadora, mas ela faz com que eu me sinta mais *jeune fille*, e acho que sou mais velha do que ela.

— Mas apenas por uns poucos meses — apressou-se a esclarecer lady Nibbleherd, e, pelo rápido olhar que a Srta. Mottram lhe lançou, Neill presumiu que poucos meses na verdade eram poucos anos.

— É mesmo? — Ele inclinou a cabeça. — E como ela consegue isso?

— Ora, a Srta. Peyton não conversa sobre moda — esclareceu a Srta. Mottram com evidente satisfação. — Não muito, pelo menos. E não é próxima dos dândis, ou das damas mais elegantes. Não frequenta o teatro ou a ópera, embora já tenha participado de duas temporadas sociais. E ainda assim é muito confiante e muito... decidida. Ela fala com um cavalheiro como se, ora, como se ela mesma fosse um cavalheiro. Quase se pode esquecer que a Srta. Peyton é uma jovem dama.

Ao ouvir aquilo, Neill quase começou a rir. Duvidava que alguém fosse capaz de esquecer, por um minuto que fosse, que Kate era uma mulher. Especialmente se já a tivessem visto com os olhos cintilando e com os cabelos voando ao vento, rindo, como naquela tarde, nos degraus de entrada da casa.

— Ela é muito jovem — declarou lady Nibbleherd, os lábios torcidos em uma expressão astuciosa. — Com frequência as pessoas muito jovens afetam um ar de segurança para disfarçar a insegurança que sentem. Mas se a Srta. Peyton espera encontrar um marido, seria melhor que admitisse suas vulnerabilidades. Cavalheiros não gostam de mulheres exuberantes e de vontade forte.

— Não? — perguntou Neill, tentando não sorrir. Ele amava Kate exatamente porque ela era cabeça-dura e... exuberante.

— Não — afirmou lady Nibbleherd. — Já fui casada quatro vezes e sei do que gostam os cavalheiros.

— Estou certo de que a senhora é uma especialista.

— Ora, sou mesmo. — Ela fungou, lisonjeada. — Devo dizer, no entanto, que a Srta. Peyton se conduz de uma maneira mais refinada agora do que quando debutou. Ouso dizer que ela não teria recebido nenhum pedido de casamento naquele primeiro ano se não fosse pela boa situação financeira do pai.

O interesse de Neill se aguçou.

– Ela recebeu pedidos de casamento?

– O senhor não sabia? – perguntou lady Diana.

– É claro que não, titia – intrometeu-se a Srta. Mottram. – Ele estava longe, lutando com os sapos franceses.

– Hummm – fez lady Diana. – Ora, a Srta. Peyton recebeu, sim, alguns pedidos de casamento. E mais alguns nessa última temporada social, o que me leva a acreditar que ela finalmente deve estar desenvolvendo um comportamento feminino. Se ela espera agarrar... digo, se espera se tornar uma condessa, é exatamente o que precisa fazer. Briarly talvez não seja muito exigente, mas é aconselhado pela irmã, ou foi o que me disseram, e Carolyn é exigente.

Neill franziu a testa. Kate ficara muito ansiosa para que ele se desculpasse com Briarly, e depois se esforçara para ficar em bons termos com lady Finchley. Seria para se promover para o conde através da irmã dele? A *sua* Kate teria se preocupado tanto com as aparências? Neill achava que não. Talvez, pensou, ela tivesse mudado. Talvez, e o coração dele pareceu afundar no peito ao considerar essa hipótese, ela já não fosse mais a *sua* Kate.

– Ora, acho a Srta. Peyton formidável – comentou a Srta. Mottram com sua vozinha estridente, fazendo os pensamentos de Neill voltarem ao presente. – Sim. É o que eu acho. Ela é a jovem dama mais *formidável* entre todas e eu a admiro muitíssimo, mesmo que ela me assuste um pouco – falou, lançando um rápido olhar para Kate, que observava discretamente a conversa.

Ela não tinha como saber o que estava sendo dito – a mesa era muito larga e a conversa subia e descia por toda a sua extensão, animada demais –, mas seu interesse era evidente. DuPreye se inclinou para mais perto e murmurou alguma coisa no ouvido de Kate. O rosto dela ficou subitamente muito vermelho, e Neill viu, em um breve relance, a manga da camisa dele roçar em Kate.

O desgraçado tocou nela.

A fúria ferveu dentro dele. Neill teve vontade de se atirar por cima da mesa, de quebrar louças e cristais, pegar DuPreye pelo pescoço e sacudi-lo sem piedade. Mas não fez isso. Quatro anos antes, teria cedido ao impulso, mas aquilo não tinha a ver com ele nem com DuPreye, e sim com Kate. Ela ficaria mortificada por ser o motivo de uma cena daquelas.

Em vez disso, Neill dobrou cuidadosamente o guardanapo e pousou-o ao lado do prato, virou-se para suas vizinhas na mesa, pediu licença e se levantou. Seguiu, então, pela extensão da mesa e deu a volta até o lado oposto. O serviço do jantar ainda não havia começado e várias pessoas ainda estavam de pé, conversando, por isso a atitude dele não pareceu estranha. Neill foi na direção de Kate, que desviou o rosto ruborizado, sem dúvida temendo que ele estivesse prestes a arrancar DuPreye da cadeira e atirá-lo para o outro lado do salão. Neill teria gostado de fazer isso.

Mas ele apenas sorriu e pousou a mão nas costas da cadeira de DuPreye. Então se inclinou para baixo e disse, com um sorriso no rosto e em uma voz que apenas o outro homem conseguiria ouvir:

– Se você causar o mais leve desconforto à Srta. Peyton, se o tom do rosto dela ficar ruborizado um tom a mais que seja, se tocá-la, se encostar em qualquer parte dela com qualquer parte da sua pessoa, eu prometo que vou quebrar todos os ossos de sua mão. Fui claro?

Ele não esperou a resposta de DuPreye. Em vez disso, endireitou o corpo. Deu um tapa nas costas de DuPreye em uma demonstração clara de *bon homme* e voltou para onde estava sentado.

Pelo resto do jantar, a pele de Kate permaneceu em seu tom mais puro.

E DuPreye permaneceu muito pálido.

Quando todos terminavam a sobremesa e esperavam que a anfitriã saísse com as damas, Kate olhou de relance para Neill pela centésima vez. Estava consciente demais da presença dele para ter paz de espírito, consciente demais das mudanças que o tempo causara nele. As feições, antes tão fáceis de serem lidas, agora estavam protegidas por uma expressão discreta e séria. A animação desaparecera, deixando-o imóvel. Neill estava diferente. Diferente demais?

Ela havia se esforçado para não ficar olhando para ele a noite toda, certa de que os outros repararam. Mas Neill pareceu profundamente envolvido na conversa com a Srta. Mottram, e Kate se viu encarando-o. E, de repente, sua mente se encheu com as lembranças de seu último encontro, do sabor dos lábios dele, da firmeza de rocha do peito, da expressão selvagem e assombrada em seus olhos. Ela voltara correndo para casa depois do beijo que roubara e havia passado os dois dias seguintes soluçando em silêncio no travesseiro, alegando que estava doente, para não ter que dar explicações à família.

Neill havia escrito. Ela rasgara as cartas sem abri-las. Tinha aparecido na porta dela, exigindo ser recebido. Kate o mandara embora, pois sabia que nem mesmo Neill invadiria a casa dela sem ser convidado – embora uma parte dela desejasse que ele fizesse exatamente isso. Mas por que ele faria, certo? Apenas um homem loucamente apaixonado faria algo assim. Se estivesse loucamente apaixonado, Neill certamente teria entrado de qualquer forma na casa dela. Ele teria irrompido castelo adentro e invadido o covil do dragão. Neill não estava loucamente apaixonado.

Mas ficaria.

Quando parou de chorar e de insultá-lo, quando desistiu de tentar não amar aquele homem, quando ficou claro que seu coração era profundamente leal e que depois de entregue não poderia ser devolvido, Kate se recompôs e jurou que quando Neill Oakes voltasse, ele encontraria uma mulher e não mais uma *criança*. Uma mulher com experiência – com duas temporadas sociais em Londres. Uma mulher que fora beijada – e ela fora. Em outras palavras, uma mulher que fosse páreo para ele.

Quando descobriu que Neill tinha sido convidado para o evento na casa dos Finchley, Kate aceitou o convite. Uma vez no local, ela começou a flertar com Briarly apenas o bastante para atiçar o lado competitivo de Neill. Como ele tinha essa necessidade de ganhar sempre, ela deveria se colocar como prêmio. Mas quando ele apareceu, em vez de entrar em campo como um competidor pela mão dela, acabou se apresentando como guardião. Ah! A ignomínia dessa situação! E, ah, como Neill estava diferente... Tão distante e disciplinado, tão arredio...

Kate percebera o olhar de Neill pousado nela quando DuPreye murmurou algo em seu ouvido. Na mesma hora ela foi traída pelo rubor em seu rosto. Um instante depois, Neill se levantou de onde estava e foi na direção dela. Kate esperou, tremendo de expectativa, mas ele não chegou a falar com ela. Apenas sorriu, deu um tapinha nas costas de DuPreye e disse algo a ele que Kate não conseguiu ouvir.

Por que Neill não falou com ela? Era verdade que ela também não falara com ele, mas fora por uma boa razão. Estava tentando provocá-lo. *Ele* não tinha uma boa razão. A menos que estivesse sendo circunspecto. Neill? Circunspecto? Kate ficou ainda mais intrigada com a ideia.

– Vamos, todos vocês – disse lady Finchley, interrompendo os pensamentos de Kate, enquanto se levantava junto com o marido. – Nada de vinho do Porto para os cavalheiros esta noite. Teremos algumas brincadeiras e jogos, e prometo que não será nada travesso *demais*.

Kate seguiu os outros convidados até o salão de visitas, reparando, ao entrar, que Charters estava entregando à deslumbrante lady Gwendolyn Passmore um ponche gelado e que Briarly estava parado ao lado de lady Georgina, a amiga viúva de lady Finchley. Ela viu Neill encostado em uma parede no extremo do salão, separado do restante do grupo. Não que as damas fossem deixá-lo ali por muito tempo. Em poucos minutos, um bando cheio de risadinhas o cercou. Kate quase riu da expressão incomodada dele, e a tensão que vinha crescendo nela relaxou. Neill talvez estivesse mudado, mas não tanto que ela não o reconhecesse.

– Uma dama de cada vez será vendada e se sentará aqui – explicou lady Finchley, apontando para uma cadeira no centro do salão. – Assim que ela estiver sentada, o cavalheiro indicado beijará sua mão. Se quiser, a dama que estiver sentada pode tentar identificar logo o cavalheiro, ou pode escolher tocar *brevemente* o rosto dele para tentar saber quem é pela fisionomia. Se ela identificar o cavalheiro apenas pelos galanteios, ganhará dois pontos. Se precisar tocar a face dele, ganhará um ponto. Mas se não conseguir adivinhar, ou se errar, está fora do jogo. A dama permanece sentada no centro do salão enquanto conseguir identificar cada um dos galantes cavalheiros. A dama com mais pontos vence – disse Lady Finchley, acrescentando em seguida: – Serei a primeira.

Ela se sentou na cadeira no centro do salão e prendeu um lenço macio de seda ao redor dos olhos. Os cavalheiros trocaram sorrisos e empurraram Finchley para o início da fila que se formou rapidamente. Ele parou diante da esposa e segurou com gentileza a mão dela, então, com evidente ardor, inclinou a cabeça e depositou um beijo nos nós dos dedos dela.

Lady Finchley abriu um sorriso radiante sob a venda.

– Não preciso tocar seu rosto, senhor. É o rosto que beijo toda manhã...

Finchley endireitou o corpo, sorrindo triunfante para os outros homens.
– ... vovô.

O grupo caiu na gargalhada, e Finchley se virou novamente, abaixou-se na direção da esposa, que estava às gargalhadas, e ergueu-a da cadeira, enquanto arrancava a venda dos olhos dela.

– Mulher terrível! – declarou com carinho. – Está vendo o que a sua gracinha conseguiu? Você já perdeu.

– Ao contrário, senhor – retrucou ela, em um tom travesso, os olhos fixos nos dele. – Acho que ganhei.

Diante disso, Finchley beijou-a escandalosamente, para aplauso dos amigos.

Lady Finchley se desvencilhou, deu um tapinha no marido e ruborizou, linda como uma donzela. Então olhou ao redor e viu Kate.

– Venha, Srta. Peyton. Estou convencida de que se sairá melhor do que eu. – E estendeu a venda.

– Ah, eu... eu...

– Vamos, Srta. Peyton – disse DuPreye, com um traço de zombaria na voz. – É um jogo bastante comportado. Até para o campo. E para os mais jovens.

Kate não poderia recusar. Precisava mostrar que era uma mulher, não uma mocinha, pronta para qualquer desafio, e não uma bobinha que um homem experiente descartaria.

– É claro – concordou.

Então se sentou, amarrou o lenço e esperou, insegura.

– Estique a mão, Srta. Peyton – ouviu lady Sorrell dizer. – Seu primeiro pretendente espera.

Uma mão fria segurou a dela e Kate sentiu um beijo seco roçar os nós de seus dedos. Ela inclinou a cabeça.

– Temo que será necessário sentir o seu rosto – disse ela.

Kate levantou a mão e o cavalheiro que não via guiou-a para o rosto dele. Rapidamente os dedos dela deslizaram pelas feições dele: nariz estreito e curvo, sobrancelhas ralas, costeletas longas demais... apenas o vigário usava aquelas costeletas tão antiquadas.

– É o vigário – anunciou ela.

Gargalhadas de aprovação receberam a resposta e lady Finchley ergueu a voz:

— Um ponto para a Srta. Peyton. Próximo cavalheiro!

Dessa vez, Kate se lembrou de levantar a mão. E outra mão, firme, segurou a dela, os dedos longos, a ponta um pouco úmida... Ela franziu a testa, e levou um bom tempo tentando se lembrar de um cavalheiro que tivesse razão para estar com os dedos tão frios. O conde de Charters havia estendido um copo de ponche gelado para lady Gwendolyn.

— Lorde Darlington — disse Kate.

— Ah! Muito bem!

— Nossa, como ela soube que era Charters?

— Dois pontos! — disse lady Finchley. — Somando um total de três. Próximo cavalheiro.

Kate estava relaxando agora. Aquela era realmente uma brincadeira divertida.

— Assim vai ser impossível vencê-la — ouviu lady Nibbleherd resmungar, enquanto levantava a mão para o próximo desafiante.

— Está espiando, Srta. Peyton? — perguntou lorde Finchley.

— Não, senhor. O conde estava tomando ponche gelado e o vigário é o único homem aqui com suíças.

— Ah! Então, vamos encontrar um desafio para ela. Sem pelos no rosto nem mãos geladas para denunciar, certo? — falou Finchley. — O senhor.

Kate soube no momento em que ele pegou sua mão. Reconheceu com absoluta certeza, sentiu os nervos dançarem e reverberarem pela pele. Seu rosto ficou quente e ela rezou para que o lenço ocultasse a maior parte do rubor.

Kate sentiu o homem misterioso inclinando-se para mais perto, e até o ar parecia carregado com sua presença. Então os lábios dele, quentes, firmes, tocaram os dedos dela. Talvez tenham demorado uma fração de segundo a mais do que o decoro permitia? A respiração de Kate estava ofegante demais para ser capaz de dizer. Kate hesitou, sem saber se deveria revelar como o conhecia bem, de forma visceral, ou se era melhor fingir ignorância.

— Acho que preciso... — Ela sentiu o rubor no rosto se aprofundar. — Posso tocar seu rosto, senhor?

Uma mão forte e calosa segurou o pulso dela e guiou seus dedos para o rosto. Kate deixou a ponta dos dedos correr pelas feições: o nariz forte, a boca larga, a curva pronunciada dos lábios, o maxilar firme e quadrado muito bem barbeado. A pele era deliciosamente quente, firme, mas flexível. Os cabelos eram cheios, e estavam frios e sedosos.

– Isso não é justo – reclamou a Srta. Mottram. – Ela está avaliando as feições dele por muito mais tempo do que "brevemente".

Kate afastou logo a mão e pigarreou, lembrando a si mesma que era uma veterana nesses jogos, antes de dizer em tom despreocupado:

– Não vou nem arriscar um palpite. Acho que não o conheço, senhor.

Um ligeiro murmúrio de desapontamento se ergueu diante das palavras dela, e Kate tirou a venda.

– Ora, capitão Oakes! – disse ao vê-lo, e levou a mão ao peito. – Estou surpresa. Era de se imaginar que eu fosse reconhecer logo *o senhor*. – E piscou algumas vezes.

Ele estreitou os olhos, mas disse apenas em uma voz neutra:

– Sim. Era de se imaginar.

Ele não se importou? Havia mudado tanto que ela já não tinha mais o poder de perturbá-lo? Não importava qual tinha sido o relacionamento deles no passado, o que ela havia representado para ele, mas na época bastavam algumas poucas palavras bem escolhidas para que ela conseguisse provocar alguma emoção, uma chama, algum tipo de reação apaixonada.

– Quem será a próxima? – perguntou lady Finchley. – Vamos, damas. Quem vai desafiar o recorde da Srta. Peyton?

No mesmo instante, lady Nibbleherd ofereceu a sobrinha e, entre risinhos contidos e gargalhadas, a Srta. Mottram trocou de lugar com Kate. O resto da noite passou rapidamente, uma brincadeira levando a outra, a reunião cada vez mais divertida à medida que avançava a noite. Kate riu e sorriu, participou de todos os jogos e brincadeiras e ganhou várias vezes, flertou com lorde Briarly e provocou o louro e pensativo Sr. Hammond-Betts. Teria se divertido imensamente se não tivesse passado a noite toda esperando, aflita, que Neill se aproximasse e dissesse alguma coisa *outré*, ou fizesse alguma coisa *outré* como... como pegá-la e beijá-la. O que, é claro, ele não fez.

Maldito fosse.

E assim foi pelos cinco dias e noites seguintes. Neill a tratava com a mais absoluta cortesia. A conversa dele era agradável, séria e formal. Era enlouquecedor. A única razão de alegria que ele dava a Kate era que parecia totalmente desinteressado nos olhares lânguidos que a maioria das jovens sem compromisso lançava em sua direção. Elas sorriam com afetação, davam risadinhas, bajulavam, mas Neill não mostrava o menor sinal de que se importava, nem retribuía o óbvio interesse delas. Em vez disso, estava sempre afastado, contentando-se com a companhia de outros jovens cavalheiros como o Sr. DuPreye e Kitlas, lorde Landry e Geerken, o que Kate achou bastante surpreendente, já que nenhum desses dândis parecia o tipo de camarada com quem Neill perderia tempo.

Fora isso, ele era absolutamente atencioso, mas sem exageros, sempre com uma expressão circunspecta, pronto para oferecer o braço a Kate quando ela não tinha acompanhante, elogiando sua aparência sem nunca exagerar. Em outras palavras, estava agindo como o mais perfeito guardião.

E levando Kate ao desespero...

CAPÍTULO CATORZE

—Você foi convocado pela nossa anfitriã e precisa me levar à cidade – anunciou Kate na manhã seguinte.

Neill, que estava tomando café no terraço, enquanto lia as notícias da manhã de Londres, pousou a xícara, dobrou o jornal e levantou os olhos. Kate estava parada diante dele, a própria visão da elegância em um *spencer* de seda fina e leve que moldava suas curvas suaves. Um chapeuzinho azul-escuro decididamente provocante cobria os cachos louros quase brancos em um ângulo ousado, inclinado, a barra de cetim flertando com o rosto rosado.

O coração de Neill deu uma cambalhota, reagindo de um jeito como jamais acontecera quatro anos antes. Mas quatro anos antes o sorriso dela não tinha aquela malícia feminina, e os olhos não eram tão travessos. Quatro anos antes, Kate ainda não era uma mulher, ele se deu conta. O ondular casual inconsciente dos quadris dela, a risada cristalina, a sobrancelha elegante que se arqueava de uma maneira... o modo como os olhos dançavam tão logo os lábios cheios se curvassem em um sorriso, a inclinação da cabeça, os movimentos rápidos que fazia com a ponta dos dedos enquanto ilustrava um argumento que tentava defender, tudo isso conspirava para torná-la misteriosa, fascinante e absurdamente cativante.

Ela realmente não era a Kate dele. Não como Neill se lembrava dela. Não que isso importasse nem um pouco no que dizia respeito ao desejo. Na verdade, ele a desejava ainda mais. Os últimos quatro dias haviam sido torturantes. Ele se ressentia de cada homem que ela tocasse da forma mais acidental, cobiçava cada sorriso que oferecia a outro, fosse menino ou homem, criado ou duque. Neill ficava à espreita ao redor do perímetro de qualquer cômodo que Kate ocupasse, observando discretamente os homens que estivessem por perto em busca de qualquer traço de familiaridade exagerada com ela, e pronto para agir rapidamente ao sinal da menor transgressão.

Disse a si mesmo que era seu dever fazer isso, sua obrigação, uma questão de honra. Na verdade, sabia que o motivo real era seu desejo de reclamar Kate para si mesmo sem poder. Até que fossem embora dali, não poderia sequer cortejá-la, já que era seu maldito guardião.

Foi necessário um esforço enorme para manter a expressão neutra tendo Kate diante de si daquele jeito, mas Neill conseguiu e se levantou enquanto indicava com um gesto que ela se sentasse.

– Não, não temos tempo a perder. Precisamos ir à cidade esta manhã.

– Precisamos? – perguntou ele, educadamente.

– Sim, para que eu possa comprar algumas fitas e voltar a tempo de enfeitar meu *bonnet* para o piquenique desta tarde.

Neill ficou dividido. Parte dele queria muito a oportunidade de algumas poucas horas a sós com ela. A outra parte se ressentia por ser relegado ao papel de ama-seca, como uma tia velha e desdentada. Mais uma vez, ele desejou silenciosamente a perdição para Tom Peyton.

– Estou certo de que lady Finchley ficará feliz em lhe emprestar a carruagem dela e um criado para acompanhá-la.

– Não está escutando, Neill? – Kate balançou a cabeça com impaciência. – No momento, todos os criados estão ocupados montando a tenda para o piquenique ou cuidando de outros assuntos.

– Talvez um dos outros convidados possa levá-la? – sugeriu ele. – Lady Sorrell tem carruagem própria, e ela...

– Ah, pelo amor de todos os santos, por que você não consegue fazer nada sem discutir? – interrompeu ela, batendo o pé no chão com exasperação. – Se não quer ir, pelo amor de Deus, simplesmente diga. Não precisa inventar desculpas.

– Não é isso... – disse Neill, irritado. Ele podia até estar proibido pelas leis da etiqueta de cortejá-la por enquanto, mas isso não significava que fosse se privar da companhia de Kate se era isso o que ela queria, o que obviamente era. Embora ele não tivesse ideia do motivo. – Muito bem. Ficarei encantado em acompanhá-la, Srta. Peyton.

– Hum – disse ela, a expressão já mais aplacada. – Se encantado você age dessa forma, imagino como será quando estiver relutante, *capitão Oakes*.

Ele sorriu. Kate sempre soubera como provocá-lo, em situações em que os outros ficavam apavorados.

– Vou pedir um coche imediatamente.
– Não se dê ao trabalho. O coche está esperando por nós na entrada.
Neill ergueu uma sobrancelha para ela.
– Muito segura de si, não é mesmo?
O sorriso dela foi o bastante para fazê-lo perder o fôlego.
– Quando eu quero alguma coisa? Ah, sim.

Como Kate afirmara, um cabriolé azul esperava por eles na entrada da frente. Um jovem cavalariço segurou a cabeça de um castrado cinza, animado, enquanto Neill dava a mão a Kate para que ela subisse antes de se acomodar no assento do cocheiro.
– O cinzento pode ser um pouco arisco, senhor – comentou o cavalariço, preocupado. – Gostaria que eu o trocasse por outro animal, mais dócil?
Kate respondeu antes que Neill pudesse abrir a boca:
– Deixe-me lhe dizer, rapaz, que o capitão Oakes já foi o cavaleiro mais ousado do condado. – Ela deu uma fungadinha. – Na verdade, estou espantada por você não ter ouvido falar dele.
Neill olhou de relance para ela, surpreso por Kate ter ido em sua defesa tão prontamente. Talvez ela tivesse perdoado os pecados dele do passado e estivesse preparada para voltar à camaradagem da juventude. E quem sabe daí não viria um futuro mais íntimo? A esperança o tornou impulsivo, e a impulsividade sempre havia sido seu calcanhar de aquiles. Neill estava determinado a provar a Kate que era um homem maduro, atencioso, digno dela.
– Perdoe a minha ignorância, senhorita – disse o menino, enrubescendo. – Não sou dessas partes.
– Ah – falou Kate, a indignação desaparecendo. – Bem, agora você sabe. Não há cavalo em Burnewhinney que esteja além da habilidade de comando do capitão Oakes. – E lançou um olhar travesso para Neill. – Creio que isso ainda seja verdade, capitão.
– Eu me arrisco a dizer que consigo dar conta. Obrigado.
E, com um leve movimento dos punhos, ele colocou o cavalo em um trote acelerado, mas sob controle.

Eles haviam percorrido uma curta distância, em um silêncio desconfortável, quando Kate finalmente falou:

– Você gostou de ser apresentado à corte?

Na verdade, Neill não havia gostado muito. A sociedade de Londres não o agradava e a ostentação era mais para animar os plebeus do que para os que recebiam as honras. Mas lhe pareceu rude dizer isso.

– Sim. Foi um grande reconhecimento.

Ela o olhou de relance, a expressão evasiva.

– Então você mudou muito, porque não costumava se importar em ser reconhecido, ou elogiado.

Neill pesou as palavras antes de responder:

– Se um líder deseja comandar seus homens com sucesso em uma batalha e, mais importante, se quer guiá-los com sucesso para fora da batalha, é importante que os homens tenham uma boa opinião sobre esse líder, para que confiem nele. Então, sim, nesse sentido eu mudei. Reconheço o valor de angariar uma boa reputação.

A zombaria desapareceu da expressão de Kate, que se inclinou na direção dele e tocou levemente sua mão.

– Agora estou com vergonha de mim mesma. Deveria ter percebido que você não estava interessado em bajulação. Que isso não faria você melhorar sua opinião sobre si mesmo.

Neill deu uma risadinha.

– Bem, pelo que me lembro, a única razão para eu não ligar para bajulações quando era mais novo era porque a minha própria opinião sobre mim mesmo era tão exaltada que eu nunca precisei de nenhuma outra. Eu era um desgraçado muito convencido, isso sim.

– Sim. Você era. – Kate soou melancólica. – Mas eu me arrisco a dizer que isso também acabou sendo bom para você.

– Como assim?

– Não consigo imaginar alguém se tornando capitão de outra forma. Se a boa opinião dos outros permite que você comande, o mesmo vale para a autoconfiança. A insegurança seria uma desgraça em uma batalha.

A percepção dela e a seriedade com que falou impressionaram Neill, e ele a encarou com atenção.

– Você fala como se já houvesse pensado no assunto.

– De fato.

Neill sorriu, um tanto desconcertado.

– E o que a teria levado a pensar sobre essas coisas?

Kate se virou, o olhar fixo no dele, e disse apenas:

– Ora, você, Neill.

A surpresa dele com a resposta fez com que as rédeas encostassem nas ancas do cavalo, e o castrado dançou para os lados, forçando Neill a se concentrar no animal por algum tempo, até tê-lo de novo sob controle. Quando conseguiu, Kate já havia se virado e estava olhando calmamente para a estrada à frente.

– Como assim? – perguntou Neill, tentando com dificuldade parecer despreocupado.

– Eu estava preocupada com você, é claro – respondeu Kate com objetividade. – Podemos não ter nos despedido nos melhores termos, mas isso não significa que eu não me importasse com o seu bem-estar. Então é claro que pensei sobre isso. Sobre você. E decidi que ser ousado e seguro de si – ela lançou um olhar brincalhão para ele – não seria ruim para um oficial.

– Estou impressionado com a sua preocupação.

Kate deu uma risadinha. Achou que ele estava sendo irônico. Mas ele não estava.

– Sim. Eu me importava com o seu bem-estar.

– Então por que nunca escreveu?

– Eu escrevi.

Mais uma vez, ela o pegou de surpresa.

– Mas... nunca recebi nenhuma carta.

Kate deu outra risadinha, mas dessa vez o riso tinha uma ponta de maturidade e ironia.

– Vamos lá, Neill. Você, entre todas as pessoas, conhece as habilidades, e as inabilidades, dos meus caros irmãos. Desde quando algum deles foi capaz de rabiscar mais do que um bilhete rudimentar?

Ele a encarou.

– Você escreveu aquelas cartas? – perguntou.

Mas no momento em que Kate abriu a boca, Neill reconheceu a verdade. Nenhum dos rapazes Peyton era muito articulado ou sensível, e, especialmente no início, ele ficara impressionado com a frequência das cartas.

Por uma boa razão: não haviam sido eles. As descrições precisas do campo, a passagem detalhada das estações, as histórias engraçadas sobre as várias pessoas que eles conheciam e as referências detalhadas às histórias que compartilhavam... Tudo tinha sido escrito nas palavras de Kate, foram as palavras dela que o haviam transportado, naquelas tréguas breves e essenciais, dos campos de batalha na França para a casa em Burnewhinney.

– Não tudo – respondeu Kate, em um tom leve. – Só as partes interessantes.

Dessa vez ele riu, e o cavalo disparou em resposta.

– Santo Deus, Kate, por que simplesmente não assinou seu próprio nome?

– Por orgulho – admitiu ela com simplicidade. – Você talvez não tenha percebido, já que estava bastante ocupado, mas eu também tenho a minha dose excessiva de autoestima.

– Na verdade, talvez eu me lembre vagamente de outra pessoa tão presunçosa quanto eu. Mas achei que fosse um delírio.

Kate riu e Neill não conseguiu evitar. Era tão fácil rir com Kate. Não havia nenhum significado implícito, nenhum medo de ser mal compreendido ou razão para isso.

– Sua vez – disse ela. – Por que simplesmente não escreveu para mim?

– Eu...

– E nem vale a pena mencionar aquela tentativa pomposa.

– Bem, eu estava com medo.

– Com medo? – repetiu Kate, surpresa.

– Sim. Tive medo de que você respondesse e... colocasse um fim no... na nossa amizade. Que eu prezo. – Ele sorriu.

– Por quê? – Ela o fitou, na expectativa.

Neill teve vontade de contar a ela, mas não podia. Havia esperado tanto tempo, e faltavam poucos dias para a reunião na casa dos Finchley terminar. Logo ele poderia completar a missão que Tom lhe dera, apresentar-se ao pai de Kate e receber permissão para cortejá-la. Precisava fazer isso do jeito certo.

Portanto, quando voltou a falar, foi em um tom leve, a voz arrastada.

– Seria desagradável demais ser vizinho de uma família da qual um dos membros não fala com você. Além do mais, somos velhos amigos, não somos? E é preciso manter as velhas amizades. – Neill sorriu. Kate, não. – Por isso, eu me contentei em pedir ao seu irmão, em cada uma das cartas que escrevi, que as compartilhasse com a família.

Kate pareceu preocupada.

– Entendo. Bem, graças aos céus você não me escreveu e não me deu a chance de acabar com a nossa amizade, caso contrário, onde eu estaria agora, não é mesmo?

– Perdão?

– Digo, com Tom desaparecendo e me deixando sem uma companhia para guardar minha estadia aqui? Imagino que lady Finchley teria assumido o papel, mas isso não é exatamente bom, certo? E é preciso prestar atenção nas aparências.

A voz dela foi ficando mais forte e mais animada.

– É claro que alguns diriam que um jovem capitão sem qualquer ligação de sangue com a dama dificilmente seria um acompanhante adequado para ela, mas deve-se levar em consideração que o capitão é, como você *fez questão* de ressaltar, um velho amigo da família. Portanto, obrigada, *velho amigo*, por me ajudar em meus esforços para conseguir um cônjuge.

O prazer que Neill vinha tendo com a conversa cessou abruptamente quando se viu lembrado da posição, da única posição, que no momento ocupava na vida de Kate. Uma que não era a que ele desejava.

– Fico muito feliz por ter a sua aprovação – disse ele, mantendo os olhos firmes no traseiro do cavalo. – Devo me esforçar para satisfazê-la. Diga-me, há alguém em particular que a agrade?

– Ah, com certeza – respondeu Kate, em tom alegre.

– Posso perguntar quem? – *Para que eu me certifique de que ele se veja subitamente impelido a deixar a casa.*

Ela balançou a cabeça.

– Não, acho que não. E se ele não retribuir o meu interesse? Na verdade, não sei como eu sobreviveria à humilhação – a voz dela abruptamente se transformou em um sussurro –, ou à angústia.

Angústia? Kate já tinha mesmo uma afeição por alguém, então? Não por Briarly, com certeza. Neill não conhecia o conde, mas conhecia os homens, e a maneira com que Briarly se comportava em relação a Kate não demonstrava qualquer desejo de exclusividade nem evidência de um interesse mais profundo. Se ele magoasse Kate...

Neill sacudiu as rédeas com força e o cavalo saltou em um galope, impedindo que a conversa continuasse por causa do chacoalhar dos arreios e do rangido das rodas. Se ao menos ele pudesse conduzir o restante daquela maldita reunião para que terminasse tão rápido quanto o galope do cavalo...

Durante quinze minutos, a frustração de Neill se manteve equivalente à expressão cada vez mais fria de Kate. Ele não sabia exatamente o que detonara a ira dela, só que tivera alguma coisa a ver com eles serem velhos amigos... Santo Deus.

Kate poderia mesmo estar achando que ele a chamara de *velha*? Mas a verdade era que, aos 20 anos, ela dificilmente poderia se considerar na flor da juventude. Talvez ela achasse que o fato de estar solteira a tornasse de algum modo menos desejável. Tolinha. Ele mesmo podia garantir que ela estava muito mais desejável agora do que quando tinha 16 anos, e Neill tinha certeza de que com o passar de cada estação Kate ficaria cada vez mais encantadora.

E ele não tinha a menor intenção de permitir que qualquer outro homem fosse cúmplice desse conhecimento.

Mas... maldição. *Maldição!* E se aquele futuro pretendente misterioso se adiantasse antes que ele, Neill, tivesse a oportunidade de falar com Kate? Se não estivesse ali como guardião dela, poderia ter se declarado, ou se tivesse chegado já tendo garantido a permissão do pai dela para cortejá-la, jogaria as convenções para os lobos e se declararia. Mas estava cumprindo aquela missão, e não havia falado com o pai dela. Tinha saído correndo de Londres para chegar à Mansão Finchley porque soubera que Kate estaria lá, e achara, com a argúcia de um veterano experiente, que era melhor avaliar o terreno antes de partir para o ataque. Como tinha sido idiota. Na verdade, só se colocara de lado enquanto outros se adiantavam pela mão dela. *Que* outros?

– Ah! – exclamou Kate, quando eles chegavam ao topo da colina em cuja base ficava Parsley. – Eu me esqueci da feira!

Neill acompanhou o olhar dela. O pequeno vilarejo de Parsley se espalhava diante deles, cheio de feirantes e compradores, os comerciantes com seus artigos espalhados pelas ruas e pelos campos ao redor. Barracas decoradas com fitas e rosetas se enfileiravam nas ruas principais, os donos de olhar atento aos moleques que passavam correndo e roubavam aqui e ali uma maçã, ou uma torta de carne com especiarias. Ambulantes com cestas penduradas no pescoço se esquivavam de carroças puxadas por burros, cheias de jarras de leite fresco e sidra. Músicos e apresentadores de teatros de fantoche improvisavam palcos onde o espaço permitisse, brigando por espectadores enquanto apresentavam músicas irreverentes e pantomimas. Um cachorrinho caminhava apoiado apenas nas patas da frente diante de um velho usando um casaco multicolorido, enquanto um macaco impertinente pedia moedas aos que estavam reunidos ao redor deles.

Os olhos de Kate cintilavam de prazer e seus lábios estavam entreabertos como os de uma criança.

– Gostaria de ficar? – perguntou Neill.

Ela hesitou, mas então balançou a cabeça.

– Não. Não. Lady Finchley vai se perguntar o que aconteceu conosco, se perdermos o almoço.

E mais alguém sentiria falta de Kate? E ela dele?, perguntou-se Neill.

– Você lembra onde ficam os vendedores de tecidos? – perguntou ela.

– Sim.

Neill guiou com habilidade o cavalo agitado em meio à multidão que se aglomerava na rua e seguiu em direção à passagem principal. Ao final dela, entrou com o cabriolé em outra rua lateral igualmente cheia, onde ficavam os vendedores de tecidos, em frente ao estábulo da cidade. A rua também estava lotada de pedestres, a maior parte deles homens, trabalhadores, ao que parecia, e muitos deles Neill reconheceu.

Ele parou a carruagem na frente de uma das lojas de tecidos, desceu e deu a volta até o outro lado. Kate estava esperando por ele, já de pé. Neill nem se deu ao trabalho de abaixar os degraus, simplesmente levantou os braços e, com a mesma facilidade e naturalidade com que respirava, Kate se inclinou para a frente e pousou as mãos nos ombros dele, enquanto Neill a pegava pela cintura fina e a colocava no chão. Ele baixou os olhos para o rosto dela, que estava erguido para ele. E, por um segundo, manteve-a junto a si.

– Kate...

– Sim?

Não.

– Quanto tempo vai levar?

Ela se afastou dele.

– O tempo que for necessário – respondeu rispidamente, e, sem olhar para trás, entrou na loja de tecidos, o rosto ruborizado e o queixo empinado.

Neill passou a mão pelos cabelos e xingou baixinho enquanto subia de novo no cabriolé. Estava prestes a se sentar quando, de seu lugar privilegiado no alto do veículo, viu dois homens dentro de um espaço delimitado por uma corda, em um pequeno quadrado de terreno, no pátio lateral do estábulo, do outro lado da rua. Um deles jazia estirado no chão, enquanto o outro, um rapaz jovem, louro e robusto, erguia um dos punhos acima da cabeça, enquanto os companheiros lhe davam tapinhas entusiasmados nas costas.

Neill fixou melhor o olhar. Por Deus, era Tom.

Neill desceu do cabriolé de um pulo. Toda a frustração e raiva que sentia subiram fervendo enquanto ele atravessava a rua e abria caminho entre o bando de homens que aplaudiam até chegar a Tom Peyton, o desgraçado responsável pela miséria em que Neill se encontrava. Tom levantou os olhos, enquanto os outros, sentindo um recém-chegado perigoso entre eles, se afastavam de Neill.

– Veio me cumprimentar, não é, Neill? – disse Tom.

– Não.

– Não? Ora, que lamentável. Acabei de ganhar o título do condado pelo terceiro ano seguido e meu melhor amigo não pode dizer "nossa, que bom"? – comentou ele, em um tom queixoso. – Então, o que está fazendo aqui, e por que parece tão irritado?

– Estou aqui para tirar o título de você – declarou Neill.

– Vá para o inferno! – explodiu Tom.

– Tarde demais! – gritou um dos homens ao lado de Tom. – Ele já ganhou honestamente.

O homem provavelmente já recolhera uma bela soma apostando na vitória de Tom e agora temia perder o lucro.

– Não é tarde demais! – gritou outro. – Qualquer um pode ser desafiado, desde que os dois homens estejam de pé. Essas são as regras.

Teve início um coro de urros e gritos, alguns contra, outros a favor do direito de Neill desafiar Tom.

– Escute aqui! – bradou Neill, acima do barulho. – Se eu ganhar, não quero o dinheiro, o título nem a maldita faixa.

– O que você quer, então? – perguntou Tom, já flexionando os músculos dos ombros.

Neill disse imediatamente.

CAPÍTULO QUINZE

Kate já estava mais do que acostumada a ouvir vaias, gritos e brados de meninos se comportando mal para confundi-los com qualquer outra coisa. Em algum lugar ali perto, algum grupo de homens estava metido numa algazarra. Ela pagou pela fita que não queria e da qual não precisava, já que toda aquela missão fora apenas um subterfúgio para passar algum tempo sozinha com Neill – o que *não* dera certo –, e foi em busca da origem da confusão.

Que por acaso estava bem em frente à loja.

Uma briga se desenrolava. Dois homens se encarando no meio de um círculo cerrado de espectadores, ambos arfando, as camisas ensopadas de suor e meio abertas. Kate encarou a cena, estupefata. Conhecia os dois. Um era seu irmão mais velho, Tom. E o outro era Neill Oakes.

Mas que diabos estava...? Já vira o bastante.

Kate levantou as saias acima dos tornozelos delgados, saiu da calçada e pisou na rua de terra. Fosse pela óbvia qualidade de sua roupa ou pelo mais óbvio ainda brilho ameaçador em seus olhos azuis, o grupo de homens abriu espaço para ela, como o proverbial mar Vermelho, voltando a se aglomerar enquanto Kate seguia até a briga. Ela também não parou quando chegou à beira do círculo dentro do qual acontecia a luta, e seguiu pisando firme até os dois homens, que agora estavam agarrados no chão. Então pegou um punhado de cabelos do irmão louro e grande e puxou. Com força.

– Ai! – urrou ele. Tom soltou Neill, rolou de costas e encarou a irmã, irritado. – Maldição, Kate! Isso doeu!

– Que bom! Você deveria ter vergonha de estar brigando na rua feito um moleque. E o resto de vocês, também.

O olhar letal dela se deslocou ao redor, abrangendo o grupo de homens, que parecia cada vez mais desconfortável.

– Billy Eggs, sua esposa sabe que você está aqui e, imagino, apostando em esportes sangrentos? Acho que não. E Granger Tobey, você é velho demais para essa bobagem e mesmo assim está aqui exibindo um nariz ensanguentado. Espero que não tenha sido obra do meu irmão, já que ele é duas décadas mais novo que você, mas não tenho grande fé na capacidade de julgamento de Tom.

– Você não deveria estar aqui, Kate – disse uma voz masculina em tom baixo.

Ela se virou, esperando encontrar Neill ainda no chão – ele parecia estar levando a pior de Tom. Em vez disso, viu-se tendo que levantar os olhos. Neill estava de pé atrás dela, os olhos cintilando como carvões em brasa.

– Nem você, Neill Oakes.

– Volte para dentro da loja e espere por mim lá – disse ele, e, por Deus, se aquilo não pareceu uma ordem.

– Não mesmo. De todas as piadas...

O resto da frase foi interrompido quando Neill, com um grunhido, segurou-a pelo pulso, puxou-a e jogou-a no ombro como um saco de batatas.

– Ei! Pode parar com isso! Pode me soltar agora mesmo! – gritou ela, enquanto os homens reunidos ali irrompiam em aplausos.

– É assim que se faz, capitão!

– Muito bem, camarada Oakes!

– Não tenha piedade!

– Ei! – gritou Kate, enquanto chutava violentamente e socava as costas largas dele, todos os vestígios da sofisticação alcançada a tanto custo desaparecendo em questão de segundos diante da provocação. – Seu patife, me coloque no chão agora mesmo!

Em resposta, Neill atravessou a multidão com ela no ombro e seguiu para os estábulos.

– Estou dizendo, Neill – gritou Tom, parecendo um pouco preocupado. – Você não vai...

– Cale a boca, Tom – bradou Neill. – Voltarei em um minuto para terminar o que começamos.

E, dizendo isso, ele abriu com um chute a porta da administração dos estábulos. Lá dentro, continuou ignorando os protestos de Kate – e os socos – e seguiu até a sala de selas. Era um cômodo pequeno, por onde a luz entrava apenas por uma fresta de janela no alto da parede externa. Rolos de poeira dançavam na entrada e um pombo, até então empoleirado em uma trave no teto, saiu voando pela janela aberta. Arreios e outros acessórios, todos muito bem-cuidados, estavam pendurados em ganchos nas paredes e uma única sela, encerada e limpa, descansava sobre um cavalo de pau em um canto. Na parede dos fundos havia uma pilha de mantas.

Um sorriso estranho surgiu no belo e sombrio rosto de Neill quando ele viu as mantas, e, por um instante, o coração de Kate disparou em uma combinação de medo e expectativa. Então ele a jogou sobre as mantas e, sem sequer olhar para ela, deu-lhe as costas, saiu e fechou a porta. Kate ficou encarando-o boquiaberta, sem acreditar, enquanto ouvia o som inequívoco de uma tranca sendo fechada.

Neill a trancara ali.

⁂

Embora apenas vinte minutos tivessem se passado, para Kate pareceram horas, antes que ela ouvisse o rugido final da multidão do lado de fora e, alguns minutos depois, o som de passos. Ficou de pé, cambaleante, e levou as mãos na cintura enquanto se preparava para dizer umas boas verdades para quem quer que entrasse, fosse Neill ou Tom.

A porta se abriu e a claridade súbita quase a cegou. Precisou piscar para distinguir a silhueta alta e de ombros largos delineada na porta.

– Neill?

Kate ficou sem ar ao vê-lo. Os cachos negros estavam úmidos e empoeirados, o peito arfava sob a camisa rasgada e ensopada de suor. Um hematoma já começava a escurecer e deixar roxa uma das faces.

Ele não disse uma palavra.

Vê-lo daquele jeito a assustou profundamente. Mas ela era uma mulher corajosa e acostumada a lidar com encrenqueiros. Sabia que não deveria demonstrar medo ou hesitação.

Então reuniu toda a sua indignação para dizer:

– Muito bem, o que você tem a dizer a seu favor? Como pôde me trancar aqui para ir dar uma surra no meu irmão? Espero que o tenha deixado inconsciente... embora muitos possam dizer, eu incluída, que dificilmente Tom tem alguma consciência, já que ele não é muito dado a pensar. Mas o mesmo vale para você, Neill Oakes. Achei que você havia mudado, mas ainda é a ovelha negra da *minha* família... E como isso é possível, já que não compartilhamos nem um único ancestral?

Ela sabia que estava tagarelando. Sempre fazia isso quando estava nervosa. Então se obrigou a ficar quieta. Já havia arruinado sua nova imagem de jovem dama sofisticada agindo como uma possuída. Respirou fundo e soltou lentamente o ar, recompondo-se.

– E então? – disse.

– Terminou? – perguntou Neill, com a mesma compostura que mostraria se estivesse conversando no salão de visitas de lady Finchley.

Kate se esforçou para mostrar a mesma dignidade.

– Sim. Acredito que sim.

– Ótimo – falou ele, e, embora seu tom fosse bastante agradável, Kate estremeceu. – Porque tenho algumas coisas para dizer também, se me permite.

Ela assentiu, observando-o com cautela.

– Obrigado. Antes de mais nada – disse Neill, e deu um passo na direção dela. – Não sou seu irmão.

– Sei disso. Eu...

Ele ergueu a mão, interrompendo-a.

– Aparentemente não sabe, caso contrário não teria tentado me tratar com a mesma arrogância com que trata aquele bando de patifes com quem você vive. Portanto, permita-me deixar perfeitamente claro, *eu não sou seu irmão*. Nunca tive qualquer sentimento fraterno por você e, apesar do que você acaba de dizer, também acho que você não tem qualquer sentimento fraterno a meu respeito. Estou certo?

Neill deu outro passo à frente. Kate se manteve firme. Com dificuldade.

– Estou certo? – insistiu.

Ele parecia estar prendendo a respiração.

– Sim – concordou Kate.

Neill soltou o ar, e sua expressão ficou ainda mais intensa, o olhar preso ao dela. Ele chegou mais perto, passo após passo, implacável. O coração de Kate disparou.

– E não sou seu tio.

Ele já havia atravessado mais de dois terços do cômodo agora, e a coragem de Kate, que ela havia conseguido manter firme até aquele momento, começou a ceder. Ela estremeceu.

– Também não sou um velho amigo da família, confiável e mofado.

Kate recuou, Neill se adiantou. O ombro dela bateu na parede.

Ele alcançou-a, inclinou o queixo dela para cima e virou seu rosto para a luz.

– E, graças a Deus, *não* sou seu guardião.

– O quê?

– Seu irmão acabou de decidir retornar à Mansão Finchley como seu guardião. – Havia apenas um traço de satisfação sinistra na voz de Neill.

– Ele decidiu isso?

– Sim – confirmou Neill. – Portanto, agora estou livre para seguir com os meus próprios planos.

– Entendo – disse Kate, ofegante.

Ele parecia bastante perigoso, a cabeça inclinada na direção da dela, mas mesmo assim Kate não sentiu medo. Ao menos não muito...

– Não. Acho que você não entende – falou Neill. – Ainda não. Mas pretendo consertar isso.

Então ele abaixou a cabeça e tocou a boca de Kate com a dele, roçando brevemente os lábios nos dela, o que deixou os joelhos de Kate totalmente sem forças. Mas Neill logo se afastou. Rápido demais.

– Vim para cá por sua causa, Kate Peyton. Esperei quatro anos para cortejá-la, conquistá-la e fazer de você minha esposa – disse ele com a voz baixa e determinada. – E não dou *a mínima* para quais são as suas intenções, ou se você decidiu que gostaria de se casar com o vigário local ou com um conde proprietário de terras. Porque ninguém, *ninguém* jamais vai amar você tão profunda, tão apaixonada, tão *honradamente* como eu amei, amo e amarei. Ninguém.

Kate arregalou os olhos. *Ele* a amava? *Ele* havia esperado quatro anos para cortejá-*la*? E ainda assim tinha assistido enquanto ela flertava, sorria com afetação e brincava de joguinhos bobos, e fingia ser uma mulher elegante e experiente, quando tudo o que sempre desejou foi conseguir provocar uma centelha de emoção nele que não fosse decorosa, afável e zelosa?! Deus do céu...

– Por que não disse isso de uma vez? – exclamou Kate, empurrando Neill com tanta força que ele cambaleou para trás.

Neill a encarou, estupefato.

– Por que você simplesmente – Kate empurrou-o de novo – não disse que me amava? – E empurrou mais uma vez, com violência.

Dessa vez, Neill não se moveu. E, com a raiva que sentia, ela não estava nem aí. Era bom empurrar alguém!

Kate pousou as mãos sobre o peito largo e firme dele, preparando-se para empurrá-lo mais uma vez, mas Neill segurou-a pelos pulsos, mantendo as mãos dela presas contra o corpo dele.

– Porque não teria sido respeitável.

– Respeitável – repetiu ela, estupefata.

– Sim. Eu não queria que parecesse que eu havia abusado da intimidade que me foi garantida pela posição de guardião para conseguir o que eu quero. Isso seria considerado desprezível. *Desonroso.*

– Ah, que maravilha! – Kate deixou escapar uma risada amarga. – Desde quando Neill Oakes dá alguma atenção à opinião dos outros?

E agora a raiva dela finalmente atiçara a raiva dele.

– Desde quando ouvi do seu pai que eu não poderia cortejar você até desenvolver algum senso de propósito, valores e honra.

– Ele fez isso?

– Sim. Quatro anos atrás, pouco antes de você me alcançar no pontilhão.

Kate relaxou e cedeu a pressão dos dedos no peito dele, mas ele os manteve onde estavam. A expressão de Neill também ficou mais branda enquanto ele a fitava, percebendo que ela se lembrava daquele momento e dava um novo significado às palavras que ele dissera tanto tempo antes.

– Ele me fez jurar, pela minha honra, que eu não a cortejaria até você completar 18 anos – falou Neill, agora com mais gentileza. – Eu pretendia me curvar aos desejos dele, mas naquele mesmo dia, quando você me beijou, tive certeza de que não teria determinação ou força de vontade para ficar observando em silêncio enquanto você ia se tornando mais adorável, mais cativante, mais... Kate. E a ideia de ter que ver outros homens cortejando-a nesse meio-tempo, como eu sabia que aconteceria, me corroía como ácido.

"Percebi que eu não era o homem que pensava ser. E, naquele momento, decidi que seria um homem melhor, o homem que você merecia, e não um pirralho mimado qualquer, que insistia em ter as coisas ao seu modo. Então decidi comprar a patente para o Exército."

Neill segurou as mãos de Kate juntas em uma de suas mãos, com gentileza, e usou a outra mão para acariciar o rosto dela em uma carícia muito suave. Kate não saberia dizer se o tremor que percebeu foi dele ou de si mesma.

– Mas eu jamais imaginei como seria mais difícil ainda ficar longe de você, não poder ver sua transformação de menina em mulher, ter que saber sempre de segunda mão sobre as suas travessuras, a sua impetuosidade, as suas virtudes e deméritos. Sei que Tom achou que eu estava louco, sempre perguntando detalhes de cada incidente que dizia respeito a você.

"Eu não tinha a intenção de passar tanto tempo longe. Mas, uma vez atendido, o dever é como uma amante ciumenta, e só depois que Napoleão estava devidamente derrotado consegui voltar para cá, para você, livre de obrigações e responsabilidades, rezando para que você não tivesse encontrado outra pessoa nesse ínterim. – A expressão de Neill ficou subitamente muito séria. – Mas, ao que parece, fiquei longe por tempo demais, já que você me disse que está interessada em algum pobre tolo. Mas a questão, Kate, é que não posso permitir que faça isso.

– Por quê? – perguntou ela, fitando a expressão implacável do rosto dele, morrendo de vontade de ouvir as palavras que sonhara por tanto tempo.

– Porque mais ninguém conhece você como eu. Mais ninguém compreende você como eu. Você apavoraria qualquer outro pobre infeliz com sua língua afiada e intimidante. O sujeito estaria de cabelos brancos menos de duas semanas depois do casamento.

Aquilo não era o que Kate esperava ouvir. De tão chocada, ela simplesmente ficou muda, olhando para ele.

– Você sabe que é verdade – insistiu Neill, assentindo laconicamente. – Você é um virago, uma tirana, um anjo, um silfo, uma princesa de conto de fadas e uma tempestade.

– Não sou! – disse ela, indignada, socando o peito dele.

– É, sim! – declarou Neill, e, por alguma razão, começou a rir, os dentes fortes e muito brancos cintilando no rosto moreno e sujo de terra. – Me chutando como um musaranho e gritando como uma bruxa. O conde ficaria estarrecido.

– O conde... – começou ela, então se deteve. – Eu não dou a mínima para a opinião do conde de Briarly.

Ele puxou-a para mais perto, quase a erguendo do chão em seu abraço.

– Então quem é? Em quem você está interessada, Kate? Por favor me diga quem é o pobre miserável que você pretende passar a vida atormentando? – E, embora seu tom fosse brincalhão, ela percebeu que no fundo ele falava sério. Neill a sacudiu ligeiramente. – Por favor!

– Por quê? – perguntou Kate. – Para você ir alertá-lo de como ele está próximo de um destino terrível?

– Não. Para que eu possa saber que tipo de homem a agrada. Qual é o nome dele?

Neill parecia tão atormentado, tão exposto, que Kate não conseguiu mais provocá-lo, embora a maldita nobreza dele a tivesse deixado em um poço de frustração e desespero na última semana.

– Neill Oakes.

Ele franziu as sobrancelhas escuras em consternação, enquanto buscava alguma ironia ou algo pior na expressão de Kate. Mas tudo o que viu foram os olhos dela, profundos e escuros, cintilando com um brilho ansioso e marejados de lágrimas.

– Você. Neill Oakes. O mesmo homem a quem entreguei meu coração quando eu tinha 14 anos. – Ela deu uma risadinha. – Saiba que nós, harpias e viragos, somos espécies extremamente leais. Depois que escolhemos uma vítima, não há flagelo mais fiel. Você é o único homem que eu já amei, o único homem que vou amar.

Ela soltou as mãos da dele e passou os braços ao redor dos ombros fortes, como fizera quatro anos antes. E, como quatro anos antes, esticou o corpo e puxou a cabeça de Neill para baixo, para que ele encontrasse seus lábios.

– E agora, com medo de que você ouse me deixar esperando por mais quatro anos, Neill Oakes, pretendo fazer com que me comprometa.

– O quê? – perguntou ele, espantado.

– Ouvi falar de outras mulheres que usaram esse estratagema para prender um homem, e acho que não estou acima de tais maquinações. – Kate mordiscou o queixo dele, áspero por causa da barba, e Neill estremeceu. – É claro que tais estratagemas e ardis só funcionam quando os homens valorizam sua honra.

– Pelo amor de Deus, Kate, tenha cuidado com o que você vai começar... – sussurrou Neill, com a voz rouca.

– Isso já começou muito tempo atrás, capitão Oakes. Há quatro anos. Por isso neste momento, mais uma vez, e apenas uma, pergunto: você não vai me beijar?

Dessa vez, Neill não ficou parado como se estivesse petrificado. Com um som baixo e faminto, ele a ergueu do chão enquanto sua boca capturava a dela com voracidade. Neill foi até a pilha de mantas e pousou Kate entre elas, a boca ainda colada à dela. Kate arqueou o corpo contra o dele, deliciando-se ao sentir o peso de Neill, a musculatura poderosa, o calor intenso da pele. Ele abriu a boca sobre a dela e deixou a língua correr sobre os lábios fechados de Kate até ela abri-los institivamente e saborear a língua dele.

Kate era uma jovem do campo. Sabia como funcionavam as coisas entre os sexos e havia esperado muito, ansiosa e ardentemente, por aquilo. As mãos dela encontraram a pele sob a camisa arruinada de Neill e acompanharam os músculos definidos das costas até encontrar os ombros largos, puxando-o para mais perto. O beijo dele então pousou no canto da boca de Kate, desceu pelo maxilar e pelo pescoço, os lábios deixando um rastro lento, quente e úmido até chegar ao decote do vestido.

Neill afastou o tecido fino com o nariz, desnudando o seio. Logo passou a explorá-lo com os lábios com lentidão excruciante, até encontrar o mamilo e sugá-lo profundamente. Kate se ergueu em cima da manta, o prazer se espalhando por todo o corpo, e jogou a cabeça para trás enquanto segurava os cabelos de Neill e puxava a cabeça dele para si.

Quando Neill ergueu a cabeça, seus olhos estavam escuros como a noite, e sua expressão era determinada e triunfante.

– Você vai se casar comigo.

– Sim – disse ela em um arquejo.

Kate passou os braços ao redor dos quadris dele, mas Neill a manteve deitada, espalhando beijos por seu pescoço e por seu rosto, mordiscando seus ombros, lambendo os lóbulos da sua orelha.

– Logo? – murmurou ele.

– Com a maior pressa possível.

– Jura?

– Juro! – disse ela. – Mas agora, por favor... faça... *por favor*, Neill...

E ele fez.

CAPÍTULO DEZESSEIS

Um Tom Peyton de aparência muito aborrecida se apresentou diante de lady Finchley no fim daquela tarde e deu uma explicação longa e completamente incompreensível sobre como subitamente se vira capaz de exercer seus deveres de irmão e voltar a servir de acompanhante para Kate.

Carolyn, parada no terraço da frente ao lado do marido, não conseguia deixar de se perguntar se o olho roxo do jovem Sr. Peyton tinha alguma coisa a ver com sua mudança de planos, mas era uma anfitriã educada demais para perguntar. Isso, no entanto, não impediu que ela especulasse a respeito, mais tarde naquela noite, no quarto, com Piers. Ainda assim, ela recebeu o rapaz de volta calorosamente – Tom Peyton era um camarada bonito e robusto, e o retorno dele significava que o capitão Oakes, que, apesar do que Briarly acreditava, não demonstrara qualquer atenção inconveniente em relação a Kate Peyton ao longo da semana, poderia se considerar livre para conhecer melhor as outras jovens damas, o que acrescentaria um total de mais dois solteiros bons partidos ao grupo. Isso tornava as coisas bem mais interessantes para as jovens damas sem compromisso, embora, para desapontamento de Carolyn, Georgina não tivesse mostrado qualquer interesse particular no homem.

Várias horas depois, enquanto Carolyn reorganizava os times para o torneio de *croquet* daquela tarde, um criado anunciou a chegada de visitas. Surpresa, Carolyn chamou o marido e saiu para o terraço para cumprimentar os recém-chegados que não eram esperados. Findou descobrindo, no entanto, que não eram de forma alguma inesperados, ou mesmo recém-chegados, eram apenas o capitão Oakes junto com a Srta. Peyton no cabriolé azul de Briarly. Então viu atrás deles, a cavalo, um belo cavalheiro de meia-idade magro e rijo.

– Por Deus – murmurou Finchley. – Se não é o velho Peyton em pessoa. Eu o convidei, é claro, mas achei que ele houvesse escrito declinando do convite. Não fiquei surpreso. Acho que o velho camarada não aparece em sociedade há pelo menos uma década! O que será que o traz aqui?

– Um árabe de mais de 1 metro e meio com a aparência de um Byerley Turk, se posso arriscar um palpite.

Carolyn se virou e viu que o irmão havia se juntado a eles no terraço.

– Será que ele está criando cavalos naquela fazenda dele? – murmurou Hugh. – Eu não teria emprestado a minha carruagem à Srta. Peyton se soubesse que o pai dela está criando cavalos de qualidade lá. Mas, bem, pelo jeito é tarde demais para me arrepender.

– Do que você está falando, Briarly? – perguntou Finchley, enquanto os criados se apressavam a ajudar a Srta. Peyton a descer do cabriolé e a auxiliar o Sr. Peyton a desmontar.

– Da Srta. Peyton. Eu ofereci a minha carruagem para que ela usasse, e sugeri que encontrasse um acompanhante adequado, como seu guardião, Oakes, e fosse a Parsley. Por favor, não me olhe assim, Carolyn, achei que estava na hora de ela e o capitão seguirem com o... romance deles.

Carolyn então examinou mais detidamente o belo capitão de cabelos negros e a loura pequenina de cabelos quase prateados ao seu lado. Era verdade que o rosto de Kate estava mais ruborizado, os olhos cintilando, enquanto o capitão se inclinava com toda a solicitude, mais perto dela, o olhar terno.

– Santo Deus, Briarly, eu não sabia que você era tão romântico – disse Carolyn com uma risada.

– Romântico, não; prático. O pobre desgraçado estava espantando qualquer camarada que ousasse passar mais do que um minuto agradável com a Srta. Peyton, e cheguei a temer que ele acabasse usando meios mais violentos para isso, além de só rosnar, e assim arruinasse sua festa. Não podemos deixar que isso aconteça, não é mesmo?

– Ah, não, não. É claro que não – apressaram-se em assegurar Carolyn e Finchley, embora trocassem olhares divertidos pelas costas de Hugh.

– Mas, então, como o Sr. Peyton se viu envolvido nisso? – quis saber Finchley.

– Não sei, mas acho que logo vamos descobrir.

E o trio ensaiou sorrisos enquanto o Sr. Peyton subia os degraus, com o capitão Oakes e a filha logo atrás.

O Sr. Peyton parou no topo da escada e sorriu para os três que os aguardavam.

– Ora, ora, imagino que estejam se perguntando o que faço aqui – disse ele, sem preâmbulos. – Sei que mandei Tom para tomar conta de Kate, e, se tudo tivesse corrido como esperado, isso bastaria. Mas as coisas não foram bem assim. O camarada Neill aqui – ele indicou com um gesto casual o homem alto atrás dele – me pediu a mão de Kate em casamento. Dei meu consentimento para que falasse diretamente com ela e, ao que parece, ela aceitou o pedido, porque agora os dois estão afoitos para se amarrarem de uma vez. E não se pode confiar em jovens afoitos. E Tom, por mais que seja um bom rapaz, não é páreo para um casal jovem e afoito e menos ainda um obstáculo se eles resolverem fazer algo que não devem. Por isso estou aqui, e agradeço a gentileza de sua hospitalidade.

E, enquanto o mais recente convidado apertava a mão de Finchley e trocava cumprimentos com Briarly, Carolyn não pôde deixar de perceber o sorriso que o capitão Oakes dirigiu a Kate diante da explicação do Sr. Peyton, ou o lindo rubor que coloriu o rosto dela em resposta. E Carolyn ficou imaginando se...

Mas logo decidiu que não lhe cabia especular, então deu o braço ao marido e levou todos para tomarem chá.

CAPÍTULO DEZESSETE

Naquela noite, antes do jantar, Carolyn andou pelo salão de visitas observando todas as mulheres solteiras. Francamente, as esposas adequadas para Hugh estavam ficando pelo caminho, embora o irmão irritante dela não mostrasse qualquer sinal de perceber o que estava perdendo. Primeiro, fora lento demais para conquistar Gwendolyn antes que Charters a roubasse debaixo do nariz dele. Então, Oakes praticamente havia tirado Kate dos braços de Hugh, isso se Carolyn havia compreendido bem a referência do irmão a "cortejar" Kate corretamente.

Era muito irritante.

Não ajudou o fato de o marido dela permanecer imperturbável.

— Deixe Hugh — dissera Piers antes do jantar. — Ele vai encontrar alguém por si só.

Carolyn se pegara roendo as unhas.

— Hugh é irritante demais. Passa o tempo todo nos estábulos. Podia muito bem ter ficado na propriedade dele, treinando aquele cavalo idiota lá mesmo. Raramente aparece para os jogos à tarde e, ontem, eu poderia jurar que trouxe para o jantar o cheiro do estábulo na sola das botas.

— Se quer saber a minha opinião — comentou Piers —, Hugh não está interessado nas mulheres da lista.

— Que bom — retorquiu ela. — Porque duas delas já encontraram seus futuros maridos antes que o meu irmão fizesse mais do que beijar suas mãos.

— Acho que ele quer Georgina — sugeriu Piers.

E saiu tranquilamente da sala antes que Carolyn pudesse dizer que tinha a mesma desconfiança.

Mas Georgina estava interessada em Hugh?

Esse era o pensamento que apertava o peito de Carolyn, mesmo enquanto ela circulava entre os convidados, ouvindo as conversas e sorrindo para um comentário aqui e outro ali. Georgie nunca mostrara a mais leve preferência por Hugh, ao menos que Carolyn conseguisse se lembrar.

E como poderia? Carolyn torceu o nariz e tentou lembrar a si mesma que seu ponto de vista era o da irmã caçula. Ela seria a primeira a dizer que Hugh era um príncipe entre os homens... às vezes. Era forte, honrado e extremamente sincero.

Mas havia uma coisa que Hugh não era: elegante. E Georgina? Carolyn conhecia a melhor amiga tão bem quanto conhecia a si mesma. Georgie seria capaz de passar uma hora absorvida no brilho de um tecido, ou na textura de alguma linda seda da Índia, de um modo que nem Carolyn conseguia. E olhe que Carolyn se considerava extremamente concentrada.

Enquanto... Hugh?

Ela sabia que o irmão tinha um valete, mas um desavisado não acreditaria nisso, ao menos não em metade do tempo. Para não mencionar o fato de que, naquele exato momento, Hugh estava causando um escândalo entre as matronas por tirar a camisa enquanto treinava o tal cavalo. Era mais do que escandaloso. Portanto, não apenas ele não era elegante, como sequer estava vestido metade do tempo. Várias das mães mais severas não deixariam suas filhas chegarem nem perto dos estábulos, com medo de que acabassem vendo o peito dele.

Carolyn suspirou, e percebeu que Georgina ainda não aparecera no salão de visitas. Não, aquilo nunca funcionaria. Hugh provavelmente se sentia atraído por Georgina só porque ela era linda e delicada – mas o oposto jamais seria verdade. Georgie não conseguiria estabelecer a vida com um homem que às vezes tinha esterco na sola dos sapatos e que raramente conseguia ser encontrado no salão de jantar, e, quando sim, nunca aparecia na hora.

Carolyn parou por um momento perto de Gwendolyn e dos Charters. Para certo espanto seu, sorriam com benevolência para Octavia Darlington – que estava ao lado de Allen Glover, mais próxima do que era de se esperar entre conhecidos casuais. Mas o pobre Allen não era do tipo capaz de fazer o pedido desejado por ela sem encorajamento – encorajamento esse que Octavia parecia ansiosa para dar a ele.

– Conheço esse seu olhar – disse uma voz junto ao ouvido de Carolyn.

Era Piers.

– Eu estava só pensando – falou ela, em um tom sussurrado – que certo jovem casal precisa de um empurrãozinho.

– Não me faça participar de mais nenhum daqueles malditos jogos e brincadeiras – pediu Piers com um gemido. – Eu imploro, Carolyn!

– Eu mal lhe pedi alguma coisa – retrucou ela, indignada. – Você tem passado todas as manhãs caçando gansos, e só peço um pouco do seu tempo à tarde. E veja como as coisas estão dando certo, Piers! Juro que essa casa é um verdadeiro ninho de Cupido.

– Só não me faça participar de mais nenhum jogo – repetiu Piers com outro gemido. Mas Carolyn percebeu que ele não estava aborrecido de verdade.

– Talvez alguma coisa que pudesse misturar os lugares no jantar – disse ela, pensativa.

– Você é uma ameaça – falou o marido, tomando-a pelo braço. – Devo dar o sinal para que toquem o sino?

– Ah, não, ainda não podemos entrar. Hugh ainda não chegou, o que não é nenhuma novidade, porque está sempre atrasado para as refeições, mas Georgie também não desceu ainda. Vou dar mais alguns minutos.

CAPÍTULO DEZOITO

Lady Georgina Sorrell acabara se acostumando a se sentir só, desde que Richard morrera. Antes disso também, se fosse honesta consigo mesma. O pobre Richard passara doente o último ano do casamento deles, e mesmo antes disso eles pareciam ter se esquecido de como conversar um com o outro.

Mas de algum modo a solidão pareceu-lhe particularmente aguda depois de ver o capitão Oakes beijar lady Kate de um jeito tão apaixonado que eles nem se deram conta de que estavam sendo observados. Aquilo faria qualquer um se sentir um pouco melancólico.

Certamente não estava se sentindo assim por causa da sugestão de Carolyn de que *ela* deveria se casar com o capitão. Era verdade que o capitão era um tipo de homem que lhe agradava: grande, com aquela espécie de masculinidade bruta... Georgina afastou os pensamentos.

Masculinidade bruta era uma qualidade absurda para uma dama admirar. Richard fora o contrário absoluto disso. Era sempre encantador. Educado. A barba sempre bem-feita, perfumado.

Entediante.

Pronto: aquela era a verdade sobre seu casamento que Georgina nunca admitira. Richard era entediante, e então pegara aquela doença horrível e sua saúde continuara a declinar por um ano. E durante todo o sofrimento pelo qual passara, ele nunca reclamara. Richard tinha sido um anjo, na verdade.

Era difícil viver com a lembrança de um anjo.

Ele nunca a beijara com tanto ardor que tivesse feito seu corpo se curvar para trás, do modo como o capitão beijara Kate, nem olhara para ela do modo como o conde de Charters olhava para Gwendolyn, como se quisesse lambê-la da cabeça aos pés.

E agora aqueles casais felizes estavam se reunindo no salão de visitas para ficarem olhando uns nos olhos do outro, e ela simplesmente não conseguia... simplesmente não tinha capacidade.

Seu vestido de noite era novo, feito de uma linda seda amarelo-conhaque, tão pesada que daria uma bela cortina. O decote era ousado e baixo, algo que nenhuma debutante poderia usar.

Mas nem mesmo um vestido novo, com manguinhas soltas e linhas fluidas conseguiu fazer com que se sentisse desejável. Ou feliz.

Ela desceu lentamente as escadas, os dedos no corrimão. Depois que Richard morrera, Georgina havia decidido que não se casaria de novo. Mas mesmo quando lembrava a si mesma os prazeres de tomar café da manhã sozinha, ou de nunca ter um homem batendo à porta do quarto, ou de não precisar temer que alguém por quem tinha afeto pudesse acordar morto na manhã seguinte...

Ainda assim, a única coisa que ela sentia era inveja. Uma inveja enorme, feia. Georgina *queria* ser desejada tão apaixonadamente que o rosto de um homem parecesse quase insano de desejo. *Queria* ser beijada até seus lábios ficarem rosados, os olhos cintilando.

Era isso. Georgina chegou ao pé da escada e, em vez de seguir na direção do barulho de conversas e vozes agudas, no salão de visitas, foi direto para fora de casa. Um criado se apressou a abrir a porta da frente e ela desceu os degraus sob a luz do crepúsculo.

O mordomo correu atrás dela com um xale, mas Georgina dispensou a gentileza. Eram apenas sete da noite e não estava frio. O céu estava no tom azul profundo e perolado que o crepúsculo prometia. Ela passeou entre os roseirais, ouvindo o zumbido das abelhas que aproveitavam as últimas gotas das rosas aquecidas pelo sol.

Os estábulos ficavam além dos jardins, passando por um pequeno arco de pedra, descendo uma trilha de seixos. Para todos os efeitos, o homem que fora ver deveria estar no salão de visitas, conversando com debutantes.

Ele havia perdido a primeira dama de sua lista para o melhor amigo, e a segunda, para o capitão Oakes. Deveria estar ao lado da irmã, implorando a ela pelo nome da terceira candidata. Mas Hugh não chegara à mesa antes de cinco minutos depois do gongo em nenhum dia da última semana.

O ar mudou quando Georgina deixou o jardim – o cheiro terroso de poeira quente e esterco fez as rosas parecerem afeminadas e enjoativas. Ela então seguiu na direção da arena grande. A luz que saía da janela dos fundos do estábulo contíguo iluminava parte da arena, mas o resto estava na sombra.

Por um momento, Georgina achou que ele não estava ali, mas então viu Hugh de costas, guiando Richelieu lentamente ao redor da arena. Georgina se apoiou na cerca e ficou ouvindo o murmúrio grave da voz dele enquanto conversava com a montaria. O cavalo o escutava atentamente, levantando ora uma orelha, ora outra.

Richelieu era um animal poderoso, alto e esguio, o pelo de um belo marrom tão escuro que parecia quase preto na penumbra. Havia um traço de malícia nele, na inclinação dos olhos e no modo como ficava sacudindo as rédeas, como se estivesse respondendo a Hugh.

Mas não foi Richelieu que chamou a atenção de Georgina. Foi Hugh. Hugh, que era praticamente seu irmão mais velho. Hugh, que a levantara do chão depois de uma queda quando ela era pequena, que secara suas lágrimas, limpara o ranho do nariz dela, se não o traseiro.

Ele estava sem camisa. Dava voltas com o cavalo ao redor da arena sem uma única peça de roupa na parte superior do corpo. De repente, do nada, o coração de Georgina acelerou, começou a saltar no peito.

Mesmo a contragosto, a memória a brindou com uma imagem do casamento dela, uma lembrança que fazia o marido parecer uma imagem enevoada em um espelho. Richard era um homem de pele tão branca e lisa quanto a dela. Não que fosse frágil, ao menos não até ficar doente, mas seus braços eram finos e o peito liso, sem pelos. Era um homem bem-alinhado, elegante, uma andorinha bem-penteada.

Mas Hugh... Nada em Hugh poderia ser descrito como fino ou liso. O peito era todo feito de músculo, do tipo que se desenvolvia com o esforço para domar puros-sangues todo dia. Mesmo sob aquela luz, Georgina podia ver que os ombros dele eram enormes, os braços com músculos marcados enquanto segurava as rédeas frouxamente. Hugh agora estava virado para o lado, ligeiramente de costas para ela, por isso Georgina conseguia ver como também se destacava a musculatura nas costas largas.

Os dedos dela coçaram quando sua imaginação pulou direto de observar para tocar, correr as mãos por aquele corpo, senti-lo vivo e forte em seus braços. Hugh era como um paladino medieval, sempre praticando para defender sua dama ou para começar uma cruzada.

Georgina tinha parado de respirar e desejou que ele se virasse, para que ela pudesse ver seu peito. Finalmente, cavalo e cavaleiro chegaram à curva do pátio do estábulo, e Richelieu se virou na direção dela. O cavalo começou a empinar um pouco, erguendo as patas em uma dança graciosa, quase um flerte.

Hugh riu e fez com que Richelieu abaixasse o corpo, sempre conversando com ele. A pele de Hugh era de um tom de mel escuro, o que provavelmente indicava que ele tinha o hábito de tirar a camisa sempre que sentia calor. O peito mostrava a sombra de pelos que se afunilavam e desciam até desaparecerem nos calções.

Georgina se encolheu por dentro, constrangida com a própria tolice, e substituir a imagem de um cavaleiro medieval pela de um deus... Apolo, treinando um novo cavalo, para que pudesse cavalgar pelos céus ao nascer do sol.

Engoliu em seco. Precisava sair dali. Naquele instante. Antes que Hugh a visse, antes que ela agisse guiada pelo calor da imaginação.

Então Hugh a viu. Foi um momento que Georgina não esqueceria pelo resto da vida: aquele homem grande e bronzeado, montado em um cavalo perfeito, tendo ao fundo o céu da cor de uma safira escura. Hugh parecia tão distante e intocável quanto uma deidade grega – e ainda assim, no momento em que os olhos dos dois se encontraram, algo que ela nunca vira antes no rosto de um homem se acendeu na expressão dele.

Algo que era só para ela. Algo que roubou o ar dos pulmões de Georgina e fez com que um arrepio lhe descesse pelas costas.

Então passou... E logo Hugh estava desmontando e dando a ela um "olá" animado.

– Acho que estou atrasado de novo para o jantar – falou, e jogou as rédeas de Richelieu por cima de um mourão.

Ele não pareceu ter consciência de que não estava devidamente vestido. Os últimos raios de sol batiam em seus ombros e braços.

Georgina sentiu uma vontade quase incontrolável de sair correndo. Aquele Hugh a sua frente era absurdamente diferente do homem que conhecera a vida toda. Era excessivo... másculo demais, forte demais... tudo demais.

– Sim, você precisa vir jantar agora – conseguiu dizer ela. – Depois de tomar banho, é claro.

Ele pegou a camisa de linho na cerca.

– Tomei banho logo depois de treinar Richelieu essa manhã. Você nunca vem até aqui ver. – Hugh vestiu a camisa.

– Não sabia que você estava aceitando plateia para seus banhos – falou Georgina, e riu para ele.

– Eu poderia abrir uma exceção para você – retrucou ele, os olhos fixos nos dela. – Mas na verdade estava me referindo a assistir às sessões de treino com Richelieu.

– Não – disse Georgina.

Ela sabia que a maior parte do grupo que estava hospedado na casa descia toda manhã até os estábulos para assistir ao conde treinando seu lindo cavalo árabe. E se recusava a se juntar às debutantes cheias de risadinhas, que suspiravam pelos ombros dele e guardavam torrões de açúcar para dar ao cavalo.

Embora estivesse mentindo se dissesse que não estava suspirando pelos ombros dele também.

– Por que não? – perguntou Hugh, parecendo sinceramente curioso. – Não gosta mais de cavalos? Você adorava quando era menina. Ainda me lembro do pequeno pônei que você teve...

– Doçura, era uma fêmea – lembrou ela.

– Isso mesmo. Não era um Shetland, a raça dela era Fell. Tinha as costas retas, pelo que eu me lembro, e era temperamental.

Georgina sorriu.

– Lembra como ela corcoveava e se adiantava se achasse que já era hora de voltar para casa? Se eu a levasse apenas um pouco longe demais dos estábulos, ela me trazia de volta para casa galopando.

– Estou pensando em levar Richelieu para o campo amanhã – disse Hugh, enquanto enfiava a camisa nos calções. – Gostaria de ir comigo?

– Não tenho montaria.

– A égua de Carolyn não é tão exuberante quanto sua Doçura, mas tem boas maneiras. Você estaria me fazendo um favor.

– É mesmo? – Ela ergueu a sobrancelha.

– Tenho exigido muito de Richelieu. Preciso deixar que se divirta um pouco.

– E desde quando um cavalo se diverte? Achei que cavalos de corrida gostassem de correr. O treinamento não equivale a diversão?

– Se o treinamento ficar parecido demais com trabalho, ele vai desistir. Preciso deixar o bicho comer grama em alguma vala, roubar uma maçã do pomar e ficar pastando em um campo qualquer que não esteja sendo vigiado por um fazendeiro furioso. Quero deixar que Richelieu seja só um cavalo amanhã, não um campeão em potencial.

– Diversão – falou Georgina.

Hugh se inclinou por cima da cerca e ergueu o queixo dela com a ponta do dedo.

– Você lembra como é se divertir, Georgie?

– Me divirto frequentemente – protestou ela, encarando o lábio inferior dele.

Em todos aqueles anos em que o conhecia, quando pensava em Hugh como um irmão mais velho, por que não reparara que o lábio inferior dele era tão cheio? Simples: porque não era um pensamento apropriado.

– Você não parece muito satisfeita este verão. – Hugh deu uma palmadinha gentil no nariz dela. – Sempre com os lábios curvados para baixo. Os olhos tristes.

Aquele era o Hugh de que ela se lembrava, o que tomava conta de todas elas, que resgatava uma criança em apuros, secava lágrimas e fazia perguntas.

– Bem – disse Georgina, com um sorrisinho –, a verdade é que nossos cônjuges em perspectiva foram roubados.

Algo mudou na expressão dos olhos dele.

– Eu não sabia que você tinha um cônjuge em perspectiva.

– O capitão Oakes? – lembrou ela. – Carolyn o convidou para esta reunião especialmente para mim, e uma das mulheres da sua lista o capturou antes que eu tivesse a chance de fazer mais do que dançar uma ou duas vezes com ele.

– Mas Bergeron está enchendo você de atenções – disse Hugh, inclinando-se sobre a cerca como se estivesse se preparando para ficar conversando a noite toda. – E Geerken, embora ele seja tão tolo que espero que não o esteja considerando. E tive a impressão de que você havia afastado a ideia de se casar novamente, não? Porque, se for esse o caso, parece que se esqueceu de avisar ao seus apaixonados.

– Não posso anunciar uma coisa dessas. Eu não teria nada para fazer nos bailes. Ninguém dançaria comigo.

– Dançaria, sim.

– Não...

Hugh se aproximou um pouco mais.

– Você é viúva, Georgie. Todos dançariam com você porque é absolutamente deliciosa e eles adorariam levá-la para a cama.

O hálito dele soprou os cachos na testa dela. Hugh cheirava a suor limpo com um toque mais intenso. Cheirava a palha e a masculinidade.

– Então você me deixaria sem ter ninguém com quem conversar que não os condenáveis?

– A conversa de um canalha é sem dúvida muito mais interessante do que a de Geerken.

– Você faz parecer que nenhum cavalheiro de verdade iria querer se casar comigo, mas posso garantir que...

– Ah, eles vão querer se casar com você – disse ele. – Pembroke, Landry e Kitlas. Especialmente Kitlas. Ele olha para você como se estivesse diante da própria Vênus. Todos menos Louis DuPreye, é claro, e isso apenas porque ele já é casado.

– Então ele deveria parar de me lançar olhares sedutores – disse Georgie com firmeza.

– E de tocar em você – lembrou ele. – Por favor, fale comigo se ele for longe demais, certo? Dou-lhe um soco que vai mandá-lo voando para o próximo condado.

Uma parte indistinta da mente de Georgina registrou que Hugh parecia ter catalogado cada homem que dançara com ela na última semana, cada homem que a elogiara. É claro que ele provavelmente só estava tomando conta dela, como faria um bom irmão.

– A menos que você queira ser tocada por ele, é claro – acrescentou Hugh.

– Não – disse ela, mal se lembrando do que de fato queria ou não queria, ao menos no que dizia respeito a pretendentes.

– Você é tão absurdamente linda que poderia dizer a todos os homens da casa que não pretende se casar e ainda assim eles não perderiam a esperança.

– Você só está sendo leal porque me conhece há muito tempo – disse Georgina, sorrindo para ele.

– Com esse cabelo de fogo...

Hugh correu o dedo por um dos cachos dela.

– Para combinar com o meu temperamento, era o que minha mãe sempre dizia.

– Você já deve saber sobre os seus olhos, por isso não vou dizer nada sobre eles – disse Hugh bruscamente (e para desapontamento dela). – Mas temos também um queixinho perfeito, malares altos, uma pele linda... Santo Deus, Georgie, quem você classificaria como linda senão a si mesma?

Ela se sentiu encantada... e embaraçada.

– Não estava me referindo a esse tipo de beleza. Falava do tipo de beleza que Gwendolyn tem.

– Gwendolyn? – Hugh pareceu surpreso. – Uma versão pálida de você, se quer saber a minha opinião. Como um retrato desbotado.

Aquilo ficou assustadoramente próximo da comparação que ela havia feito entre Richard e o próprio Hugh.

– Não estou me referindo à aparência física – disse Georgina, embora se sentisse como uma tola vaidosa, implorando por elogios. – É que Gwendolyn parece saída da moldura de um quadro de Rafael.

Hugh virou o corpo e chamou:

– Fimble!

Um cavalariço apareceu na porta. Hugh gesticulou na direção de Richelieu e pulou a cerca. Georgina recuou um passo. Ele se aproximou dela, os cabelos caindo na testa, a camisa já novamente fora dos calções.

– Você é uma tola – disse Hugh em um tom camarada. Então deu o braço a ela, e os dois começaram a caminhar de volta para casa.

– Eu sei – retrucou Georgina. – Vamos falar de outra coisa.

– Certo. Amanhã está combinado, então. Vejo você aqui às oito da manhã. Precisamos ir antes que as pessoas cheguem para ver Richelieu treinar.

– Eu não disse que iria...

Eles haviam acabado de passar por baixo do antigo arco de pedra que levava ao roseiral. Hugh parou e puxou-a para que também parasse. Georgina cambaleou, e ele segurou-a pelo braço.

– Você não pode puxar a minha rédea como se eu fosse um dos seus cavalos, Hugh – disse ela, sabendo que tremia. E não por ter perdido o equilíbrio, e sim pelo calor da mão de Hugh em seu braço.

– Maldição, Georgie. Você sabe que não sou bom com elogios.

– Eu estava provocando para ver se conseguia alguns – confessou ela. – Apenas me ignore.

– Essa é a questão. Não consigo ignorar você. Nunca.

Georgina abriu a boca, mas as palavras não saíram.

– Se aprendi uma coisa nesta semana maldita e interminável, é que fico feliz quando vejo você. E que não sinto absolutamente nada quando olho para Gwendolyn. A não ser alívio por ela ter saído da minha lista.

Ela sentiu um sorriso trêmulo curvando os próprios lábios.

– Ah, Hugh.

Ele esperou, apenas um momento. Estava dando a ela a chance de ir embora, de correr como um coelho saltando de sob uma sebe. Ela poderia deixar escapar uma risada despreocupada e voltar em disparada para casa.

Mas Georgina não se moveu. Nem um centímetro.

Hugh beijava da mesma forma que montava a cavalo: com ferocidade, determinação, atenção e controle. É claro que outros homens já a haviam beijado desde que acabara seu período de luto. Mas o beijo de Hugh não foi nada parecido com nenhum desses outros.

Georgina passou os dedos pelos cabelos dele, o corpo todo envolvido no esforço de absorver o cheiro ardente daquele homem, a firmeza dos lábios dele, a força dos seus braços ao redor dela, até a sensação áspera de tijolos antigos colados às costas dela.

– Georgie. – Algo no tom primitivo da voz dele, no modo como o nome dela demorou em seus lábios, despertou-a.

– Não quero me casar – disse Georgina, afastando-se. – Não estou na sua lista, Hugh. Você compreende isso, não é?

– Ao inferno com essa lista – retrucou ele.

E voltou a beijá-la... o que foi delicioso e apavorante. Aquele corpo grande colado ao dela, e mesmo através da seda pesada do vestido Georgina sentiu a masculinidade exigente dele.

Aquele era Hugh. Não importava se estava treinando um cavalo, ou beijando uma mulher, não tinha medo do próprio corpo. Naquele momento mesmo, as mãos dele estavam descendo sobre o traseiro dela de uma forma absolutamente inapropriada.

De uma forma que nenhum homem jamais a tocara, ela se deu conta.

– O que está querendo dizer com isso, Hugh? – perguntou Georgina, enquanto os lábios dele se afastavam dos dela para descer pelo seu pescoço.

Aquilo era tão gostoso... era uma tentação parar de pensar e simplesmente saborear a carícia daqueles lábios em sua pele. Mas Georgina *sem-*

pre pensava. Ela continuava pensando durante os momentos de intimidade com Richard, no primeiro ano de casamento deles, quando ainda se importavam com aquele tipo de coisa.

Richard sempre perguntava de modo educado se algo que queria fazer era aceitável para ela, e Georgina pensava a respeito antes de decidir. Na maior parte das vezes, ela concordava, embora tivesse rejeitado inteiramente a ideia de fazer amor com o lampião aceso.

Georgina tinha a sensação de que Hugh não seria tão cortês. Naquele momento mesmo, ele estava com a mão escandalosamente apoiada no traseiro dela, sentindo suas formas, e aquilo era algo que Richard com certeza teria pedido autorização antes de sequer pensar em fazer. E Georgina tinha a forte impressão de que nunca teria ocorrido a Richard querer acariciá-la ali.

E ainda assim, a sensação era... era deliciosa.

– Não devemos – sussurrou ela, apelando para um senso de decoro passageiro.

Hugh endireitou o corpo e olhou de relance na direção da casa.

– Preciso me arrumar para o jantar. Você se senta comigo?

– Não posso fazer isso – protestou ela. – Você sabe disso tão bem quanto eu. Somos acomodados de acordo com a precedência, e você, como conde de Briarly, está tão acima de mim nesse ponto que estou praticamente no rés do chão, como diriam os antigos.

As mãos dele apertaram a cintura dela com mais força.

– Não vou passar outra maldita refeição vendo Kitlas lançar olhares melosos na sua direção, ou DuPreye lambendo os lábios e roçando no seu ombro enquanto eu me sento perto de Gwendolyn, que a propósito *não* conversa. Não quero passar mais uma noite cerrando os dentes e torcendo para que as mãos de DuPreye não estejam se encaminhando para o seu joelho por baixo da mesa.

Georgina sentiu uma onda tão grande de felicidade que mal conseguiu conter uma gargalhada.

– Mas você deve permanecer sentado onde Carolyn quiser!

Ele baixou os olhos para ela e rosnou. Realmente rosnou, como um cão.

– Vou me sentar perto de você, Georgie.

– Eu...

– Ou vou arrancar você do seu lugar e colocá-la no meu colo.

– Hugh, isso é um absurdo – protestou ela. – Você não pode.

– Nunca me dei muito bem com essa frase. – A expressão nos olhos dele mostrava que estava falando sério. – Pode dizer a Carolyn para reorganizar os assentos para que haja um lugar vazio ao seu lado, já que parece que chegarei mais tarde do que o normal... Caso contrário, vou comprometer sua virtude.

Georgina o encarou boquiaberta.

– E exatamente como pretende fazer isso em um salão de jantar cheio?

O brilho que cintilou nos olhos dele fez com que ela enrubescesse até o pescoço.

– Querida – disse Hugh, passando o polegar pela linha do maxilar dela –, eu poderia comprometer... não, eu *comprometeria* a sua virtude em qualquer lugar onde você me desse permissão para isso.

– Pois bem, permissão negada – falou Georgina, sem muita firmeza.

– Então terei que me contentar em puxá-la para os meus braços e gritar: *Ah, Georgina, não consigo esquecer a sensação do seu traseirinho redondo nas minhas mãos!*

Ela riu.

– Você não ousaria. E se o que estava tentando é um sotaque escocês, acabou parecendo mais um pescador bêbado.

Ele estava sorrindo, as mãos deslizando pelas costas dela, para baixo...

– Mas é verdade. Acho que você me arruinou para...

– Para o quê? – perguntou ela, tentando acalmar a pulsação disparada porque as mãos de Hugh continuavam a descer de um jeito delicioso.

– Isso exige uma investigação mais aprofundada – disse ele, capturando novamente a boca de Georgina.

CAPÍTULO DEZENOVE

Quando Georgina entrou no salão de visitas, estava quase na hora do jantar. Ela pegou Carolyn pela mão e sussurrou:

– Seu irmão insiste em se sentar perto de mim no jantar. – E, ao ver a surpresa no rosto da amiga, acrescentou, um tanto na defensiva: – Afinal, Gwendolyn agora está comprometida.

– Isso é irrelevante – contestou Carolyn. – Hugh não pode simplesmente anunciar que deseja mudar de lugar porque a vizinha de mesa está comprometida. Acomodei todos com base na precedência exatamente para não precisar me preocupar com esse tipo de exigência. Não posso ter a mesa toda espiando lady Fourvière e Albert Hunt para ver se eles estão mesmo tendo um *affair*.

– Eu não sabia disso! – falou Georgina. – Ele não é irmão de um bispo?

– Não conte a ninguém, mas tive que dar quartos vizinhos aos dois. Então, por que Hugh quer se sentar ao seu lado? Está cansado de ter que conversar amenidades com Gwendolyn?

– Acho que sim. Ele me disse que faria uma cena se as coisas não fossem feitas ao seu modo.

– Imagino que poderíamos fazer alguma coisa diferente esta noite. Eu poderia inventar um jogo... – Ela se interrompeu. – Mas as mães mais rígidas não vão aprovar, Georgie.

– Por favor, não comece nada até Hugh aparecer – pediu Georgie. – DuPreye vai tentar me pegar e vai acabar deixando a esposa constrangida.

– Pobre mulher. Não quero ser cruel, mas ela já deve estar acostumada. E preciso dizer que você está linda, minha amiga. Realmente sedutora. – Ela estreitou os olhos. – O que andou aprontando?

Georgina sentiu que ficava vermelha.

– Nada! – E então: – Estava só me divertindo.

– E com quem, posso saber? Passei uma hora parada aqui, conversando, e nada de você. Estava por aí em algum canto na companhia de quem?

Por favor não diga que era Geerkin. Eu não suportaria ver você se casando com ele.

– Eu não estava – falou Georgina. – Não seja tola. Se eu me casar de novo, e você sabe perfeitamente bem que não pretendo fazer isso, colocarei como pré-requisito que o homem saiba contar até 100.

– Hummm – disse Carolyn, erguendo uma sobrancelha. – Está certo, acho que não vou deixar você mais constrangida perguntando exatamente onde o meu irmão entra nesses seus... vamos dizer... interesses não matrimoniais.

– Obrigada – falou Georgina, ciente de que naquele exato momento Hugh aparecera atrás dela.

Ela sentiu, soube, farejou mesmo a presença dele... um cheiro fresco maravilhoso de ar livre, de homem e de sabonete.

– Ora, aí está você! – exclamou Carolyn.

Ela estava rindo para o irmão mais velho, e Georgina sabia que a melhor amiga estava chegando a todo tipo de conclusões precipitadas.

– Oi, Carol – disse Hugh, tão casualmente como se não houvesse pousado a mão nas costas de Georgina.

O toque pareceu queimar através da seda do vestido dela, como se Hugh estivesse tocando na pele nua. Com um giro rápido de corpo, ela se afastou. Não poderia permitir que ele simplesmente... ora, que agisse como se fosse *proprietário* dela.

Algo cintilou nos olhos de Hugh, mas ele se inclinou em uma mesura, sério o bastante, e beijou a mão enluvada dela.

– Lady Georgina – disse em tom agradável.

Mas segurou a mão dela por um instante longo demais, e Georgina soube que por dentro ele estava rindo.

– Preciso dar uma palavrinha com o mordomo – disse Carolyn. – Tive uma ideia maravilhosa. – E se afastou rapidamente.

O sorriso de Hugh aqueceu todo o corpo de Georgina e o coração dela começou a bater mais rápido.

Pouco depois, do outro lado do salão, Carolyn se afastou do mordomo e bateu palmas.

– Com licença – chamou a todos. – Gostaria de anunciar uma surpresa muito especial para esta noite.

O salão ficou em silêncio, as mães casamenteiras olhando para a anfitriã com a testa ligeiramente franzida, os cavalheiros com um ar entediado e as jovens damas com um interesse instantâneo.

– Faremos uma brincadeira – continuou Carolyn – que vai determinar os lugares no jantar desta noite. É uma das minhas favoritas de criança. Com certeza vocês se lembram de *Você ama seu vizinho*? – Ela acenou com a mão e cinco criados entraram no salão. – Como podem ver, os criados estão montando dois grandes círculos de cadeiras. Todos que fazem aniversário entre janeiro e junho devem ir para aquela parte do salão, e os nascidos entre julho e dezembro devem ficar nessa parte aqui.

– Devo dizer – falou o marido dela – que você nos separou, meu amor!

Carolyn soprou um beijo para Finchley.

– Eu janto ao seu lado diariamente – retrucou ela, mostrando a covinha no rosto. – Todos se lembram de como funciona? Certo. Por favor, sentem-se, alternados por sexo. Uma pessoa deve ficar de pé no meio do círculo. Vou começar ficando no meio desse grupo, e meu irmão no meio do outro.

– Não foi esperto da parte dela se lembrar de que nossos aniversários são no mesmo mês? – murmurou Hugh no ouvido de Georgina.

– Shhh – disse ela, sentindo que ficava muito vermelha.

Hugh estava sendo óbvio demais, parado perto dela como se... como se...

Ela não conseguiu seguir com o pensamento. Além do mais, Carolyn estava explicando a brincadeira.

– Vou escolher alguém e perguntar: "Você ama seu vizinho?" Se essa pessoa disser que não, posso requisitar um dos vizinhos rejeitados como meu companheiro de jantar. Por outro lado, se a pessoa *realmente* amar seu vizinho, então ele deve ser sua companhia. O casal então sai do círculo e eu pergunto de novo. E então o círculo vai ficar cada vez menor até estarmos todos em pares. Faz sentido para todo mundo?

Houve um murmúrio de empolgação no salão e uma explosão de risadinhas das moças mais jovens.

– Gostei disso – falou Hugh. – Prepare-se para ser requisitada, Georgie.

Ela bateu na mão dele com o leque.

– Só porque você começa no meio, não significa que vai necessariamente me ganhar. E se eu estiver sentada ao lado de lorde Geerkin? Acho que ele nasceu em um mês apropriado para se juntar ao nosso círculo.

– Acho que consigo dar um jeito de ganhar. Agora venha, como uma boa moça.

– Não sou uma boa moça – disse Georgina, com uma risadinha.

– Você não faz ideia de como fico feliz por saber disso – falou Hugh, e parou para olhar para ela. Aquela expressão nos olhos dele era... era indecente! Georgina sentiu o rosto ainda mais ruborizado.

Um instante depois, Hugh havia tomado conta do círculo dele e estava pastoreando implacavelmente as pessoas para os seus lugares. Georgina se viu sentada entre o capitão Oakes e o conde de Charters. Não conseguiu deixar de sorrir. Hugh a havia colocado de propósito entre dois homens que com certeza não tinham interesse algum na companhia dela à mesa.

– Muito bem – disse Hugh, olhando ao redor. – Estão todos confortáveis? Lady Passmore?

– Acho que eu deveria estar sentada perto da minha filha – disse ela, um pouco irritada.

– Ah, mas as acomodações no jantar são *muito* rígidas – explicou Hugh em um tom gentil. – Primeiro um sexo, e então o outro; se o seu filho estivesse aqui, eu seria capaz de satisfazê-la. Vamos começar? – Ele se virou para o capitão Oakes. – Oakes, meu velho, você ama as suas vizinhas?

O capitão Oakes olhou deliberadamente para Georgina, a sua esquerda, e depois para lady Fourvière, a sua direita, e balançou a cabeça, pesaroso.

– Como um homem de honra que sou – disse –, devo admitir que não amo minhas vizinhas.

Hugh arrebatou Georgina antes mesmo que ela conseguisse respirar. E não a tomou pela mão. *Agarrou-a* – levantou-a e carregou-a para fora do círculo, sob os gritinhos escandalizados das matronas.

– Retire a cadeira dela e a de Oakes – pediu Hugh a um criado, enquanto colocava Georgina de pé e se virava novamente para o círculo. – Capitão, como se mostrou alguém que não ama suas vizinhas, deve ficar no meio do círculo e fazer a pergunta a quem lhe agradar.

Georgina observou Oakes olhar ao redor lentamente, então jogar exatamente da forma como Hugh fizera, perguntando ao cavalheiro à direita de lady Kate se ele amava suas vizinhas. Houve um momento de hesitação, enquanto lorde Geerken aparentemente considerava a possibilidade de requisitar a companhia dela, mas o olhar encantadoramente severo que ela lançou para ele resolveu a questão. Oakes então retirou Kate e carregou-a para fora do círculo.

– Acredito que ninguém esteja planejando me escolher – disse, em tom irônico, a condessa de Pemsbiddle, que era viúva.

– Isso não é decoroso – comentou lady Mottram, franzindo a testa para a filha, sinalizando que a jovem não deveria permitir que nenhum cavalheiro a erguesse no colo.

– No meu caso, é menos escandaloso do que impossível – falou a condessa, em um tom divertido. – Meu espartilho pesa mais do que essa sua mocinha.

À mesa, a conversa naquela noite foi muito mais ruidosa do que havia sido nas noites anteriores. Todos só pensavam em quem havia declarado amor por quem, é claro. Talvez o momento mais fascinante tenha sido quando restavam poucas pessoas na brincadeira e madame DuPreye, ao se ver sentada ao lado do marido, anunciou que não amava seus vizinhos e saiu rapidamente com o padre.

Georgina estava se divertindo imensamente. Sempre que encontrava os olhos de Hugh, seu coração pulava. E cada vez que a perna dele roçava casualmente na dela embaixo da mesa, sua pulsação disparava. Principalmente depois que lhe ocorreu que a perna dele parecia encostada na dela a maior parte do tempo. Georgina tentou lembrar a si mesma que era uma viúva séria, mas se pegou sorrindo como uma jovenzinha, eufórica e inexperiente.

Conversavam sobre isso, aquilo e sobre nada... Georgina se pegou contando a Hugh sobre as bonecas que fazia para os órfãos.

– Então você costura as roupas? – perguntou ele, sem entender direito. – Mas não os corpos das bonecas?

– Exatamente. Uso bonecas de pano. No começo eu tentei usar bonecas com cabeça de porcelana, mas descobrimos que elas estavam sendo tiradas das crianças e vendidas. Então passei para as de pano, mas faço para cada uma um vestido muito lindo, com retalhos de seda e renda, *voile* e lantejoulas. É tão divertido!

– Onde consegue os tecidos?

– Modistas sempre guardam muitos retalhos. Mando um criado dar uma passada nos ateliês delas mais ou menos uma vez por semana. É claro que pago por eles, caso contrário, seriam vendidos para fabricantes de *bonnets*.

O sorriso dele, lento, preguiçoso, aqueceu-a da cabeça aos pés.

– Uma das minhas lembranças mais nítidas de quando você era criança era o seu apego àquela boneca de pano.

– Esmerta – lembrou Georgina. – Eu amava Esmerta. Estava muito mais interessada em fazer roupas para ela do que em costurar quadrados para colchas.

– Você acha que seria modista se não tivesse nascido na aristocracia?

– Ah, sim. Eu teria o meu próprio ateliê, sem dúvida. Era um sonho meu quando era menina, antes de realmente compreender que damas... bem, que damas se casam.

– E você se casou com Sorrell porque ele se vestia bem? – perguntou Hugh, brincando com o garfo.

– Não. – Mas Georgina não conseguiu se forçar a esticar o assunto.

– Você era obviamente apaixonada por ele. Ainda me lembro de como seu rosto cintilava no dia do seu casamento.

Ela deu um sorrisinho desanimado.

– Essa é uma das razões pelas quais provavelmente não voltarei a me casar. É possível amar uma pessoa e ainda assim não ter a menor ideia de quem ela é. – Então, diante do súbito movimento de Hugh, acrescentou: – Não estou querendo dizer que o pobre Richard era um monstro ou nada parecido!

– O que ele era, então? – A voz de Hugh era muito profunda e firme.

Georgina teve a sensação de que os dois estavam isolados em uma concha própria, como se o som das conversas ao redor estivesse a quilômetros de distância.

– Richard tinha um senso de humor ferino. – Georgina se inclinou ligeiramente para o lado, para permitir que um criado retirasse seu prato. O ombro dela roçou o de Hugh. – Costumávamos rir...

– Isso parece muito agradável.

– Sim. A não ser pelo fato de que eu finalmente me dei conta de que estávamos sempre rindo *das* pessoas. Das roupas que vestiam, ou de alguém que tinha braços e pernas esquisitos, ou de alguém com a risada aguda.

Hugh não disse nada, e Georgina não olhou para ele. Apenas continuou a contar para ele o que nunca contara a ninguém.

– Richard gostava de zombar das pessoas.

– Ele zombava de você?

– Sim – admitiu ela. – Mas nunca de forma cruel. Era... era uma extensão de quem *ele* era, sabe? Richard era gentil o bastante para ignorar as minhas imperfeições, a menos que estivesse muito contrariado.

Hugh pegou a mão dela. Georgina havia tirado as luvas para comer, e sentiu toda a força e calor dos dedos dele ao redor dos seus.

– Você jamais poderia ser apenas um reflexo de alguém, Georgie. E não consigo ver uma única imperfeição. Vocês eram felizes juntos?

– Sim – respondeu ela. – É claro que sim. – Mas por dentro ela não estava tão certa, e isso transpareceu em sua voz. Os dedos dele apertaram os dela com mais força. – Você gostava de Richard? – perguntou a Hugh.

– Não – respondeu ele sem rodeios. – Mas não há nenhuma surpresa nisso, há? Porque eu sou o tipo de homem que ele abominava. E eu... – Hugh hesitou e ficou claro que escolhia as palavras com cuidado. – Sorrell era muito mais cavalheiro do que eu. Você teria sido uma modista se não tivesse nascido para fazer coisas supostamente melhores, já eu passo meu tempo treinando cavalos, sem me importar com a nobreza em que nasci. Muitos cavalheiros acham que eu não deveria fazer isso.

– Você não é adequado – concordou Georgina.

Toda vez que os olhos dela encontravam os dele, um ligeiro choque descia pelas suas costas e deixava seus joelhos bambos. Era muito estranho. Afinal, ela estava conversando com *Hugh*. Hugh, o irmão da melhor amiga dela. Hugh, que estivera por perto durante a maior parte de sua vida.

Hugh era... apenas Hugh. Mas os cabelos dele refletiam o tempo todo a luz das velas e brilhavam como uma moeda recém-cunhada. Eram muito parecidos com os de Carolyn: cheios, belos, cor de conhaque, caindo quase até os ombros. E os olhos eram de um tom lindo, castanhos com toques de verde-escuro, como o vidro grosso da base de uma garrafa de vinho.

É claro que ela sempre soubera que Hugh era um belo homem. Mas ele não era para ela. Georgina sequer considerara ter alguém como ele. Em vez disso, em seu ano como debutante seus olhos varreram os salões de baile à procura de homens que...

– Talvez eu buscasse um cavalheiro que fosse capaz de compreender meu interesse por roupas – admitiu ela. – O que, pensando bem, é uma razão absurdamente tola para se apaixonar, não acha?

– Sorrell era inegavelmente elegante.

Hugh havia pousado a mão dela e começara a descascar uma pequena pera. As longas espirais da casca caíam gentilmente de seus dedos.

– A primeira vez que o vi, Richard estava usando um colete de veludo negro enfeitado com pérolas. – Georgina olhou dos dedos para o rosto de Hugh e viu que ele tentava controlar um sorriso. – Eu sei. Ele talvez fosse um tanto pomposo, mas tinha roupas fantásticas. Ele tinha um outro colete, de cetim azul como o céu, que usava com meias de seda muito finas da mesma cor.

– Muito requintado – comentou Hugh. Ele manteve os lábios sob controle, e estendeu a pera para Georgina com a expressão absolutamente séria. – Você é tão interessada em moda quanto ele era? – Hugh desviou os olhos para o vestido dela. – É uma bela coisa, essa que você está usando.

– Coisa? – Georgina começou a rir. – *Coisa?*

– Vestido – consertou ele. – Gosto dele.

– As mangas são um pouco amplas demais – disse Georgina. – E está vendo isso? – Ela apontou para a barra de renda ao redor do decote. – Eu teria usado um bordado de pérolas em vez de renda. A renda parece um pouco frágil demais em contraste com a seda pesada.

– Gostei do decote – disse ele, o tom divertido e malicioso.

Georgina seguiu o olhar dele e ficou imediatamente constrangida. A barra de renda mal cobria os seios.

– É mesmo? – perguntou, os olhos baixos, a expressão travessa. – O que gosta nele?

Hugh se inclinou para mais perto e pressionou a perna contra a dela.

– Parece que está pedindo elogios de novo...

– Sim – confirmou ela sem o menor pudor, e apenas esperou.

– O modo como se aprofunda na frente. Não conheço as palavras certas, mas esse vestido é feito para a admiração de um homem. – A voz dele era um sussurro rouco.

Aquele era um jogo perigoso. E ela não deveria estar participando, não deveria sequer estar pensando naquele tipo de coisa. Mas Georgina se sentia um pouco insana, por isso deu um sorrisinho e falou:

– É um decote *tão* irritante... tão baixo que não posso nem usar um espartilho.

– Ah – murmurou Hugh.

O som desceu queimando pela espinha dela. Algo naquele murmúrio a fez suspeitar que era exatamente esse som que Hugh deixava escapar quando fazia amor com uma mulher.

Não era um som que ela alguma vez tivesse ouvido... mas podia muito bem imaginar.

Até mesmo o modo como Hugh a olhava era muito mais íntimo do que ela e Richard jamais haviam conseguido ser.

– O que foi? – perguntou Hugh, e deixou a mão cair por baixo da mesa, onde ninguém podia vê-lo entrelaçando os dedos nos dela.

Georgina tentou sorrir, mas não estava conseguindo muito bem. Por isso voltou ao assunto das roupas.

– Richard tinha roupas de dormir maravilhosas. Ele gostava de seda estampada, do tipo que era ousada demais para usar em um colete.

– Por favor, não me diga que ele entrava em seu quarto só para que vocês ficassem admirando a roupa de dormir dele.

O ligeiro tom de escárnio na voz dele a deixou triste, e ela tirou a mão da dele.

– Richard era uma boa pessoa. Nunca magoou ninguém deliberadamente. Ele adorava roupas do mesmo jeito que... ora, do mesmo jeito que você ama cavalos.

Na cabeceira da mesa, Carolyn se levantou.

– Se as damas fizerem o favor de se juntar a mim no salão de visitas...

Hugh também se levantou e colocou a mão sob o cotovelo de Georgina para ajudá-la a se levantar.

– Os cavalheiros se juntarão às damas em seguida – anunciou o anfitrião.

– Escolhi bem, não foi? – comentou Hugh no ouvido de Georgina. – Finchbird é o homem certo para ela.

– Você não escolheu o marido de Carolyn, ela o escolheu!

Todos estavam saindo do salão de jantar, mas Hugh a manteve mais para trás, deixando que os outros saíssem primeiro.

– É claro que escolhi – insistiu ele. – Recusei três ou quatro pedidos de casamento para ela antes de Finchley aparecer e fazer o dele. Ele poderia facilmente tê-la perdido.

– Ah...

– Não se lembra de como ela gostava do perfil de lorde Surtout? Carol provavelmente teria aceitado o pedido dele só por causa do queixo, e então ele a teria arrastado para longe, para explorar o Nilo. Ou a teria deixado para trás, para definhar em casa. Ela ficou furiosa comigo quando recusei o pedido dele. Por sorte, Finchley voltou para a Inglaterra na semana seguinte e literalmente tropeçou nela em um baile.

– Eu tinha me esquecido de como ela estava encantada por Surtout – comentou Georgina, pensativa. A mãe dela havia aceitado o primeiríssimo pedido de casamento que a filha recebera.

O salão estava vazio. Em um movimento muito rápido, Hugh encostou Georgina na parede.

– Você parece ter uma propensão para ficar me empurrando por aí.

– Estou descobrindo várias propensões novas a seu respeito, Georgina.

A voz de Hugh deslizou como mel sobre a pele dela, e então, de repente, estavam se beijando. Georgina mergulhou em Hugh e todas as preocupações em sua mente simplesmente desapareceram. Ele a beijava como se a conhecesse.

– Você me *conhece* – disse ela sem pensar, só falou.

– Hummm – murmurou ele, um som profundo que falava de prazer. – Não tão bem quanto gostaria. – Hugh afastou-se, encarou-a e correu um dedo pela sobrancelha dela. – Você é como Richelieu. Precisa de um pouco de diversão.

– Diversão?

O sorriso dele era lento e seguro.

– Exatamente.

Hugh abaixou a cabeça e mordiscou o lábio dela.

– Hugh!

Ele mordiscou de novo e então começou a beijá-la.

Georgina continuava a pensar sobre diversão, mas acabou se rendendo ao prazer que explodia entre eles.

Os beijos a faziam se sentir louca e perigosamente jovem. Mas ela não era jovem. Tinha 25 anos, e era ainda mais velha do que isso no coração.

Hugh era mais velho do que ela, mas era despreocupado, e...

Ele a sacudiu carinhosamente.

– Pare de pensar – ordenou.

– Eu...
– Você pensa demais. E se preocupa demais.
– E *você* não se preocupa com nada – argumentou ela.
– É melhor assim – murmurou ele, segurando com força os quadris dela, puxando-a para mais perto, contra...

Ele não se parecia com Richard.

O corpo de Georgina pareceu entrar em combustão, e uma parte frívola e esquecida dela a fez se encostar mais nele. Fez com que agarrasse os cabelos de Hugh e o beijasse com intensidade.

Ela ficou ainda mais excitada ao ouvir o gemido baixo que ele deixou escapar e ao ver seus olhos escurecerem de desejo. Não era um olhar de quem conhecia uma moça a vida toda, ou que se dirigia para a amiga mais próxima da irmã, ou para uma viúva...

Mas como se ela fosse a bebida de que ele precisava mais do que a própria vida.

Georgina não se afastou até ouvir um barulho na porta, e mesmo então não se virou para ver quem estava ali.

– *Georgie* – chamou Carolyn.

Ela se virou lentamente. Carolyn estava rindo, com a mão estendida.

– A menos que queira ser alvo de uma verdadeira tempestade de fofocas, precisa vir comigo agora.

Georgina se afastou, mas não conseguiu evitar olhar para trás enquanto deixava o salão.

Hugh estava apoiado na parede, a cabeça baixa, observando-a ir. Foi a coisa mais erótica que ela já vira na vida: aquele homem lindo e enorme, os cabelos desalinhados pelas mãos dela, os olhos escuros de desejo, fitando-a. Buscando-a.

E aquele sorriso!

Era sensual, malicioso, era um convite.

Ela lhe deu as costas com esforço.

– Não se esqueça de que vamos sair a cavalo amanhã de manhã – lembrou ele, quando ela já saía.

Carolyn deu uma risadinha.

– Você está se oferecendo para me acompanhar em um passeio a cavalo, querido irmão?

Ele grunhiu para ela e então, quando Georgina olhou por cima do ombro de novo, falou:

– Amanhã, Georgie.

Ele estava lhe dando uma ordem... Ela deveria se impor. Deveria... Georgina assentiu.

CAPÍTULO VINTE

A entrada da casa estava cheia de cavalheiros quando Georgina desceu as escadas, na manhã seguinte. Ao que parecia, o grupo, ao menos a parte masculina, pretendia sair de novo para caçar gansos.

Georgina estava usando sua melhor roupa de montaria, um paletó verde-maçã com abotoamento e adornos pretos, e ficou feliz ao ver o efeito imediato de sua aparência em vários homens, que levantaram os olhos para a escada. Aquele traje lhe marcava os seios e os quadris de um modo muito satisfatório. A única coisa melhor do que o traje era o lindo chapeuzinho (verde, com uma pena como enfeite) e o chicote. Não que ela jamais fosse usar um chicote em uma montaria, mas como ele vinha enfeitado com uma borla verde e preta, certamente valia a pena carregá-lo para compor o visual.

– Que maravilha saber que vai caçar conosco hoje – disse o marquês de Finchley, aproximando-se do pé da escada e olhando para ela com um sorriso largo e acolhedor. – Temos tantas damas indolentes neste grupo, minha esposa incluída, que sobram apenas os homens.

– Imagine – disse Georgina a ele, sorrindo para o anfitrião enquanto descia o último degrau. – Se eu fosse acompanhá-los, vocês não poderiam cuspir, xingar ou contar piadas obscenas.

– Já ouviu a da viúva e o padre? – perguntou DuPreye, adiantando-se para pegar o braço dela.

– Felizmente, não – retrucou Georgina, desvencilhando-se.

Mas DuPreye atacou de novo e pegou-a pelo cotovelo.

– Está vestida para cavalgar, lady Georgina. Eu ficaria mais do que feliz de acompanhá-la, em vez de me enfiar nos prados por aí atrás de uma ou duas aves.

Finchley conhecia Georgina de todos os anos de seu casamento com Carolyn e obviamente imaginou, pela expressão dela, o quanto a melhor amiga da esposa desejava passar a manhã na companhia de um lascivo como o Sr. DuPreye.

– De forma alguma – disse Finchley, dando um tapa nas costas de DuPreye. – Você jurou que abateria ao menos duas aves hoje, não se lembra? Isso foi depois de errar todos os tiros ontem, para não mencionar que quase atingiu Oakes.

DuPreye o encarou com mau humor.

– Talvez o grupo de caça esteja melhor sem mim, já que você está dando tanta importância a um lamentável acidente. Poderia ter acontecido com qualquer um.

– Eu insisto, eu insisto – disse Finchley, em um tom afável. – Lady Georgina sem dúvida está indo fazer um tranquilo passeio a cavalo no campo. Enquanto isso, nós, homens, precisamos trazer o jantar para casa. Um dos fazendeiros vizinhos, Sr. Bucky Buckstone, foi muito gentil de nos permitir acesso ao bosque dele, DuPreye. Mesmo o pior dos caçadores terá sucesso lá. Não que eu fosse descrever *você* dessa forma, é claro.

– Não perca essa oportunidade – disse Georgina, lançando um olhar frio para DuPreye que teria dissuadido qualquer cavalheiro que merecesse ser chamado assim. – Raramente ando a cavalo por mais de dez minutos, por isso seria, sinceramente, uma perda do seu tempo.

– Em outra oportunidade, então – falou DuPreye, cedendo. – Amanhã de manhã, talvez?

– Será que posso falar com a senhora em particular por um momento, lady Georgina? – perguntou Finchley, um tanto subitamente. Ele a levou até uma salinha de estar e disse sem preâmbulos: – Estou em uma terrível encrenca.

– Por quê? – perguntou ela, encarando surpresa o anfitrião. – Algum problema com a excursão de caça?

– Não tem nada a ver com isso. É sobre o presente de Carolyn.

Ele passou as mãos pelos cabelos, destruindo a arrumação tão elegante feita pelo valete naquela manhã.

– Qual é o problema?

– Eu tinha um presente absolutamente maravilhoso. Havia contratado toda a trupe do Royal Court Theater para que viessem fazer uma apresentação especial de *Noite de Reis* no teatro particular que temos aqui, amanhã à noite.

– Ah, Carolyn vai simplesmente amar! – comemorou Georgina. – Que marido maravilhoso minha amiga tem.

Ele cerrou o maxilar.

– A ideia *era* boa.

– O que houve?

– Eles não vêm. Um mensageiro chegou na noite passada para dar a notícia de que a maior parte da trupe foi presa pelos magistrados em Bath. Ao que parece, eles fizeram uma apresentação que zombava do príncipe regente, e parte da audiência se ressentiu. Bando de idiotas! O patrão deles é o regente!

– O senhor poderia tentar soltá-los – sugeriu Georgina.

– Eles estão em *Bath* – lembrou ele, desalentado. – Bath. São dois dias de viagem até aqui. Prometi a Carolyn um presente especial, e o pior disso tudo é que ela sabe que uma apresentação teatral é parte dele.

– Vocês têm mesmo um teatro aqui?

Finchley assentiu.

– Carolyn descobriu que eu havia preparado o lugar para uma apresentação, mas não sabe que prometi uma verdadeira fortuna para que essa trupe em particular viesse para cá. Ela está esperando uma apresentação amanhã à noite, como comemoração de aniversário, e agora não tenho nada.

– Nunca atuei na vida – disse Georgina. – Sinto muito.

– Não quis dizer que deveria atuar. Só imaginei se a senhora se incomodaria de perguntar na feira local enquanto estiver andando a cavalo esta manhã. Meu mordomo ouviu dizer que há um grupo de artistas viajando com a feira. O vilarejo fica a cerca de 2 quilômetros adiante, seguindo pela estrada.

– É claro – concordou ela. – Se eu descobrir artistas de palco de qualquer tipo, vou contratá-los para virem à mansão amanhã, às oito da noite.

– Mesmo se forem apenas malabaristas – disse Finchley, já parecendo bem mais feliz. – Mandarei dois cavalariços com a senhora.

– Não há necessidade.

– Não, eu insisto. Não há perigo se ficar nas minhas terras, mas não gostaria que fosse desacompanhada até o vilarejo. A senhora não parece estar com sua camareira esta manhã.

– Não irei desacompanhada – disse Georgina, ciente de que havia um sorrisinho tolo brincando em seus lábios.

O marquês ergueu uma sobrancelha.

– Santo Deus. Todos os cavalheiros menos um estão reunidos para o meu grupo de caça aos gansos. Não me diga que encontrou seu nome em uma certa lista?

– Não! – Ela levantou o queixo. – Somos amigos de infância, afinal. Não pertenço à lista de homem nenhum.

Finchley sorriu para ela e Georgina pensou, não pela primeira vez, como a amiga Carolyn era sortuda.

– Concordo – disse ele, ecoando os pensamentos dela. – A senhora é especial demais para figurar em uma lista assim, lady Georgina. Desejo uma manhã agradável. E, sabendo com quem vai passá-la, acho sinceramente que assim será.

Hugh estava começando a contemplar a ideia de voltar para a mansão e arrancar Georgina da cama quando a dama em questão apareceu nos estábulos.

Ela parecia uma caixa de doces refinada e cara, com fitas, borlas e penas voando por toda parte. Seus lindos cachos estavam presos no alto da cabeça, e acima deles repousava um chapeuzinho absurdo. Georgina tinha um chicote de montar embaixo do braço e a cintura mais fina que ele já vira.

Por um bom momento depois de ela chegar à cerca, Hugh não conseguiu pensar em um cumprimento adequado.

Só quando o sorriso vivaz de Georgina já começava a se apagar, ele recuperou a fala.

– Georgie, você faz com que eu me sinta envergonhado de mim.

E na mesma hora o sorriso alegre voltou ao rosto dela.

– Minha modista é francesa – disse Georgina, com absoluta falta de modéstia. – Gosta? – Ela girou em um círculo.

Nos dez últimos anos, a irmã havia girado na frente dele daquela forma inúmeras vezes. E Hugh aprendera muito com aqueles momentos. Nunca, jamais, se deve dizer que o corpinho de um vestido está apertado demais, ou as saias curtas demais. Nunca se deve observar que o carmim deixou um nariz vermelho ainda mais vermelho, ou que listras horizontais nem sempre eram lisonjeiras.

O segredo era elogiar. Elogios e mais elogios.

Hugh abriu a boca e... nada saiu. A cintura de Georgina era tão fina que ele achava que seria capaz de tomá-la com apenas uma das mãos. E ela usava um babado branco no colarinho que ele teve vontade de arrancar para poder ver o lindo pescoço dela. Hugh viu um relance dos tornozelos de Georgina, e eram os tornozelos mais finos e delicados que ele poderia ter imaginado.

Em resumo, o traje de montaria dela fez com que ele desejasse uma coisa, e apenas uma: ter aquela mulher nos braços, carregá-la para dentro dos estábulos e jogá-la sobre uma cama de feno.

De preferência feno, mas ele também ficaria feliz em usar uma bela parede.

– Hugh? O que houve? Não gostou do traje? – Mas ela não parecia perturbada, e ele teve a sensação de que ela conseguia perceber o efeito que estava causando.

– Gostei. – Hugh se virou antes que Georgina pudesse notar que o efeito de sua apreciação pelo traje dela estava evidente demais nos calções dele. – A égua de Carolyn, Elsbeth, está selada e esperando por você.

Ela caminhou até a égua com uma cadência discreta mas atrevida nos quadris. Então, Hugh a levantou até a sela lateral e montou em Richelieu sem nem olhar para ela.

E passou os primeiros minutos do passeio ocupado em fazer com que o cavalo compreendesse precisamente quais eram as regras.

Hugh já conhecia bem a personalidade de Richelieu àquela altura. E poucas vezes vira um animal mais travesso e alegre. Não havia qualquer vestígio de maldade nele, mas, por outro lado, Richelieu adorava flertar com a desobediência.

E, como era de se prever, os prazeres de descer pela avenida que saía da Mansão Finchley eram o bastante para encorajar o animal a perseguir um inseto que passava, a fingir que estava assustado com uma andorinha que voava de repente de um carvalho e a, de um modo geral, se comportar como o animal agitado e feliz que ele era.

As mãos e a voz de Hugh ficaram ocupadas por algum tempo lembrando a Richelieu que ele não era o dono da propriedade e que se arremessar subitamente ou corcovear não eram boas maneiras.

Hugh sequer olhou para Georgina até entrarem em uma alameda no campo. Ele acabara de trazer Richelieu de volta ao chão depois de uma tentativa brincalhona de tocar uma nuvem com os cascos dianteiros, quando percebeu que Georgina estava branca como cera.

– O que houve? – perguntou ele, parando na alameda.

E, como era de imaginar, Richelieu logo percebeu seu tom de voz sério e parou de brincar, levantando as orelhas para mostrar que estava ouvindo atentamente e esperando por instruções.

– Nada – disse ela, forçando um sorriso. – Ele é uma montaria tão cheia de energia...

– Richelieu está só brincando – falou Hugh. – Estou deixando-o fazer o que quiser hoje porque não quero conter demais sua exuberância natural. Mas está vendo como ele é um bom camarada? Obedece totalmente quando percebe, pelo tom da minha voz, que estou dando uma ordem. Todo aquele corcovear não aborreceu você, espero.

– É claro que não – disse Georgina.

Mas continuou a olhar para a frente.

Hugh não conseguia nem ver o perfil dela por causa do chapeuzinho audacioso com a pena tola em cima.

Ele se adiantou quase nada com Richelieu, só o bastante para se inclinar na sela e arrancar o chapéu dela. Com ele, saiu o grampo que o prendia aos cabelos, que caiu no chão de terra.

– O que você está fazendo? – perguntou Georgina, a cor voltando ao seu rosto por causa da indignação.

Hugh sorriu.

– Não consigo ver você com essa coisa na frente.

– Não é uma *coisa* – retrucou ela, com ardor. – É um chapéu de montaria, e é o que há de mais elegante em Londres.

– Um beijo?

– *O quê?*

Ele se inclinou para mais perto.

– Um beijo – ordenou, só para ver se ela reagia à urgência em sua voz com a mesma docilidade de Richelieu.

– Não mesmo – disse Georgina, parecendo tão escandalizada quanto uma matrona de 50 anos. – Estamos em uma alameda aberta, Hugh. E, além do mais, não há qualquer razão para ficarmos nos beijando.

– É aí que você se engana – argumentou Hugh. – Eu estava só pensando que se você me beijar, talvez eu não mande esse chapeuzinho ridículo voando por cima daquele muro.

Ela ergueu o lindo narizinho no ar.

– Não sou o tipo de mulher que se deixa chantagear. – E acrescentou: – E se jogar meu chapéu longe, vou contar para Carolyn.

Em tempos normais, aquilo o teria contido. Hugh odiava ser repreendido pelas irmãs, em especial por Carolyn. Mas não queria Georgie usando um chapéu daqueles, um acessório tão elegante que a fazia parecer uma... uma duquesa. Ele jogou o chapéu.

Georgina parou a égua que montava.

– Parece que perdi um acessório.

– É mesmo? – perguntou Hugh, divertindo-se imensamente.

– Por gentileza, pode ir buscá-lo, Hugh – falou ela.

O queixo de Georgina estava firme como o de um general. Ela virou aqueles olhos impressionantes para ele, e, por um momento, ele se sentiu perdido. Sob o sol da manhã, os olhos de Georgina eram de um violeta escuro, emoldurados por cílios longos e curvos.

– Georgie – disse ele, a voz rouca, e estendeu a mão para ela.

Mas, é claro, Georgina era uma amazona consumada, e a égua recuou elegantemente para fora do alcance dele.

– Meu chapéu, *por favor*.

Hugh entrou no jogo dela, desmontou e se certificou de amarrar as rédeas de Richelieu a um poste, onde ele poderia pastar a relva na beira da alameda. Então pulou o muro baixo de pedra, na direção do chapéu, e se deixou cair no chão.

Hugh se viu deitado em um campo de trevos. Acima dele, o céu era de um azul esbranquiçado, quase como um leite ralo. Abelhas dançavam de trevo em trevo. Ele tirou o lenço que usava no pescoço e enfiou no bolso do paletó.

CAPÍTULO VINTE E UM

Demorou menos de cinco minutos até que Hugh ouvisse um farfalhar e a cabeça de Georgie aparecesse no alto do muro.

– Vejo que caiu.

A voz dela tinha um toque irônico que ele conhecia bem, presente desde que Georgina tinha uns 7 ou 8 anos. Ela sempre tivera a tendência a comentar sobre a vida em vez de se arriscar.

– Deite-se aqui – disse Hugh em um tom preguiçoso, sem se levantar, como faria qualquer cavalheiro na presença de uma dama.

– Está sugerindo que eu suba no muro e me jogue no chão?

– Sim – disse ele em um tom animado.

– E que depois disso o beije em um campo de trevos, suponho?

Na verdade, Hugh estava com a esperança de que eles fizessem amor em um campo de trevos, mas achou mais prudente não confessar isso.

– Eu adoraria beijar você neste campo. Posso ajudá-la a passar por cima do muro?

Ele se levantou para ajudá-la a pular.

– Hugh, o que você quer de mim, pelo amor de Deus? – A expressão dela era de perplexidade.

Ele chegou mais perto e sorriu para ela.

– Um beijo.

– Por que você subitamente passou a querer me beijar, uma viúva, amiga da sua irmã? Convivemos há anos. Passamos a última Noite de Reis juntos e duvido que você tenha feito mais do que me desejar boas festas.

– Eu estava com uma égua dando cria – protestou ele. – Acho que nem voltei para casa por alguns dias. Fiquei praticamente morando na baia dela.

– Como eu poderia imaginar? – comentou Georgina, em um tom categórico. – Você mal falava comigo quando estávamos no mesmo cômodo.

– Eu não tinha percebido – confessou Hugh, dando-se conta de que haviam entrado em um terreno perigoso. – Eu não via você.

– É claro que você me via – retrucou ela. – Tão claramente quanto estou vendo o meu chapéu naquele galho, ali. Por isso, por favor, pegue o chapéu e vamos logo parando com esse comportamento. Precisamos ir ao vilarejo.

– É que eu me sinto absurdo quando estou perto de você – disse Hugh, sabendo que aquela era a verdade.

– Então quer dizer que agora você me *notou*? – perguntou ela.

O tom de Georgina deixou claro para Hugh exatamente o que ela pensava do comportamento dele no ano anterior. E no ano antes desse. E no anterior. E provavelmente no anterior a esse também.

– Não era só você – disse Hugh. – Eu não via ninguém.

– Como assim?

– Eu tenho uma vaga lembrança do feriado da Noite de Reis. Estava com a cabeça nos meus estábulos, Georgie. Sei que as minhas irmãs estavam presentes, e você, e Finchbird, é claro. Ah, e minha tia Emma.

– Além de mais umas quatro ou cinco pessoas – lembrou Georgina.

– Eu não vi. Não me lembro de ninguém. Eu tinha uma égua dando à luz potros gêmeos, entende? Mas me lembro de olhar para você e pensar como seus olhos pareciam tristes, eu só não sabia o que dizer a respeito, ou como fazer você se sentir melhor, por isso simplesmente saí para os estábulos.

Ela bufou. Foi uma bufadinha bem feminina, mas ainda assim uma bufada.

– Mas estou vendo você agora – arriscou Hugh.

Georgina arrancou um ramo de espinheiro e ficou brincando com ele. Os dedos delicados dela provocavam uma voracidade imensa em Hugh, uma vontade de tirar as luvas dela e pressionar a boca na palma de sua mão...

– Acho que não quero ser vista por você – disse ela, sem olhar para ele.

– Como assim?

Hugh levantou o queixo dela com a mão, para forçá-la a encará-lo.

– Você não sabe nada sobre a vida.

Ele tinha uma resposta muito assertiva para isso.

– O que me falta? Diga e vou tentar melhorar.

Os olhos dela se tornaram de um lilás escuro, sérios e tristes.

– Você não vê... você simplesmente não entende.

– Eu estou vendo você agora, Georgina. Acredite em mim, nunca mais vou conseguir entrar novamente em uma sala sem notar sua presença. E também não iria querer isso – acrescentou ele. – A partir de agora, vou sempre olhar primeiro para você. – Seu tom era intenso, e, mesmo toda a ideia sendo nova para ele, Hugh sabia por instinto que era verdade. Ele nunca mais seria o mesmo.

– As pessoas *morrem*, Hugh. Elas morrem.

O rosto de Georgina estava tão branco que Hugh teria sido capaz de contar cada uma de suas sardas adoráveis.

– Eu sei. Eu mesmo quase morri há apenas um mês.

– É exatamente isso! Você *não* entende.

– É claro que entendo. Sei que há uma chance razoável de isso acontecer, e foi exatamente por isso que pedi a Carolyn para fazer a lista. Você não acha que eu me aproximaria da porta de um salão de baile sem uma razão muito boa, acha?

O sorriso nos olhos dela tinha traços daquela tristeza que ele odiava.

– Não – respondeu Georgina.

– A menos que você estivesse no salão – disse ele, sabendo que era verdade.

Ela franziu o nariz.

– Muito bonito.

– Muito verdadeiro. Prossiga.

– O que estou tentando dizer é que você não acredita realmente que a morte existe. Mas ela existe, Hugh. Existe de verdade. As pessoas estão aqui um dia e, no dia seguinte, adeus. E você poderia facilmente ser uma dessas pessoas, se levarmos em consideração os inúmeros perigos do trabalho que você faz.

– Você não está preocupada com Richelieu corcoveando, está? Não quando seu próprio pônei não parava de fazer isso? Você sabe perfeitamente bem que não vou cair por causa de uma brincadeira dessas.

– Eu sei, e mesmo assim fiquei assustada. – Hugh sabia que ela estava dizendo a verdade. – Não quero sentir medo – falou Georgina, com a mesma sinceridade aguda com que ele falara.

Aquele era um problema com o qual ele não contara.

– Não estou entendendo aonde você quer chegar – falou Hugh com cuidado.

– Você é como um menino, Hugh. Não entende como a vida é frágil. Não percebe que os fios se rompem de um instante para o outro.

– Georgie...

– Você é um menino – disse ela, em tom categórico, e baixou novamente os olhos para as luvas.

Então Georgina achava que ele não era homem o bastante para ela. Então ela realmente queria um homem mais velho, como Carolyn dissera. Mas e quanto a todo aquele ardor entre eles, que Hugh sabia muito bem que não passaria?

Ele precisava ter certeza. Não podia simplesmente perdê-la.

– Está dizendo que não quer se casar comigo?

– Você não me pediu em casamento, mas, sim, é o que estou dizendo.

Os olhos dela encontraram os dele, firmes, e Hugh não viu nada além de determinação ali.

– Porque não sou homem o bastante para você.

– Não quero ofender você, Hugh – disse ela com sinceridade. – É... é maravilhoso que você seja capaz de ter tanta alegria com o momento presente. Só que para mim as coisas são completamente diferentes.

– Porque seu marido morreu. E se você se casasse novamente, Georgie... – Hugh percebeu que seu tom saiu um pouco duro, por isso suavizou-o. – Que tipo de homem iria querer?

– Eu já disse! – exclamou ela. – Não quero me casar. Nunca.

– Mas vamos só imaginar que você quisesse. Descreva um *homem*.

– Essa não é a palavra certa – sussurrou ela.

– Então descreva o tipo de homem que entenderia o que você está dizendo.

– Acho que é importante se dar conta de que as pessoas realmente morrem – disse ela. – E estou falando sério. Porque você vive a sua vida como se não acreditasse que isso é uma possibilidade real. Você tem 28 anos e acaba de sair de uma semana em coma. E ainda assim não vai parar de domar cavalos, vai?

Ele balançou a cabeça.

– Você não acha que a morte vai chegar para você – declarou Georgina. – Acha que as regras não se aplicam no seu caso.

Ele poderia argumentar. Mas de que adiantaria? Se uma mulher não o considerava um homem, se achava que ainda era um menino, então ela não o respeitava. E se havia uma coisa que Hugh sabia pela experiência de trabalhar com animais – e com pessoas – era que não se pode exigir respeito.

Ele já havia encontrado várias pessoas que não o respeitavam. Que achavam que ele era rude e idiota porque não se dava ao trabalho de se vestir com sedas e brocados, que achavam que ele era estúpido por ignorar o assento ao qual tinha direito no parlamento, pessoas que não entendiam como ele poderia sentir prazer em ficar todo sujo e suado na lida com os animais.

Nenhuma dessas pessoas cravara uma adaga no coração dele como acabara de acontecer naquele momento.

Georgina não o respeitava.

Ele assentiu.

Então, pegou o chapéu dela, e aproveitou para respirar fundo e colocar um sorriso no rosto antes de se virar.

– Certo – disse, recorrendo aos anos em que precisara fingir uma expressão animada para as irmãs. – Vamos para o vilarejo, então?

– Hugh – chamou Georgina, quando ele estava novamente do lado dela do muro. Ele notou, pelo seu tom de voz, que ela estava perturbada.

Hugh forçou outro sorriso, mas não conseguiu olhar Georgina nos olhos. Em vez disso, ergueu-a para a sela e montou em Richelieu. O animal percebeu na mesma hora que a diversão acabara e desceu a estrada a passo, como o cavalo inteligente e bem-educado que era, e que seria.

Hugh forçou-se a pensar nisso, não na mulher cavalgando ao lado dele. Teria que superar. É claro que conseguiria. Aquele sentimento por Georgina era como um fogo súbito e passageiro que houvesse soprado sobre ele, como um sonho na noite, e tão insubstancial quanto. Algo rápido e cintilante, que estava fadado a dar em nada.

Georgina tentou dizer algumas coisas, até que por fim ele resolveu assumir o controle da conversa e concentrou o assunto nos cavalos. Como Georgina tinha pouco a dizer sobre o tema, Hugh contou a ela tudo sobre os pedigrees em seus estábulos, mesmo os que estavam na Escócia.

O vilarejo de Parsley tinha uma rua principal com calçamento de pedras, que estava cheia de pessoas felizes e gritando, do início ao fim. Carroças se enfileiravam na lateral da rua, vendendo tudo, de filhotinhos de cachorro a tortas de carnes e especiarias.

Hugh parou.

– A feira está a pleno vapor. Todos os fazendeiros que vivem a no máximo duas horas de distância devem estar aqui.

– Onde vamos encontrar os artistas?

– Na taberna – disse Hugh. – Quando não estão encenando, estão bebendo. Além disso, não tomamos café da manhã, e eu adoraria algumas fatias de bacon.

– Na verdade, também não tomei café da manhã – confessou Georgie.

– Será melhor descermos e puxarmos os cavalos, por causa da multidão.

– Você sabe onde fica a taberna?

Ele esticou a mão para descê-la da montaria, e soltou a cintura dela assim que a colocou no chão.

– Estive aqui algumas vezes com Finchbird. Só existem duas atrações em Parsley: a taberna e a igreja. A igreja é para lá. Vamos na direção oposta.

Ele partiu, puxando os cavalos. Não pôde deixar de notar, enquanto caminhava, que as mulheres tendiam a sorrir para ele, os olhos brilhantes e convidativos. Uma delas, com um molejo malicioso nos quadris amplos, chegou a acenar para Hugh, que riu.

– Está se divertindo? – perguntou uma voz ao lado dele.

Hugh voltou-se para ela. Georgie tinha recolocado o chapéu, e ele não conseguia ver mais do que a ponta do narizinho irritado dela. Ótimo. Não faria mal à majestosa lady Georgina saber que outras mulheres o julgavam homem o bastante.

– Sim – falou Hugh, como toda a sinceridade. – Agora há pouco você me fez me sentir como um menino, Georgie. Nada além de um tolo despreparado. Então, sim, estou me divertindo.

E abriu um grande sorriso para uma Jezebel de lábios cor de cereja que estava encarapitada na lateral de uma carroça, com as pernas penduradas na beirada. A mulher soprou um beijo pare ele e gritou alguma coisa que Hugh não conseguiu ouvir.

– Estou caminhando ao seu lado – disse Georgina, furiosa. – Até onde essa meretriz sabe, posso ser sua esposa!

– As mulheres são estranhas assim. Elas reagem aos homens, não às outras mulheres. Se DuPreye estivesse aqui, por exemplo, ela não se importaria com o casamento dele... e saberia na mesma hora que ele também não.

– Então você está...

– Se eu fosse realmente seu marido, é claro que eu não sorriria para outras mulheres – argumentou Hugh. – Como era Richard nesse ponto?

– Ele *nunca* sorria para outras mulheres.

Hugh conseguia acreditar nisso. O finado marido de Georgie parecia ter leite correndo nas veias em vez de sangue. E, pensando a respeito, esse provavelmente era o tipo de homem que ela estava procurando de novo naquele momento.

Hugh suspirou. Aquela pena ridícula do chapéu de Georgie estava roçando no ombro dele, que só conseguia ver um punhado de cachos ruivos. Daria qualquer coisa para puxá-la e beijar aquele narizinho. Certamente ninguém ali se importaria. A rua estava cheia de um emaranhado de pessoas sem o menor interesse em um casal aristocrata que seguia puxando seus cavalos pela rua.

– O Black Lion fica ali adiante – disse Hugh, e acenou com a cabeça para um prédio longo e baixo.

– Que emblema peculiar eles têm – comentou Georgina.

Para Hugh, o emblema parecia um grande alfinete de roupa. Mas o que importa é que toda aquela situação com Georgina o estava deixando machucado. E isso não era o tipo de coisa que os homens sentissem. Mesmo se Georgina o julgasse um rapazote, ele sabia precisamente o que era.

Um homem. Um homem precisando desesperadamente de uma caneca de cerveja.

CAPÍTULO VINTE E DOIS

Georgina estava completamente confusa... e triste. Sentia como se um abismo tivesse se aberto sob seus pés. Era a mesma sensação de luto que a dominara depois que Richard morrera.

E ainda assim, não tinha sofrido de verdade pela perda do marido, não como teria sofrido se... não como teria sofrido se Hugh morresse. A ideia a deixou nauseada.

Embora ela não fosse esposa de Hugh.

E aquela feira não estava fazendo com que se sentisse melhor. Os gritos dos vendedores ambulantes competiam com os das crianças. Para todo lugar que Georgina olhava havia bandeirolas, barracas e pessoas vendendo de tudo, de biscoitos de gengibre a cadeiras de balanço. Mas o que mais a irritava eram as mulheres sorrindo para ele.

Richelieu estava, inesperadamente, se comportando como um dos cavalos mais bem-treinados que ela já vira. Ele seguiu na direção da taberna, observando as crianças correndo de um lado para o outro com a mesma agitação de uma tartaruga. O cavalo que se esquivara violentamente de um inseto apenas meia hora antes não saltou nem quando fogos de artifício explodiram em algum lugar nos arredores.

Georgina sentiu um incontrolável desejo de atrair o olhar de Hugh.

– Richelieu está se comportando como um anjo – comentou.

Hugh olhou de relance para ela, um olhar totalmente camarada, como o de um irmão.

– Não está? – falou, e deu uma palmadinha carinhosa no cavalo.

Os olhos de Georgina seguiram o movimento e ela percebeu que ele não usava luvas. Agora que pensava a respeito, ela não se lembrava de ter visto Hugh com luvas algum dia.

As mãos dele eram grandes, os dedos duas vezes o tamanho dos de Richard. E tão fortes quanto os ombros; eram mãos que conheciam trabalho duro, e ansiavam por mais. Hugh já dera as costas a ela, e estava se inclinando para falar com um homem parado diante da taberna. Mas Georgina não conseguia tirar os olhos da mão esquerda dele, que segurava as rédeas de Richelieu.

Eram mãos de homem.

Não de menino.

Não aquelas mãos. Havia uma cicatriz atravessando o pulso esquerdo dele... Georgina conseguia ver apenas a fina linha branca em toda aquela pele bronzeada.

– O que aconteceu com o seu pulso? – perguntou.

Ele a escutou, mas não se virou; continuou a conversar, antes de dar uma moeda ao homem e entregar a ele as rédeas dos dois cavalos.

– Um pequeno acidente – respondeu ele enfim, com tranquilidade.

Tudo havia sumido. Todo aquele fogo delicioso entre eles, o modo como ele olhava para ela e a fazia se sentir desejável, realmente desejável pela primeira vez desde que se casara – tudo tinha ido embora como se nunca tivesse existido.

Ao entrar atrás de Hugh na taberna cheia, Georgina sentia-se o rabo de um pavão. Todos os olhos se voltavam para Hugh, e só depois para ela.

Não havia outras damas ali.

– Hugh – chamou Georgina.

Ela mal ouviu a própria voz acima do clamor do salão, mas ele se voltou na mesma hora.

– Sim?

– Não vamos para uma sala privada?

– Ah, eles não têm esse tipo de coisa aqui – falou Hugh. – Você não se importa, não é?

– Não – respondeu ela em um tom débil.

Georgina teve tempo apenas de perceber que não só era a única dama ali, mas a única mulher, antes que Hugh a levasse até uma mesa perto de uma janela baixa e eles se sentassem.

A mesa estava escura de tão velha, e toda gravada com as iniciais de pessoas que haviam se sentado antes. Também não estava propriamente limpa. Georgina não podia levantar os olhos, porque sempre findava encontrando olhares masculinos e aquilo a deixava desconfortável. Eles pareciam... bem... curiosos. E gulosos. Quase como se pensassem...

– Acredito, sim, que eles acham que você é minha "acompanhante" – comentou Hugh, em um tom animado. – Não estão acostumados ao seu nível de elegância.

Georgina engoliu em seco.

– Não se preocupe – disse ele. – Não vão se dirigir a você enquanto eu estiver aqui.

O taberneiro apareceu e a encarou com o mesmo olhar dos outros, como se ela fosse cara mas disponível.

– Café da manhã – pediu Hugh. – O que você tiver. Estou morrendo de fome e tenho certeza de que a dama também está. E mais importante ainda, precisamos conversar com qualquer artista que tenha vindo junto com a feira, se estiverem por aqui.

– Estão bebendo lá atrás – disse o taberneiro, e saiu sem dizer nem mais uma palavra.

Georgina baixou os olhos e se pegou traçando com o dedo as linhas de uma palavra entalhada na mesa.

– Bolas – disse Hugh, inclinando-se para a frente para ler.

Georgina retirou o dedo rapidamente, como se tivesse sido picada por um inseto.

– É uma dama mesmo... – comentou ele, em um tom bem-humorado.

Hugh usava um paletó preto, simples, que se esticava sobre seus ombros. Havia tirado o lenço de pescoço, se é que já usara um por muito tempo, e o colarinho estava aberto, fazendo-a se lembrar de toda a pele dourada por baixo da camisa.

Seu trajezinho elegante fez com que se sentisse estúpida e enfeitada demais. Ela tirou o chapéu e colocou-o no chão, ao lado do banco. E deu o chicote com a borla na ponta para um garoto que montava em um cabo de vassoura. O menino deu um gritinho de alegria.

Georgina também teria despido o paletó idiota se pudesse. Era apertado demais para uma matrona, para uma viúva. Provavelmente fazia com que parecesse uma matrona arrumada demais, uma mulher velha tentando desesperadamente ser tudo o que jamais poderia ser de novo.

Richard teria dito isso. O marido tinha ideias firmes sobre o que uma mulher poderia ou não usar. Na verdade, as melhores conversas dos dois eram sobre roupas femininas. Eles iam ao teatro e passavam a apresentação inteira cochichando, debatendo os figurinos e cenários. Então, voltavam para casa e dissecavam o guarda-roupa de todos os que tinham visto na plateia.

Georgina sentiu os olhos marejados ao pensar nisso. Richard zombava sem piedade de mulheres que exageravam, que não aceitavam o fato de que estavam ficando mais velhas.

Ela ainda conseguia ouvi-lo criticando com veemência uma mulher na casa dos 30 que tivera a temeridade de usar um vestido de decote baixo. Não que ela, Georgina, estivesse com 30 anos, mas era uma viúva. Ela se encolheu por dentro ao pensar o que Richard diria daquele traje de montaria apertado e da razão pela qual ela o estava usando. Só quando ouviu a voz de Hugh é que deixou as lembranças para trás.

O taberneiro voltou com dois pratos cheios de ovos e bacon, que colocou diante de Hugh e Georgina, e disse:

— Aquele atrás de mim é o Sr. Lear, o ator. É melhor deixar que se sente com vocês, ou ele vai acabar caindo, para dizer a verdade. Está bebendo desde que o sol nasceu.

— *Lear*? — repetiu Georgina.

O homem que vinha na cola do taberneiro mal parecia, a um primeiro olhar, se encaixar em seu nome shakespeariano. Estava usando uma roupa de couro em mau estado, com botas altas, viradas nos joelhos. Mas... não era alguém que se devesse subestimar. O ator sorriu e deu a impressão de ser o tipo de pessoa capaz de matar com essa mesma expressão.

— Sim, Lear, como na maior das grandes tragédias — disse o homem, sentando-se no banco que Hugh indicara. — Agradeço gentilmente por isso, milorde. Agora vou lhe dizer antes que me pergunte, milady, que peguei emprestado esse nome de um rei, embora ele fosse um rei que gostava muito de atuar, devo dizer. Como ator, não tenho nenhum motivo real para ter um nome só meu, já que passo a maior parte do tempo sendo outra pessoa, portanto, por que não escolher um nome do meu agrado?

Ele estava bêbado. Encantadoramente, e habitualmente, ao que tudo indicava, bêbado. A fala estava apenas levemente arrastada, e ele se sentou diante da mesa com os membros largados, com a liberdade tamanha de quem já tinha bebido demais. Ainda assim, era um homem lindo mesmo aparentando ter mais de 50 anos, com os malares altos e os olhos como joias embaçadas.

Ocorreu a Georgina que aquela devia ser a aparência dos reis: assombrados, ligeiramente embriagados e cansados.

– Você sabe a que horas Finchley gostaria da apresentação? – perguntou Hugh a ela.

Georgina pousou o garfo. O café da manhã podia não ser elegante, mas o bacon estava excelente.

– Às oito da noite. Seria um bom horário para o senhor?

– Vocês nos pegaram no auge da decadência – falou Lear, com um toque zombeteiro na voz arrastada. – Estamos enferrujados e esquecemos as nossas falas. Mas com certeza não se pode esperar nada melhor de uma trupe perdida em um fim de mundo desgraçado como Parsley.

– Preste atenção – disse o taberneiro, aparecendo de novo, de repente –, trate de agir com boas maneiras quando estiver em Parsley, ou vou chutar você para fora daqui. Devo trazer algo para o senhor e a dama beberem? – perguntou ele a Hugh.

– Sempre podemos improvisar – falou o ator em um tom sonhador. – Foi assim que começamos, sabe? Em Londres.

– Cerveja para mim e para o Sr. Lear, e um copo de limonada para a dama – pediu Hugh. – Que tipo de coisas você improvisa? É sempre o rei, ou às vezes é o bobo da corte?

– Sou sempre o bobo da corte, e apenas às vezes o rei – respondeu Lear com tristeza.

Ele ergueu a caneca de cerveja e bebeu.

– Acha que teriam uma peça adequada ao aniversário da marquesa de Finchley? – perguntou Georgina. – O marquês mencionou que tinha esperança de ter a apresentação de *Noite de Reis*, de Shakespeare.

– Não podemos apresentar essa – Lear foi categórico em dizer. – Posso fazer para vocês qualquer romance sangrento, com cadáveres e canções apropriadas. Fantasmas, batalhas, mulheres estranguladas, espíritos de mulheres... Há uma diferença, vocês sabem, entre fantasmas de homens e de mulheres...

– Qual é? – perguntou Georgina.

– Os dos homens são obcecados com vingança, como eu descobri – explicou Lear, bebendo de novo.

– E os das mulheres? – quis saber Hugh.

— Com lamentos – disse Lear. – Assim como quando estão vivas, na verdade. Andam por aí cantando "Willow, willow" porque alguém as agarrou em uma sebe.

— "Willow"? – repetiu Hugh, sem entender.

— É uma canção de uma peça de Shakespeare – explicou Georgina a ele.

— Ah, Shakespeare – disse Hugh. – Se eu voltar como um fantasma, vou optar pela rotina das mulheres, Georgie, menos a parte de cantar. Se lamentar é muito melhor do que se vingar.

— Se *agarrar*? – sussurrou Georgina.

Hugh riu por trás da caneca de cerveja.

— O que quer que você tenha entendido, querida.

Querida! A palavra pareceu abraçar o coração dela.

— Podemos fazer *Uma batalha de centauros, incluindo a história de amor de um eunuco* – declarou Lear. – Ou *A feliz tragédia de Píramo e Tisbe*. Uma ou outra.

— A história de amor de um eunuco? – perguntou Georgina, curiosa.

— *Píramo e Tisbe* – interveio Hugh. – Um eunuco é inconveniente para um aniversário, mesmo se o homem em questão for um louco de amor. Amanhã às oito da noite, Sr. Lear. O nome do mordomo de Finchley é Sr. Slack. Ele terá o maior prazer de lhe mostrar o teatro se o senhor resolver aparecer. Só vou lhe pedir para não usarem o figurino da peça quando chegarem à mansão, para o caso de a marquesa vê-los.

— Estaremos lá com nossos veludos reais e coroas cintilantes devidamente escondidos em baús. Milady. Milorde. – Lear se levantou e saiu cambaleando sem mais despedidas.

— Excelente – comentou Hugh em um tom irônico. – Bem, acho que já terminamos por aqui.

Antes que Georgina pudesse registrar o que estava acontecendo, Hugh já havia saído com ela da taberna e a colocado em cima de Elsbeth de novo.

Ele pareceu guiar os cavalos na direção de casa, e Georgina não conseguiu suportar a ideia. Na verdade, isso a deixou profundamente triste, para não mencionar a raiva que sentia de si mesma. Embora não pudesse – não tivesse tempo – para pensar no motivo.

— Onde podemos encontrar uma maçã para Richelieu? – perguntou.

— Há maçãs nos estábulos – disse Hugh, já saindo da cidade.

Ele estava *mesmo* pretendendo simplesmente voltar para casa.

– Você não ia ensiná-lo a se divertir? – perguntou Georgina, incitando Elsbeth só um pouco para ela saber que deveria acompanhar o passo de Richelieu.

– Todos nós já tivemos diversão mais do que bastante por hoje, não acha? – O tom de Hugh era irônico, e ele finalmente a encarou.

A expressão nos olhos dele era alegre e afável. Era um olhar fraterno. A atração que se acendera entre eles já era apenas uma lembrança. O tipo de lembrança que Georgina levaria para casa e guardaria, como fazia com as lembranças do casamento. Coisas que tiraria do baú na calada da noite, perguntando-se o que dera errado, o que ela poderia ter feito diferente.

A raiva que essa ideia lhe provocou pareceu sufocá-la, e por um instante seus joelhos apertaram Elsbeth com mais força. A égua interpretou mal o comando e disparou a pleno galope.

Foi um movimento tão inesperado que Georgina quase caiu da sela – mas de algum modo ela sempre dava um jeito de não cair, mesmo montando de lado. Desde que tinha pelo menos 8 anos.

E, por mais que pudesse ter parado Elsbeth para evitar um segundo avanço, não o fez. Pelo contrário: inclinou-se para a frente, na direção do vento, e deixou a égua disparar pela alameda. As duas estavam voando cada vez mais para longe. Sumindo à distância...

Georgina ouviu o final entrecortado do grito de Hugh, e então o estrépito dos cascos de Richelieu. Ele a alcançaria a qualquer momento. Richelieu era criado para a velocidade, para as corridas. Ela não precisou olhar para saber que as orelhas do cavalo estavam inclinadas para trás e as longas pernas ganhando terreno rapidamente, deixando uma nuvem de poeira em seu rastro. Em mais um segundo, Hugh seguraria as rédeas dela.

À esquerda havia um velho muro de pedra. À direita, a sebe de espinheiros seguia por todo o caminho desde a Mansão Finchley. Georgina e Elsbeth saltaram a sebe, já que era maior o risco de cair da sela lateral se ela virasse à esquerda. Dama e montaria passaram por cima da sebe com a mesma leveza de uma libélula planando sobre a superfície de um rio, e dispararam pelo campo.

Georgina ouviu Hugh xingando, mas as palavras dele foram rasgadas pelo vento. Talvez ele achasse que Elsbeth estava descontrolada. Mas quem se importava com o que ele pensava? As duas chegaram ao limite do prado e galoparam direto para o seguinte, saltando um muro de pedra caído e percorrendo por algum tempo uma alameda, mas só pelo tempo bastante para que Georgina ouvisse os cascos de Richelieu aterrissarem na estrada.

Então, saltaram outra sebe. Georgina errou um pouco nos cálculos e quase escorregou da sela, mas conseguiu se manter firme. Era bom que tivesse deixado o chapéu de montaria na taberna, porque àquela altura já o teria perdido há muito tempo. Por mais elegante que fosse, o chapeuzinho não era feito para disparadas pelo campo.

Agora, Elsbeth já começava a arfar, e seu pescoço estava escuro de suor. Como era um animal galante e doce, suas orelhas estavam em pé, esperando pelo próximo comando. A égua ainda estava se divertindo... mas começava a ficar cansada.

Então, só porque podiam, e porque havia um laguinho do outro lado, pularam uma última sebe. Georgina enfim desmontou de Elsbeth, e antes mesmo que Richelieu tivesse saltado o último obstáculo, ela já havia despido o odioso paletó, o virara do avesso e o estava usando para esfregar o pescoço da égua.

– Você é um amor de companheira – disse a Elsbeth, enquanto também recuperava o fôlego.

A égua bufou na palma da mão dela e mordiscou-a de leve, deixando claro, na linguagem dos cavalos, que faria tudo de novo. Só que não naquele momento. Então Georgina tirou o freio e o bridão e deixou o animal caminhar até o laguinho.

Richelieu saltou quase 1 metro acima da sebe. Aquele cavalo *ganharia* em Ascot, pensou Georgina. Ele tinha o coração e o vigor para isso, assim como pernas impressionantemente poderosas.

Hugh já estava fora da sela antes que os cascos de Richelieu tocassem o chão. Mas em vez de rir pela diversão da perseguição, ele se adiantou, segurou-a pelos braços com as mãos grandes e sacudiu-a. Com força.

– Que diabos você acha que está fazendo, Georgie? – E sacudiu-a mais uma vez.

Ela se desvencilhou e recuou, e ele deixou as mãos caírem ao lado do corpo. A fúria dominou-a.

– Você não tem o direito...

Mas Georgina percebeu que Hugh não estava ouvindo. Ele simplesmente estendeu os braços, puxou-a para si como se ela fosse um saco de arroz e colou a boca à dela entre uma palavra e a seguinte.

Era um beijo típico de Hugh: como um fogo súbito, tão intenso e possessivo que Georgina não tinha como lutar. Não que o corpo dela desejasse resistir. E a mente, por sua vez, se viu envolta em uma névoa de prazer no momento em que aquele corpo firme se colou ao dela. Georgina sentiu os joelhos bambos e passou os braços ao redor dele... e basicamente se esqueceu de respirar.

– Você não pode fazer esse tipo de coisa – falou Hugh em um tom firme, um instante depois.

Georgina nem havia pensado se podia ou não, mas apenas sorriu para ele.

– Por que não?

– Você não é uma amazona boa o bastante para ficar fazendo esse tipo de estripulia.

Ela estreitou os olhos ao encará-lo.

– Pode escolher qualquer sebe alta o bastante para Elsbeth que eu conseguirei fazê-la saltar. Quem você acha que monta melhor do que eu?

– Eu – respondeu Hugh prontamente.

– Você? Você cai o tempo todo – disse ela. – Eu não. Eu *nunca* caio.

– Ora, você...

– E mais: *eu* estou montando em uma sela lateral – disse ela, interrompendo Hugh, porque aquilo era importante.

Ele agora já não parecia mais furioso.

– Está dizendo que eu deveria ter aulas com você?

– Eu não caio. Nunca encontrei uma sebe que minha montaria não conseguisse saltar.

– Nem eu – afirmou ele.

– Então por que me sacudiu?

Georgina não olhou para Hugh ao fazer a pergunta, concentrando-se em tirar uma folha que havia caído em sua saia branca. Ela se sentia um pouco vulnerável sem o paletó, por alguma razão. O corpinho do vestido era de um linho irlandês fino. Quase dava para ver os braços rosados através das mangas.

– Porque você... – Ele se deteve.

– Sou a melhor amazona em sela lateral que você conhece. – Ela apenas declarou o fato, porque era verdade, e Hugh sabia disso.

– Você me deixou apavorado – disse ele, sacudindo-a mais uma vez, mas agora de leve, com gentileza. – Achei que...

– Sempre achei – falou Georgina, muito séria – o medo uma emoção muito desagradável.

Hugh a surpreendeu quando jogou a cabeça para trás e deu uma gargalhada tão alta que ecoou pelo campo. Richelieu ergueu as orelhas antes de voltar a pastar na relva.

– Você estava tentando me dar uma lição?

Hugh era um homem grande, lindo e bruto, e Georgina o desejava. Ela ficou olhando para ele rindo ao sol, o pescoço muito moreno e forte, e se permitiu admitir a verdade.

Desejava Hugh com o tipo de desejo primitivo que era a antítese de qualquer coisa que tivesse sentido em seu casamento. Desejava aquele homem com uma intensidade que começava no peito, mas que se espalhava até as pernas.

Porém, estava irritada com o fato de Hugh estar rindo dela, por isso lhe deu as costas e foi até Elsbeth, que pastava tranquilamente entre os ranúnculos amarelos que cresciam ao redor do laguinho.

Hugh foi atrás dela.

– Você se lembra de quando nadamos juntos, anos atrás? – perguntou no ouvido dela.

Georgina não havia percebido que ele estava tão próximo; estremeceu.

– Nadar? – repetiu. – Não sei nadar.

– Não me diga que esqueceu. – O tom dele era ligeiramente malicioso.

– Nunca nadei – declarou ela, certa do que falava.

Nadar não era uma atividade que jovens damas decentes sequer considerassem. E, por Deus, ela sempre fora decente...

– Eu tinha 10 anos. Foi no verão em que a minha mãe morreu, por isso você e a sua mãe estavam com a gente, em nossa casa.

Ela pegou a mão dele.

– Sinto muito. Eu tinha 6 anos, Hugh. Não, acho que 7. Não tenho lembranças muito claras desse verão.

O sorriso dele era generoso, realmente alegre.

– Ela era uma mãe maravilhosa, nem um pouco séria, como se esperaria de uma condessa. E eu sempre fui louco por cavalos, desde o momento em que pus os pés para fora do berçário.

– Isso não é surpresa – comentou Georgina, apertando a mão dele.

– Minha mãe costumava ir até lá e me levar para os estábulos. Naquele verão mesmo eu ia até o quarto dela todo dia e ela desenhava cavalos para mim. Minha mãe sempre me desenhava em cima da montaria, saltando uma sebe mais alta do que a casa, vencendo uma corrida... No meu desenho favorito, estou em cima de um cavalo cujos cascos encostam na lua.

Não bastava segurar a mão dele, por isso Georgina fez algo que nunca fizera antes: colocou-se diante de um homem, segurou o rosto dele entre as mãos e beijou sua boca. Então, passou os braços ao redor do pescoço dele e abraçou-o o mais forte que pôde.

Sendo Hugh, ele aproveitou um abraço que tinha a intenção de consolar e transformou-o em algo completamente diferente.

– Espere – pediu Georgina, e se afastou alguns minutos depois, ainda sem ar. – Quero...

Dessa vez, foi Hugh quem segurou o rosto dela entre as mãos.

– O quê? – perguntou ele, os olhos encontrando os dela, firmes e ardentes. – O que você quer fazer, Georgina Sorrell?

Era demais.

– Quero ouvir o que você ia contar. Essa vez que acha que nadei com você, embora eu não tenha feito isso.

O sorriso que curvou os lábios de Hugh dizia a ela que a pergunta voltaria a ser feita, mas ele não discutiu naquele momento. Em vez disso, ele se sentou na relva e puxou-a pelo braço, de modo que Georgina perdesse o equilíbrio e caísse em seu colo.

– Hugh, você não pode fazer esse tipo de coisa! – protestou ela. – Não pode me puxar e me derrubar, agir como se eu fosse uma égua.

– Eu jamais penso em você dessa forma – falou Hugh, aconchegando o corpo de Georgina de lado. Os dedos dele roçaram os sapatos dela e, então, lenta e escandalosamente, acariciaram seu tornozelo.

– Você também não pode fazer isso! – disse Georgina, e esticou as pernas, para que ele não arruinasse a concentração dela com aqueles joguinhos. – Agora conte sobre essa vez em que foi nadar.

– Era o laguinho dos cavalos – explicou Hugh. – Você provavelmente não se lembra da propriedade...

– Eu me lembro, sim – interrompeu ela. – Passei uma semana lá no feriado da Noite de Reis, lembra? O laguinho dos cavalos fica atrás dos estábulos, e não é exatamente um laguinho. É mais como uma parte mais larga daquele riacho que atravessa a sua propriedade.

– Ele ainda está lá – comentou ele, em um tom pensativo. – Embora eu não me lembre de você nem chegar perto dos estábulos durante o feriado da Noite de Reis.

– Nós já concordamos que você não me viu durante aquele feriado – lembrou Georgina, em um tom sarcástico.

Porque a verdade era que ela havia descido até os estábulos algumas vezes e ficara observando Hugh treinar os cavalos, e até espiara os potrinhos gêmeos, embora preferisse morder a língua a admitir isso.

– Então você rezou aos céus para que vingassem a minha cegueira em relação a você – disse ele, e deu um beijo na orelha dela.

– O quê?

– E os deuses a vingaram – continuou ele. – Pois agora, pelo resto da minha vida, sempre vou saber onde você está, Georgina, porque caso contrário não vou me sentir confortável. Sempre vou ver você antes de qualquer um, em qualquer cômodo em que eu entrar. E sempre vou querer encontrar você em qualquer cômodo em que eu entrar.

Georgina engoliu em seco e mordeu o lábio com força. A voz de Hugh era tão firme, tão calma... era a voz de que ela se lembrava da infância. Ele não estava exigindo nada dela, nem sequer pedindo uma resposta. Estava só...

Fazendo uma declaração.

Dizendo.

– Você nadando? – quis saber Georgina, já que não sabia como responder ao que ele falara.

Ele suspirou e lhe deu outro beijo, agora nos cabelos.

– No fim do dia, eu costumava descer até o laguinho, todo suado de tanto cavalgar, e me jogar na água. Mas naquele verão... tudo foi diferente. Minha mãe estava morrendo e os médicos iam e vinham o tempo todo lá em casa. Todos os criados, a casa toda, tudo girava ao redor da doença dela.

– Eu sei – disse Georgina, apoiando o corpo no dele. – Sei exatamente a que você se refere.

– Eu me esqueci da doença de Richard. É claro que você sabe. – Hugh afastou os cabelos da testa dela e beijou-a ali. – Bem, então eu tive mais liberdade naquele verão. Minhas irmãs... e você... ficavam enfurnadas no quarto das crianças, com uma falange de amas, mas eu já tinha idade o bastante para escapar. E era isso que eu fazia.

– Não me lembro com muita clareza daquele verão – comentou Georgina, com a testa franzida. – A minha mãe era tão próxima dos seus pais... Nós íamos para a sua casa todo mês de julho, lembra? Na minha memória as coisas se misturam, um verão após o outro, um tempo em que também conseguíamos escapar das nossas amas, levar nossas bonecas para o riacho e brincar com você... construir cabanas de galhos de salgueiros.

– Eu tirava a roupa e pulava naquele laguinho – lembrou Hugh.

– Ora, eu nunca fiz isso! – disse Georgina com uma risada. – Não estou entendendo por que você acha que fui nadar com você...

– Porque foi exatamente isso o que você fez.

Ela ficou em silêncio por um momento, então...

– Não!

– Não sei o que Carol teria feito sem você naquele verão. Você carregava um lenço em seu avental de criança.

– Sempre carreguei um lenço – afirmou Georgina. – Era uma das regras da minha mãe.

– E você oferecia o lenço imediatamente se qualquer um começasse a chorar – continuou ele. – Não que eu chorasse em algum momento. Nunca acreditei em chorar.

– Acho que meninos não choram – disse ela com um suspiro.

O único homem que Georgina vira chorar tinha sido o valete do marido, logo depois que Richard morrera. E ela o deixara permanecer ao lado do patrão já quase no fim, porque... porque sim.

Só quando o valete saiu do quarto de Richard, com os olhos inchados e lágrimas escorrendo pelo rosto, foi que Georgina soube que estava viúva.

— Você ainda não sabia disso na época – falou Hugh, o queixo apoiado na cabeça dela. – Então me estendeu o lenço algumas vezes, como se achasse que eu precisava dele. Eu o devolvia com desdém todas as vezes, mas ficava grato pelo gesto.

— Não me lembro... – disse Georgina. – Que estranho.

— Então, minha mãe morreu. E todos nos vestimos de preto, e minhas tias-avós chegaram, e foi horrível. – Ele a abraçou com mais força. – Ficou mais difícil para mim escapar do quarto das crianças, mas consegui, alguns dias depois. Antes disso... bem, as meninas precisavam de mim.

— Você foi o melhor irmão mais velho – elogiou ela. – Até mesmo para mim, que não sou sua irmã.

— Graças a Deus – disse ele, num tom tão aliviado que encheu novamente o coração de Georgina de alegria. – Fui até o laguinho, não para chorar...

— Porque meninos não choram, é claro – completou Georgina.

— Mas porque ali eu já estaria cercado de água de qualquer forma, e ninguém perceberia se eu cometesse um erro dessa natureza.

— E onde eu entro na história?

— Você também conseguiu escapar do quarto das crianças, só que eu não sabia disso. Você deve ter me seguido. Você tinha... 7 anos, por isso não faço ideia de como conseguiu.

— Ah, eu consigo – disse ela, adorando o modo como os braços dele formavam um abrigo cálido ao redor dela. – Eu estava tão treinada a estar atenta ao protocolo, e aos criados, e à coisa certa a fazer, que sempre sabia exatamente como fazer a coisa errada. Era inevitável. As pessoas sempre nos avisam para não ficar aos beijos em cantos escuros muito antes de termos sequer o impulso de fazer isso.

— Richard a beijava em cantos escuros? – Ele pareceu curioso, não com ciúmes.

— Não. Então, eu escapei do quarto das crianças...

— Só percebi quando parei de jogar água para o alto no laguinho, que por sinal estava deliciosamente morno. E lá estava você.

— Na beira do laguinho?

— Você já tinha tirado o avental e o vestido quando percebi que estava ali. Eu fiquei tão apavorado que não fiz nada. Você logo tirou os sapatos e as meias, então a camisa de baixo, e se jogou na água.

– Não!

Hugh estava rindo.

– Sim. Você se jogou. Você, a incrivelmente decorosa lady Georgina. Tirou todas as roupas sem a ajuda de uma criada e entrou na água como se tivesse nascido para nadar.

– E o que você *fez*?

– Eu não podia sair do laguinho – explicou ele. – Ainda não sabia muito sobre decoro na época, mas sabia com certeza que jovens damas não deveriam ver as partes íntimas de um menino. Por isso recuei mais para o fundo, e você me seguiu. Até que, antes que eu me desse conta, você estava jogando água em mim.

– Não acredito que não me lembro de uma coisa dessas!

– Eu nunca esqueci. Você era a menina mais linda do mundo, Georgina. A mais linda que eu já tinha visto. Sua pele era branca como o interior de uma flor. Seus cabelos costumavam estar presos para o alto, muito arrumados, mas quando você jogou longe seu *bonnet*, eles caíram pelas suas costas.

– Você não...

– Se senti desejo? Eu pensava em você como uma das minhas irmãs, mas ao mesmo tempo... ficava confuso. Você era tão diferente de mim, tão linda e tão... tão feminina! Aqueles cabelos, e os gritinhos que você dava quando eu jogava água em você...

– Você jogou água em mim? Isso não é muito cavalheiresco.

– Eu não sabia o que fazer! É claro que eu joguei água em você, que gritou e jogou água em mim de volta, o que fez com que entrasse água na minha boca porque eu estava às gargalhadas. E assim foi.

– Mas como você saiu do laguinho? E como eu saí?

– O chefe dos cavalariços do meu pai ouviu a bagunça e foi ver do que se tratava. Ele não era tolo e logo percebeu que estava diante de um desastre em andamento. Por isso, levou você para algum lugar e me mandou sair do laguinho. E foi isso.

– Até onde eu sei, ninguém jamais descobriu. No jantar, ouvi que você tinha caído acidentalmente dentro do bebedouro dos cavalos, e depois disso sua mãe não permitiu mais que você chegasse perto dos estábulos. De qualquer modo, o verão já tinha chegado ao fim e estávamos todos de partida para Londres.

– Eu jamais deveria ter dito que você não entende a morte, não é? – perguntou Georgina, baixinho.

Houve um momento de silêncio, e Hugh deu um beijinho no nariz dela.

– Gostaria que você estivesse certa – falou. – Não consigo me lembrar de uma época em que não precisasse conviver com esse entendimento. Eu amava a minha mãe de todo o meu coração.

– Então por que você continua a treinar cavalos por sua conta? – lamentou Georgina, frustrada. – Você sabe que também pode morrer.

– Não sei se você já se deu conta, Georgie, mas nenhum de nós vai escapar da morte.

Ela bufou.

– Não posso viver com medo.

– Mas você não está pensando nas pessoas que têm que ter medo *por* você.

Sem aviso, Hugh jogou o corpo para trás, levando-a consigo, de modo que logo estava deitado sobre os trevos, com Georgina ao lado. Bem ao lado. Ela ficou paralisada no mesmo instante, cada centímetro do corpo subitamente consciente do dele. Daquele corpo lindo, grande e musculoso. Os dedos dela tremiam com o desejo de tocá-lo.

– Georgie...

E isso foi tudo. Mas ela sabia do que ele estava falando. E sabia que resposta daria, só que era filha da mãe dela, e nada daquilo poderia ser colocado em palavras.

CAPÍTULO VINTE E TRÊS

Em vez de responder, Georgina simplesmente ficou de pé.

Uma sombra cruzou os olhos de Hugh, e ela soube que ele estava com medo de que ela fosse embora. Era gostoso provocá-lo, por isso Georgina se virou com um leve oscilar dos quadris e foi até a beira do riacho. Hugh não podia ver, mas ela estava abrindo os botões de pérola dos punhos.

Um instante depois, sentiu-o próximo de seu ombro, mas não se virou para dizer nada.

– Georgie.

Dessa vez, a voz dele era densa como veludo e acariciou os sentidos dela, despertando cada terminação nervosa.

Georgina não se virou, permaneceu concentrada em desabotoar cada botãozinho de pérola. Então tirou a blusa de linho e deixou-a organizadamente de lado. Hugh ainda não dissera nada, nem fizera nada, até onde ela sabia.

A saia de montaria demorou mais um instante ou dois. As botas, outro instante. As ligas, meias, espartilho... tudo pareceu sair dela voando. Então, Georgina já não tinha outra peça de roupa sobre o corpo que não a camisa de baixo. Ela respirou fundo e despiu essa última peça enfim.

Então se virou para ver o que Hugh estava fazendo.

Ele também estava nu.

O resto do corpo de Hugh era tão lindo quanto o peito. Os músculos das pernas muito fortes, compatíveis com um homem capaz de controlar um garanhão com um discreto movimento dos joelhos. E eram sombreados de pelos escuros.

– Você não tinha pelos naquela época – comentou Georgina, conseguindo finalmente encontrar os olhos dele.

– Você não tinha seios.

A voz dele estava em algum ponto entre o sensual e o claramente perigoso. Georgina teve a sensação de estar olhando para o próprio corpo através dos olhos dele... vendo a si mesma como uma mulher curvilínea, de pele macia e deliciosa.

Sem uma palavra, ela ergueu os braços e começou a tirar os grampos dos cabelos. Não haviam sobrado muitos depois da corrida louca pelo campo. Quando terminou de remover os remanescentes, os cabelos caíram pelas costas, ruivos como rosas escuras.

Richard aprovava o corpo da esposa, e havia lhe dito isso de um modo atencioso. Mas sempre achou que os cabelos dela beiravam o vulgar.

A lembrança fez com que Georgina erguesse a mão e puxasse uma mecha grossa de cabelo para cima do seio.

Hugh deixou escapar um grunhido rouco que a surpreendeu.

– Gosta da cor dos meus cabelos? – perguntou ela.

– Nunca gostei de outra cor de cabelos que não ruivos. Desde os 10 anos.

Georgina não conseguia parar de sorrir.

– Você realmente comentou isso quando Carol sugeriu Gwendolyn Passmore para a sua lista.

– Pálida demais – disse ele. – Os cabelos dela são como uma imitação dos seus.

Se ficasse parada ali só mais um instante, Georgina sabia que simplesmente pularia em cima ele e começaria a tocá-lo em todos os lugares, de um modo que uma dama jamais deveria tocar um homem. Especialmente um homem que não era seu marido.

Por isso, girou o corpo e entrou no laguinho.

Na mesma hora, Georgina entendeu por que damas não nadavam. Porque não era agradável a sensação do lodo embaixo dos dedos. E a água estava muito gelada. E, embora parecesse absolutamente limpa da margem, agora que ela entrara não conseguia ver o fundo, o que a fez se sentir desconfortável. E...

A água ondulou e espirrou para os lados quando um corpo forte atravessou por baixo da superfície. Hugh de repente surgiu diante dela.

– Maldição, está frio – disse ele, e sacudiu os cabelos molhados para afastá-los dos olhos.

Georgina não precisava que lhe dissessem isso. Seus mamilos tinham ido de framboesas a pedrinhas. A barriga protestava contra as pequenas ondinhas de água gelada que a atingiam depois do mergulho dele. Ela não sentia a menor vontade de entrar mais fundo.

– Você jogou água em mim – falou Georgina. – Terei que matar você. Só para sua informação.

– Todos teremos que morrer um dia. – Hugh deu um sorriso zombeteiro.

Ele estava merecendo que ela lhe jogasse água, e a única coisa que a deteve foi saber que Hugh devolveria o favor.

– O laguinho era mais quente quando éramos crianças? – perguntou Georgina.

Ela não conseguia parar de olhar para os ombros dele. E para a cintura. E abaixo. A água clara permitia ver... aquela parte.

Não havia olhado antes, é claro. E o que conseguia ver sugeria que Hugh e Richard não eram nada parecidos. Essa era a forma educada de colocar a situação. Georgina sentiu uma pontada de apreensão, já que não gostara muito das invasões de Richard, que era consideravelmente menor.

Então ela ergueu os olhos e viu que Hugh sorria abertamente enquanto a observava.

– Então, como me saí na comparação? – perguntou ele, com uma risada na voz.

Georgina ergueu o nariz. Jamais criticaria o marido morto.

– Você é um pouco menor – disse bruscamente –, mas...

O sorriso desapareceu do rosto de Hugh, e em uma passada ele estava ao lado dela.

– Georgina. – A voz dele saiu baixa e ameaçadora, mas ela estava ocupada demais se acostumando com a água gelada que ele fazia bater em sua barriga.

– Você quer refazer essa frase?

– O quê? – perguntou ela, tremendo.

Ele mordiscou o lábio inferior dela e projetou os quadris para a frente.

Georgina não conseguiu evitar olhar para baixo, e agora eles estavam próximos o bastante para que a água estivesse translúcida. Ela conseguia ver tudo. Seu coração estava aos pulos quando ela levantou os olhos, certa de que a consternação estava clara em seus olhos.

– Isso não vai funcionar – disse baixinho.

Hugh pareceu surpreso.

– Não?

Georgina mordeu o lábio, sentindo-se prestes a chorar. Ela balançou a cabeça.

– Está me dizendo que Richard Sorrell tinha um membro tão grande que você não consegue nem contemplar o meu? – Ele recuou um passo e passou a mão pelos cabelos. – Que *inferno*!

Ela não conseguiu nem sorrir.

– Sinto muito.

– Pelo quê? – A voz de Hugh fumegava de frustração e raiva, embora ela não soubesse de quem ele estava com raiva.

– Você é muito...

– Nem continue – disse ele, tenso. – Maldição! Isso nunca aconteceu na minha vida... Não posso acreditar que esteja acontecendo agora.

– Você é grande demais – falou Georgina, desesperada, para as costas de Hugh, já que ele estava saindo da água. – Lamento, Hugh, mas isso nunca vai funcionar. Nunca.

Hugh ficou imóvel.

– O que você disse?

– Se tudo o que lhe importa é uma disputa sobre o tamanho do seu membro – disse ela, irritada, e virando-se para outra direção, espalhando água –, pode ficar tranquilo.

Em um instante, Hugh estava perto dela de novo. Ele ergueu-a da água nos braços.

– Olhe para mim, maldição.

– Não precisa praguejar – reclamou Georgina, aborrecida, mas aceitando encará-lo.

– Está me dizendo que Richard não era uma espécie de gigante entre os homens?

– Acho que esse é você, Hugh – disse ela com sinceridade. – E isso não vai funcionar. Porque... – Georgina engoliu em seco e decidiu que podia muito bem ser honesta. – Porque mal funcionava entre Richard e eu. Ele era muito atencioso em relação a isso, mas mesmo assim mal cabia.

A expressão nos olhos dele fez com que um arrepio de prazer corresse pelas pernas dela.

– Vamos cuidar disso, Georgie.

– Não me chame de Georgie! – retrucou ela, irritada.

– Achei que você gostasse...

Hugh estava caminhando com determinação para fora da água, e como apenas os dedos dos pés de Georgina tocavam a água, ela estava feliz.

– Não quando...

– Quando é tão necessário que você seja uma Georgina e não uma Georgie? – completou ele.

Hugh colocou-a de pé e na mesma hora Georgina sentiu falta do calor do corpo dele. Então ele começou a se afastar na direção de Richelieu, que estava a uma boa distância.

Hugh estava indo embora? Georgina ficou encarando as costas dele, chocada. Era verdade que ela havia dito que não daria certo. Mas tinha a esperança... bem, tinha a esperança de que ele fosse capaz de operar algum milagre. Porque, em algum momento ao longo do caminho, ela havia decidido fazer uma coisa absolutamente escandalosa, algo que arruinaria sua reputação para sempre.

Hugh pegou uma trouxa que estava enrolada atrás da sela de Richelieu e voltou caminhando.

Havia outra diferença entre ele e Richard. O membro de Hugh permanecia ereto. O tempo todo. Enquanto o do marido dela...

– O que você pegou? – perguntou Georgina.

O sorriso dele era presunçoso como de um gato diante de um jarro de creme.

– Uma manta enrolada. Sempre tenho uma extra.

Ele jogou a manta sobre o canteiro de ranúnculos amarelos e ergueu Georgina no colo com a mesma falta de cerimônia de sempre. Um instante depois, ela estava deitada de costas, completamente nua, encarando Hugh.

– Está pinicando? – perguntou ele, em um tom tão despreocupado quanto se estivessem em um piquenique.

– Um pouco – respondeu Georgina, atônita demais para fazer alguma coisa além de responder.

Ele pegou as anáguas dela e enfiou sob seu corpo, então se deitou ao seu lado. Não a tocou. Não se colocou em cima dela. Apenas se inclinou, delicadamente, e a beijou.

Eles não disseram nada por algum tempo. Georgina tentou formular alguma palavra quando Hugh afastou-se de sua boca para logo começar a fazer alguma coisa deliciosa com o pescoço dela... beijando-a, mordiscando-a, até ela estar gemendo e agarrando os ombros dele, ansiando para que continuasse.

Mais para baixo.

Até os seios.

A mera ideia foi o bastante para tirá-la do atordoamento em que se encontrava e fazê-la murmurar:

– Hugh, talvez...

Ele respondeu capturando novamente sua boca. Foi um beijo primitivo, que disse a Georgina sem palavras que ele estava no comando e que ela deveria simplesmente parar de pensar.

Georgina deixou-o fazer isso porque, afinal, era ela que estava se beneficiando de todo aquele entusiasmo masculino. Era estranho, mas algo no modo como Hugh a abraçava, com força, sem deixar que ela se afastasse, a deixou louca de desejo.

Na verdade...

– Hugh – disse Georgina, ouvindo a própria voz ofegante com um choque de surpresa. – Não vamos... – Ela se interrompeu com um gemido.

– Você me tira do sério, mulher – disse ele, a voz um grunhido perigoso.

Então colou a boca ao seio dela. Em um movimento rápido. Sem qualquer preparação, sem pedir permissão.

Georgina gritou. A única reação possível para aquilo. Não, ela estava errada. Aquela boca quente e úmida sugando seu mamilo não a fez gritar... foi um berro.

E isso também não o deteve. Só o fez sugar com mais força até ela arquear as costas e deixar claro que ele era bem-vindo para continuar.

Só quando uma mão quente subiu pela perna dela é que Georgina conseguiu voltar a se dar conta da impropriedade do que estava acontecendo. Ela gritou e tentou se sentar.

Mas a mão grande de Hugh a fez se deitar de novo e Georgina não conseguiu protestar como pretendia, porque ele mordiscava seu seio, levando seu corpo a um lugar escuro e doce.

Georgina simplesmente fechou os olhos, apagando aquele céu azul e vazio acima dela, e todo o ar daquele descampado, permitindo-se apenas mergulhar na sensação intensa e frenética, no calor que subia pelas pernas até o estômago.

Ela continuou a tentar arquear o corpo, mas aquela mão grande a manteve parada. Então se viu tentando puxá-lo para cima de si, e isso foi escandaloso o bastante para que ela abrisse os olhos e dissesse, com um gritinho:

– Não!

– Sim – falou Hugh em uma voz rouca.

E lá estava ele. Hugh. Georgina se viu deitada de costas como uma atrevida qualquer, com Hugh apoiado nos antebraços, acima dela, sorrindo.

Ela estava escandalizada. É claro que sim. Mas também estava tão feliz que não conseguia respirar. Hugh a encarava... *daquele* jeito. Os olhos dele estavam...

E as mãos...

– Não devemos – disse ela, febrilmente. – Não ao ar livre.

Os olhos dele riram para ela, um riso misturado com desejo. Por *ela*.

Era exatamente aquilo que Georgina nunca tinha visto em todos os dias do seu casamento. Era o que via nos olhos de outros homens, quando olhavam para as mulheres que desejavam.

– Por que não? – perguntou Hugh, e o tom rouco de sua voz vibrou pelas pernas dela como uma nota musical.

– Não é de bom-tom – disse Georgina, levemente sem ar agora que a mão dele voltara a encontrar seu seio.

– Não sou casado – falou ele.

– Sei disso.

Os dedos dela seguravam com força o pescoço dele. Mas o que Georgina realmente queria fazer era tocá-lo.

Só não sabia se era permitido. Richard certamente não iria querer ser tocado. Mas a verdade era que ele também nunca quisera beijar o pescoço dela, ou o braço, ou a lateral do seio.

– Se fizermos amor, Georgie, vai ter que se casar comigo. – O polegar dele roçou com mais força o mamilo dela, e Georgina ouviu um arquejo baixo escapar da própria boca, antes de fechá-la com força. – Adoro esse som que você faz – disse Hugh em um tom casual.

– Não podemos fazer isso... ao ar livre – repetiu Georgina, deixando de lado toda a questão do casamento.

– Por que não?

– Porque... porque estamos ao ar livre. E não é de...

Hugh sugou dos lábios dela o *bom-tom* e beijou-a, arrastando-a novamente para aquela tempestade de calor e prazer, até que Georgina soube, sem precisar de palavras, que decoro não tinha nada a ver com aquele dia. Com aquele momento.

Com Hugh.

– Você por acaso é um homem de bom-tom em algum momento? – murmurou ela, quando ele estava beijando novamente seu pescoço.

– Raramente. – Ele estava acima dela, apoiado nos braços, seu corpo sem tocar o dela realmente, e ergueu o corpo até ficar de joelhos. – Não tenho interesse nisso.

Georgina não conseguiu conter uma risada.

– Não me surpreende.

– Uma jovem dama de bom-tom jamais ficaria sem ar ao ar livre – informou ele, fazendo com que Georgina fizesse exatamente isso com uma única carícia.

– Eu...

– Um cavalheiro de bom-tom provavelmente jamais diria isso.

– O quê?

– Pelo amor de Deus, Georgie, pode me tocar? *Por favor?*

Ela engoliu em seco.

– Isso é... é permitido? – Aquilo soou tão estúpido que Georgina fechou os olhos por um instante. – Quero dizer, você gostaria mesmo que eu fizesse isso?

Hugh tinha uma expressão curiosa, quase como compaixão, e muito como pena, mas então abriu um sorriso, deitou-se de costas e abriu os braços.

– Sou seu.

Georgina se sentou tão rápido que chegou a ficar tonta. Ele era lindo. Ela se pôs lentamente de joelhos ao lado dele, então parou. Não queria só tocá-lo.

Georgina pigarreou. Achou que soubesse a resposta, mas...

– Posso fazer mais do que isso?

O sorriso preguiçoso dele seria considerado fora da lei em um condado puritano.

– Georgie, querida, se você quiser colocar essa boca linda em qualquer lugar do meu corpo, vai fazer de mim o homem mais feliz do mundo.

Ela respirou fundo e sequer tentou conter o sorriso de prazer que se abriu em seu rosto. Provavelmente parecia uma boba. Mas quem se importava?

Aquele era Hugh, aparentemente o primeiro homem em sua vida que a vira nua, mesmo que ela tivesse apenas 10 anos na época. E Hugh foi o primeiro homem que *ela* vira sem roupa. Portanto, valia a pena aproveitar o momento.

Assim, Georgina analisou Hugh. De perto, lentamente, começando pelo pescoço e descendo muito, muito lentamente por todo o corpo. Sem tocá-lo.

O interessante era que ela parecia o estar afetando sem um toque sequer. Quando chegou à cintura, ele estava agarrando a manta como um homem prestes a se afogar, a respiração entrecortada.

– Georgie – disse apenas.

– Estou pensando – disse ela, sem ouvi-lo.

Porque Georgina tinha chegado à parte mais interessante do corpo de Hugh. A vida toda ela chamara o membro de um homem de *cardo*. Mas aquela palavra não parecia ter nenhuma relação com o que Hugh tinha. Um cardo era uma planta macia, arredondada e maleável. E o membro de Hugh era duro e longo.

A mera ideia daquilo a fez sentir-se... Georgina estava com as pernas dobradas sob o corpo, mas elas subitamente pareceram desconfortáveis. Hugh deixou escapar um som rouco e estrangulado.

– Georgie, por favor...

– Hummm – fez ela.

Então Georgina se inclinou para a frente e fez exatamente o que queria fazer. Pousou as mãos nas coxas dele, e aqueles músculos saltaram sob seus dedos. Ela o acariciou levemente, com o toque de uma pena, e então com mais firmeza.

Hugh gemeu de novo, e o som ecoou direto entre as pernas dela. Ela estava prestes a fazer algo com que nunca sequer sonhara, mas, no momento em que a ideia surgira, sentiu-se consumida pelo desejo de colocá-la em prática.

Sem olhar para Hugh, porque estava certa de que ele jamais teria *aquilo* em mente, ela se inclinou mais, deixou os cabelos esconderem seu rosto e colocou a boca diretamente no membro dele.

Hugh gritou, e projetou os quadris para cima. E, de repente, os lábios de Georgina deslizavam ao redor do membro dele. Hugh tinha sabor de ar livre, de água de lago, de homem... tudo misturado.

Ela gostou.

Hugh estava dizendo alguma coisa, mas Georgina não prestou atenção, apenas deixou as mãos correrem lentamente até o alto das coxas dele, provocando-o. Então, deixou que suas mãos encontrassem sua boca.

– Não – disse ele com a voz rouca. – Não.

Ela levantou a cabeça.

– Não gosta disso?

Hugh a encarou de volta, os olhos selvagens.

– Ninguém jamais me beijou aí. Nunca.

Georgina sorriu e voltou a se concentrar no que fazia antes. Ele deixou escapar um som estrangulado, antes que os lábios dela sequer o tocassem. Georgina sentiu uma profunda alegria dominá-la só por estar dando prazer a Hugh, por ver os músculos das coxas dele tensos e firmes, pelo modo como ele cerrava as mãos junto às laterais do corpo.

Ela brincou com ele, usou as mãos também, deixando o dedo correr pela perna musculosa, ouvindo seus gemidos até que Hugh de repente disse, por entre os dentes cerrados:

– Chega... não suporto mais. – E afastou-a com firmeza.

– Ah! – exclamou Georgina, um tanto surpresa, certa de que ele estava aproveitando cada vez mais.

O maxilar de Hugh estava cerrado, e os olhos ardentes.

– Preciso perguntar uma coisa, Georgie.

O coração dela se acalmou e ela deixou as mãos repousarem sobre a coxa.

– Por favor, me diga que Richard não lhe ensinou isso.

– Richard? – disse ela, a voz muito aguda.

Então se recompôs. Georgina pigarreou, sem nem se dar ao trabalho de imaginar como o marido ficaria horrorizado se ela o tivesse sequer tocado tão intimamente.

– Não, com certeza não – falou, e começou a se colocar de pé. Sentia o corpo confuso, quente e um tanto zonzo. – É claro que não. Foi... uma ideia estúpida. Eu... – Ela se viu sem palavras e ficou de pé.

A mera lembrança de Richard a fez sentir-se triste... fria. A mera ideia de Richard... do que Richard pensaria... não do que ela acabara de fazer, mas dela em um campo, sem roupas? Um tremor de aversão correu por suas costas.

Hugh se levantou quando ela não estava olhando. Georgina recuou um passo.

– Eu não devia ter dito isso. – A voz dele estava sombria, e agitou os nervos dela.

– Bem, talvez não – concordou Georgina, abraçando o próprio corpo e tremendo de novo, só um pouquinho. – Sabe, isso... isso na verdade não é... eu não sou o tipo de pessoa que... – Ela não conseguia nem se decidir onde deveria colocar as mãos, nos seios, ou... em outro lugar?

– Esqueça Richard.

Ela enrijeceu o corpo. Não podia esquecer Richard. Que tipo de esposa... de viúva... seria se fizesse isso? Por outro lado, que tipo de mulher ela era? Georgina virou-se em um pânico cego na direção de onde havia deixado as roupas.

– Sinto muito – disse por sobre o ombro. – Preciso ir.

Ela conseguiu apenas apanhar a anágua antes que ele a alcançasse. Hugh passou uma das mãos pela cintura dela. Georgina arquejou e levou a anágua aos seios.

– Não posso fazer isso – lamentou, a voz embargada. – Não sei o que eu estava pensando. Por favor, me deixe ir.

– Sou um imbecil – disse Hugh. – Georgie. Por favor. Não tive a intenção de mencionar... Não tive a intenção de provocar essas lembranças. É só que nenhuma mulher jamais...

– Não diga isso de novo! – Georgina sentia o rosto quente. – Richard *jamais* teria encorajado uma coisa dessas. Obviamente eu... sou só eu... – Ela se desvencilhou dos braços de Hugh. – Hugh, eu preciso ir.

As lágrimas faziam a garganta de Georgina arder. Ela deveria saber que não poderia se permitir fazer qualquer coisa que surgisse em sua mente. Não era nada boa com aquele tipo de coisa. Bastava ver quantas vezes Richard havia tentado corrigi-la gentilmente, e ela nunca sequer...

Ela tentou vestir a anágua, mas logo percebeu que Hugh puxava o tecido ao mesmo tempo.

– Me deixe! – disse Georgina, com determinação.

Ele era o maior idiota do mundo. Em um instante, Georgina estava olhando para ele com ardor e desejo, um tanto zonza, e no instante seguinte, os olhos dela estavam desolados e... O que diabos tinha se apoderado dele para que fizesse uma pergunta daquelas?

É que, quando Georgina o tocava, até mesmo quando apenas sorria para ele, Hugh sentia uma necessidade primitiva de que ela fosse só dele.

Os lábios dela o tocaram e ele pensou: ela é *minha*. Ela sorriu e ele pensou: ela é *minha*.

E quando ela encostou os lábios nele, Hugh teve um pensamento simplesmente idiota.

– Perdão – pediu Hugh.

Ele deixou cair a anágua e segurou-a pelos ombros, para que ela não pudesse escapar.

– É claro que perdoo – disse Georgina, e colocou a anágua sobre os quadris. – Acho que devo ter ficado louca por um momento. Eu... passei vergonha. Peço desculpas.

– Desculpas? Pelo quê?

Ela o encarou, agora furiosa.

Ainda a segurando pelos ombros, Hugh finalmente compreendeu. Se um olhar pudesse matar, o dela o teria transformado em cinzas ali mesmo.

– Você acha que eu não a respeito – disse ele, e puxou-a para mais perto.

Ela manteve a boca cerrada em uma expressão obstinada.

Hugh abraçou-a. Georgina era toda macia e quente onde ele era rígido e, de repente, o sangue já fazia o membro dele pulsar de novo. Ele repetiu junto aos cabelos dela:

– Você acha que eu não a respeito.

– Não vejo nada de interessante nessa conversa – disse ela, empurrando-o.

Mas Hugh a manteve firme onde estava.

– Você acha que estou horrorizado com o beijo que acabou de me dar.

– *Eu* estou horrorizada – disse Georgie, e afastou a mão dele. – Não tenho ideia do que estava passando pela minha cabeça. Eu...

– Você me deixou delirante – falou Hugh sem rodeios. – Louco, insano de prazer.

– Que maravilha. – Georgina conseguiu se afastar para pegar a camisa de baixo.

Hugh foi até ela porque sempre, sempre, iria atrás dela. E passou os braços por trás do corpo de Georgina tão rapidamente que ela guinchou como um ratinho.

– Eu amo você.

Georgina ficou paralisada.

Hugh continuou a falar, a felicidade daquela constatação se espalhando por todo o seu corpo.

– Eu amo você, Georgina. Acho que sempre amei, mesmo antes de você ir nadar comigo. Nada do que você possa fazer jamais vai me horrorizar, ou me desapontar, ou me fazer perder o respeito por você. Nada.

Ele esperou por um instante, mas Georgina não disse nada. Seus cabelos estavam caídos para a frente, emoldurando seu rosto, e Hugh não conseguia ver sua expressão. Por isso, começou a beijar a orelha dela e abraçá-la com tanta força que ela não poderia escapar.

– Quando você me beijou daquele jeito tão íntimo, eu subitamente me dei conta de que se tivesse dado aquele mesmo tipo de prazer a Richard, eu teria que matá-lo.

– Ele já está morto – falou Georgie. A voz dela saiu um pouco abafada, mas ela já não parecia mais zangada.

– Eu sei. E lamento que ele tenha morrido. Mas ao mesmo tempo não lamento, porque você é *minha*, Georgie. Acho que sempre foi e eu só não percebi isso a tempo, caso contrário, jamais poderia ter deixado que se casasse com outro homem. Jamais.

Ela respirou fundo e se virou lentamente nos braços dele para encará-lo. Viu aqueles olhos lindos cheios de uma insegurança muito doída.

– Então você perguntou sobre Richard porque estava com ciúmes?

Hugh a beijou com tanta intensidade que Georgina teve a sensação de estar derretendo nos braços dele. E então ele permitiu que ela sentisse a ferocidade do desejo que o consumia, um desejo que o deixava louco só de pensar em Richard.

Georgina sentiu o sentimento de posse de Hugh e, na base de tudo isso... o amor.

– Você é minha – disse Hugh em uma voz rouca, um instante depois.

— Hugh — sussurrou ela, e ele achou o tremor na voz de Georgina tão inebriante quanto um conhaque. E, do mesmo modo, lhe subiu imediatamente à cabeça.

— Acha mesmo que me desagradou o que você fez?

Ela hesitou.

— Teria desagradado a Richard.

Hugh cerrou os dentes por um momento e conseguiu conter um palavrão.

— Mas eu não sou Richard. — Ele enfiou a coxa entre as pernas dela, deixando Georgina sentir a força da perna dele contra a parte mais sensível dela. — Eu não sou Richard — repetiu com intensidade.

Os olhos de Georgie ficaram ligeiramente desfocados, bem do jeito que ele gostava. Ela estremeceu contra a coxa dele.

— Quero lamber você inteira — disse Hugh. — E quero que você faça o mesmo comigo. Quero fazer amor com você em cima da mesa de jantar, e dentro da água. Quero você inclinada sobre a cadeira da minha biblioteca, sorrindo para mim. Quero que me deixe tomar você inteira nos estábulos.

Georgina deixou escapar um som que era a mistura de uma risadinha com um arquejo.

Ele recuou e se deixou cair mais uma vez sobre a manta no chão. Seu membro estava orgulhosamente ereto.

— Por favor — implorou Hugh. — Por favor, faça aquilo de novo, Georgie, só por um momento, por um segundo que seja? Eu preciso experimentar aquela sensação mais uma vez na vida. Por favor.

CAPÍTULO VINTE E QUATRO

Hugh estava falando quase descontroladamente. Georgie prestou bastante atenção em seu rosto, pelo tempo necessário para se certificar de que não havia sequer um traço de horror ou surpresa em seus olhos. Não havia. Havia desejo... e algo mais.

Ela se ajoelhou ao lado dele com uma expressão muito recatada e pousou a mão em seu peito. Era firme e musculoso sob a ponta de seus dedos. Georgina estava constrangida demais para ter coragem de encarar os olhos dele, por isso se concentrou apenas em seu corpo, em descobrir do que Hugh gostava, o que dava prazer a ele.

Era uma loucura fazer amor assim, de um jeito que...

Ela precisava parar de pensar em Richard. Tinha que trancar essas lembranças em algum lugar no fundo da mente. Porque Richard, e a forma ligeiramente horrorizada como ele via o corpo dela... aquilo não tinha nada a ver com o que estava acontecendo naquele momento, não tinha nada a ver com fazer amor com Hugh em um campo de ranúnculos, sob o calor do sol.

Hugh era... Hugh. Estava com o corpo esticado, flexível como o de um gato, os olhos cintilando de prazer, o corpo tremendo sob o toque dela. Georgina roçou o polegar no mamilo dele, deixou os dedos correrem pela linha da cintura, arriscou-se um pouco mais para baixo. O som gutural que ele emitiu foi encorajador.

Mas ela mal o havia tocado antes que ele se levantasse subitamente e Georgina se visse deitada de costas, com aquele homem de 1,80 metro, muito excitado, em cima dela.

– Não consigo – disse Hugh, sem rodeios, encarando-a nos olhos. – Não sem correr o risco de passar uma vergonha e perder o controle, e não vou fazer isso com você.

Georgina teve que admitir que adorou o modo como aquilo soou.

– Perder o controle? – repetiu ela, deixando as mãos correrem suavemente pelas costas dele e experimentando ondular um pouco o próprio corpo. – Como assim?

Hugh não respondeu, apenas abaixou a cabeça e começou a roçar o nariz no seio dela.

Georgina perdeu o rumo da pergunta e começou a gemer, as mãos se curvando instintivamente para puxá-lo para mais perto. Pela primeira vez na vida sentiu um vazio, uma fome, que só poderiam ser preenchidos por outra pessoa.

– Hugh – falou, a voz saindo em um mero sussurro. – Por favor, eu...

Ele respondeu enfiando um dedo entre as pernas dela. Georgie arqueou o corpo contra o dele e soltou um gritinho. Bastaram duas arremetidas fortes com o dedo para que ela perdesse o controle, tremendo e gemendo, agarrando-o com força.

– *Sim* – disse Hugh em um murmúrio rouco. – Não acho que isso vá machucá-la, minha doce Georgie.

Então ele recuou e, antes que ela pudesse registrar o que ele dissera, penetrou-a com seu membro rígido.

Georgina arregalou os olhos. A sensação era completamente diferente do que havia experimentado antes, quando seu corpo parecia lutar contra a invasão do marido. Agora, em vez disso, Hugh deslizou para dentro dela, quente, grande e poderoso – e, em vez de se rebelar, o corpo dela queria mais.

– Dói? – perguntou ele, recuando.

Georgina não estava ouvindo. Na verdade, estava tentando puxá-lo de volta, e pedindo:

– Hugh.

Um sorriso lento se abriu no rosto dele, que lhe deu um beijo rápido e intenso.

– Vou entender isso como um *não* – falou Hugh, deslizando de volta para dentro dela. O sorriso se apagou. – Meu Deus, é tão gostoso estar dentro de você. Você é tão pequena, tão úmida, tão perfeita. – A voz dele agora era pouco mais do que um grunhido.

Georgie ergueu o corpo institivamente para recebê-lo, os músculos internos se retesando com força, tentando mantê-lo onde estava. Hugh arremeteu fundo e firme, de novo, e de novo. O primeiro orgasmo dela se misturou ao seguinte. Georgina soluçava e gritava, o corpo reagindo instintivamente à penetração.

– Não consigo... – arquejou Hugh.

Mas Georgina não foi capaz de responder. Estava entregue ao momento, o corpo se arqueando com força contra o dele, as mãos puxando-o mais para perto.

Ao sentir o toque da mão dela em suas nádegas, Hugh perdeu o controle. Georgina sentiu isso pelo modo como o corpo dele pesou sobre o dela, pelo gemido gutural que escapou de sua garganta.

Hugh recuou, apoiado nos cotovelos.

– Você é *minha* – disse entre os dentes cerrados, a voz pouco mais do que um grunhido.

Ele era... Georgie fechou os olhos com força, sentindo o calor novamente dominar seu corpo, e estremecendo, impotente.

– Eu amo você. – Hugh não conseguiu falar mais nada e se inclinou para capturar a boca de Georgina, o corpo dele levando o dela direto para dentro de uma explosão de prazer.

Uma explosão que de modo algum obscureceu as palavras dele.

Ou a alegria no coração dela.

CAPÍTULO VINTE E CINCO

Quando as pessoas conversam sobre mulheres desviadas, nunca comentam sobre como essas mulheres lidaram com os momentos constrangedores. Com o que acontece na sequência desse desvio, por assim dizer. Todos sabem que a primeira coisa que Eva fez foi conseguir para si um vestido feito com algumas folhas, e Georgie podia entender perfeitamente o motivo.

Era constrangedor.

Em um momento, você está tão dominada pelo prazer que está... bem, gemendo e grunhindo e, de um modo geral, agindo como um ser irracional. Mas então, quando tudo termina, você se vê deitada em um campo com trevos enfiados na parte de trás dos joelhos e muito provavelmente em outros lugares também.

E os cabelos estão desalinhados, e você não está tão limpa quanto gostaria, e suas roupas estão a uma boa distância.

– Maldição – gemeu Hugh, deixando um braço cair sobre os olhos. – Richelieu fugiu.

Georgie se sentou, feliz por ter outra coisa em que pensar. Seus seios se sacudiram e ela passou os braços ao redor deles. Então, olhou ao redor – enquanto Elsbeth ainda pastava tranquilamente, não havia sinal do animal que era o orgulho e a alegria de Hugh.

– Aonde ele foi? Acha que voltou para o estábulo?

Georgina voltou a olhar para Hugh, mas ele não parecia tão ansioso quanto deveria ficar um homem que não tinha ideia de onde estava o futuro campeão de Ascot. Em vez disso, esse mesmo homem estava fitando os seios dela.

– Meu Deus, você é tão linda – falou Hugh, a voz sussurrada, quase reverente.

Aquilo a fez se sentir um pouco melhor.

– Você também – comentou Georgina timidamente. – Quer dizer, você é um homem muito belo.

Ele rolou o corpo para ficar de lado.

– Sou um pouco abrutalhado, sempre fui. Mas você, Georgie... você é toda curvas, e sua pele é tão macia... e você tem um sabor tão gostoso. Tenho a sensação de que não deveria nem tocá-la. – Ele esticou a mão e correu o dedo pela curva do seio dela.

Georgina deixou os braços caírem e seus seios encheram a mão dele. Em um movimento ágil, Hugh ficou de joelhos diante dela e puxou-a para que também se ajoelhasse.

Georgie estava dolorosamente consciente de seu traseiro nu, do modo como seus seios tocavam o peito dele, da relva emaranhada sob seus joelhos. Mas então levantou os olhos para encontrar os de Hugh e todo o desconforto desvaneceu.

– Lady Georgina Sorrell – disse Hugh formalmente, pegando a palma da mão dela e levando aos lábios. – Me daria a imensa honra de se tornar minha esposa?

Frases emaranhadas passaram pela mente de Georgie... Ela nunca tivera a intenção de se casar de novo. Nunca pensara...

Um lampejo raro de insegurança cintilou nos olhos de Hugh.

– Georgie?

Ela precisava perguntar.

– Eu só...

Ele voltou a beijar a palma da mão dela, os olhos fixos nos dela.

– O que foi, meu bem?

– Ano passado mesmo, na Noite de Reis, você sequer se dava conta da minha presença na sala – disse ela, falando rápido. – Eu só... – Georgina não conseguiu completar.

– Eu sou um idiota, Georgie. Sempre fui – declarou Hugh. – Carolyn concordaria, não é mesmo?

Georgie assentiu.

– Não me visto como um conde. Maldição... Na maior parte do tempo, eu sequer tenho o *cheiro* de um conde. Mas sei o que eu sinto – disse ele, o tom ardente. – Amo você, Georgie, e você é minha. Vai se casar comigo porque é assim que tem que ser.

O sorriso no coração de Georgie deve ter se refletido em seus olhos, porque Hugh passou a apertar a mão dela com menos força.

– Quer que eu me case com você, mesmo que você às vezes suma e praticamente passe a morar nos estábulos?

– Nunca coloquei meus cavalos à frente das minhas irmãs, à frente das pessoas que eu amo. E nunca, jamais, colocarei meus estábulos à frente de você.

O sorriso de Georgie era trêmulo.

– Nunca estive em primeiro lugar na vida de ninguém – confessou ela, antes que pudesse se deter.

Demorou alguns minutos antes que Hugh parasse de beijá-la, e, quando isso aconteceu, Georgie já estava convencida de que, para ele, *ela* estava em primeiro lugar.

– Então? Você aceita? – perguntou ele.

Os olhos de Georgie ficaram marejados.

– Amo você, Hugh – sussurrou.

– Mas aceitar se casar comigo, sendo do jeito que sou, com todos os cavalos, toda a estupidez e o fedor de estábulo?

– Eu não ia me casar de novo.

Os dedos dele apertaram os ombros dela.

– Foi assim tão terrível com Richard a ponto de você não conseguir contemplar novamente a ideia... ou tem algo a ver comigo?

– Eu não pretendia amar você – disse Georgie, sorrindo através das lágrimas.

– Então?

– Achei que talvez se eu não casasse, eu não... – Mas as palavras se misturaram em sua mente, e seus medos agora pareciam tolos e insignificantes. No entanto, havia uma coisa que precisava ser dita. – É que não tenho certeza se posso ter filhos.

As palavras pareceram quase ecoar no ar, por isso Georgina continuou:

– Você fez uma lista, ou melhor, Carolyn fez a lista, e o objetivo disso era que você tivesse filhos para poder ter um herdeiro. – Ela engoliu com dificuldade. E Hugh continuou em silêncio. – Só acho que eu não... talvez pudéssemos ter apenas um *affair*.

– Um *affair* – repetiu ele. – Com você? Não.

– Ah, bem...

Mas Hugh continuou:

– Você é minha vida, é o meu coração, Georgie. A sensação que eu tenho é de ter estado vagando por aí feito um cego, ao menos até a semana passada, quando de repente ergui os olhos e lá estava você. Foi você o tempo todo. Não me importa nem um pouco se jamais tivermos filhos.

Dessa vez, as lágrimas rolaram pelo rosto dela. Hugh secou-as com beijos.

– Na verdade, você é a única pessoa que eu quero na vida, portanto talvez seja até melhor se não tivermos nenhum filho – disse ele, sentando-se e puxando-a para o colo.

– Richard e eu tentamos e tentamos... – falou Georgie contra o peito dele. Não conseguia se forçar a encará-lo nos olhos.

– Não me importo – disse Hugh.

As palavras vieram do fundo do coração dele, e Georgina soube... ela ouviu a verdade no que ele disse, como se estivesse escrito na pele de Hugh.

Então ela levantou os olhos, e viu que estava escrito também nos olhos dele.

– Você me ama, Georgie? – perguntou Hugh.

– Demais – disse ela, e sua voz falhou.

– Então se case comigo. Porque eu também amo você demais. Prometo ser mais cauteloso enquanto estiver treinando cavalos. Vou tomar cuidado. E, enquanto isso, vamos nos amar pelo máximo de tempo que pudermos, e isso é tudo o que importa.

O Sr. Bucky Buckstone, cujos campos corriam ao redor do laguinho, e que havia flagrado um cavalo grande, cor de lama, comendo os amores-perfeitos da esposa dele, estacou o passo, boquiaberto. Não havia limite para o que os aristocratas faziam naqueles dias. Lá estavam eles, nus como vieram ao mundo, bem ali no campo dele.

Buckstone ficou observando por um momento, mas quando o par afundou na relva, ele virou a cabeça do cavalo para longe e começou a voltar para o lugar de onde tinham vindo.

– Sei quem *você* é – disse a Richelieu. – Você pertence àquele conde que está visitando a casa grande, e desconfio que é ele que está lá atrás no meu campo. Sorte do conde que fui eu que o vi, e não alguns outros por aqui.

As orelhas dele ficaram um pouco vermelhas, enquanto ele caminhava rápido. Como disse à Sra. Buckstone alguns minutos depois, não havia limites para a ousadia de algumas pessoas. E mesmo quando a esposa lembrou a ele certo incidente que acontecera 23 anos antes, em uma noite cálida de verão, quando ele foi cortejá-la, Buckstone não se deixou demover.

– Aquilo fomos *nós* – insistiu ele teimosamente. – Eles são aristocratas.

A Sra. Buckstone riu e pegou outro lençol. Era dia de lavar roupa e ela estava pendurando as roupas de cama limpas para secar.

– E por que o conde não deveria estar se divertindo em um campo, assim como fazem as outras criaturas de Deus?

Bucky não tinha uma boa resposta para aquilo, por isso apenas balançou a cabeça de novo e levou Richelieu para a lateral da casa, para dar água ao cavalo.

CAPÍTULO VINTE E SEIS

Lady Georgina, que logo seria Georgina Dunne, condessa de Briarly, estava sonhando. Um garotinho de cachos castanhos e olhos que eram pura travessura corria pelo quarto dela, gritando a plenos pulmões. Estava montando um cabo de vassoura e, em sua travessura, varreu uma xícara de chá da penteadeira.

Ela estava chamando o menino, tentando fazê-lo parar antes que quebrasse alguma coisa – porque ele sempre quebrava coisas –, e o amava tanto que seu coração doía, até que... acordou subitamente do sonho.

As pessoas tendem a acordar quando corpos masculinos muito grandes aterrissam sobre elas no meio da noite. Especialmente quando o homem em questão estava com a mão dentro da camisola dessa pessoa antes mesmo que ela saísse do sonho.

Então o sonho se dissipou porque, bem, Hugh estava com o nariz enfiado no pescoço dela, deixando escapar sons vorazes, e a mão dele...

Aquela mão!

Era impossível se lembrar de um sonho no meio de tudo aquilo.

– O que está fazendo aqui? – perguntou Georgie, assustada. – Hugh, você não deveria fazer isso!

– Deveria, sim – disse ele, em uma voz que não permitia argumentação. – Todos neste maldito lugar finalmente foram dormir. Achei que Finchbird nunca mais se recolheria.

Então, Hugh voltou ao que estava fazendo e, àquela altura, Georgie havia perdido a vontade de resistir, como era costume dizer a respeito dos países sitiados.

E havia se esquecido do sonho.

O que explica o fato de lady Briarly estar olhando para o filho bebê, Gage Willet Dunne, cerca de nove meses depois, e dizendo:

– Não sei explicar por que, mas é como se eu já o conhecesse, Hugh. Como se sempre tivesse conhecido.

O orgulhoso pai, que se inclinou, beijou o filho e então a esposa, mais uma vez, balançou a cabeça.

– Nunca vi ninguém com uma expressão dessas, Georgie. Olhe só para ele. Parece o mais travesso dos meninos. Sinceramente, *eu* era um anjo quando bebê, mas esse aqui...

Mas isso só aconteceria dali a nove meses. Naquela noite de setembro, o conde havia jogado a camisola de sua futura esposa do outro lado do quarto, antes de se lembrar que havia algo que realmente precisava fazer. Por isso, levantou a cabeça e falou:

– Com licença, querida.

Georgie baixou os olhos para ele e deixou escapar um som que ficava entre um gritinho e um arquejo, e disse:

– Por favor, não pare...

– Preciso. Tenho que lhe dar uma coisa.

Ele deu um beijo na coxa dela, saiu da cama e atravessou o quarto.

– Você está sem roupas! – exclamou Georgina, que, ao que parecia, só então havia reparado naquilo.

– É claro que estou – confirmou Hugh, e acendeu um lampião na penteadeira. – Um cavalheiro nunca se esgueira para dentro do quarto de uma dama de botas. Meu Deus, como está frio hoje...

Georgie havia se deitado de lado, e agora estava apoiada no cotovelo, observando-o. Seus maravilhosos cabelos ruivos caíam em ondas sobre os seios. E Hugh voltou a experimentar a sensação de que aquela mulher era linda demais para ele. Para alguém como ele.

Mas então ele a encarou, e viu o biquinho malicioso e encantador nos lábios dela quando disse, claro como o dia, que ninguém jamais lhe dera prazer como ele.

Assim, Hugh voltou a se acomodar ao lado dela, embaixo das cobertas, e puxou o lençol por cima da cabeça dos dois. Ali, naquela caverna quentinha criada pelos corpos entrelaçados, iluminados pela luz dourada e suave do único lampião aceso, ele disse com ardor:

– Eu amo você.

Georgie sorriu, e a alegria nos olhos dela fez o coração de Hugh cantar.

– Eu também amo você, meu amor – sussurrou ela. – Vamos fazer amor embaixo do lençol? Você é tão romântico, Hugh.

Optaram por ficar embaixo das cobertas porque Hugh achou que certas partes importantes de sua anatomia corriam o risco de congelar, mas não viu motivo para desiludi-la se ela achava que o motivo era o romantismo.

– Eu faria amor com você em qualquer lugar – garantiu ele, e falava sério.
– Até em uma pilha de neve.

Então, com sua típica falta de sutileza, acrescentou:
– Eu não tinha isso comigo essa manhã.

Ele pegou a mão de Georgie e deslizou um anel pelo dedo dela.
– Hugh... – sussurrou ela.
– Imagino que seja antiquado – falou Hugh, subitamente se dando conta de que o anel da mãe talvez não estivesse exatamente *au courant*. Era um círculo de diamantes cercando um topázio imperial rosa.

Mas os olhos de Georgie cintilaram.
– É lindo, Hugh. É o anel mais lindo que eu já vi. Era da sua mãe?

Ele assentiu e deu um beijinho no nariz dela.
– Meu pai me deu esse anel depois que a minha mãe morreu, e me disse que eu deveria dá-lo à minha esposa.

Uma lágrima rolou pelo rosto de Georgie. Hugh enxugou-a com um beijo.
– Ela teria gostado muito de você, Georgie.

Mas então ele quis fazê-la parar de chorar, por isso rolou para cima dela e se dedicou a distraí-la.

Era muito bom naquele tipo de coisa.

Tão bom que Georgie não teve oportunidade de examinar direito o anel até a manhã seguinte, e por isso ainda lançava olhares encantados para a própria mão quando entrou no salão de café da manhã. Já era bem tarde, e a maior parte do grupo havia se retirado para o salão de visitas.

Na verdade, Carolyn e Piers eram os únicos que ainda estavam no desjejum. E quando Carolyn ficou de pé em um pulo e gritou "Aí está você!", ficou claro que os dois estavam esperando por ela diante de torradas frias e chá morno.

Georgie não conseguiu conter um sorriso.
– Dormi até um pouco mais tarde do que o habitual – disse, enquanto dava a volta na mesa para se sentar ao lado de Carolyn.

– Imagino – falou Carolyn, mas logo sua voz falhou. – Ah, Piers, olhe só isso! Meu irmão... minha mãe... isso é... Ah, Georgie, estou tão feliz por você!

Mais tarde, Carolyn disse algo que Georgie jamais esqueceria enquanto usasse aquele anel, ou seja, por toda a sua vida longa e feliz.

– Isso é exatamente o que o meu pai teria desejado, minha amiga. Gostaria muito que ele estivesse vivo para ver. Papai ficou desapontado quando você se apaixonou tão rapidamente já na sua primeira temporada social. E ele não ficou feliz quando você se casou com Richard, embora, é claro, eu jamais fosse lhe dizer isso.

– Ele não gostou de eu me casar com Richard?

– Não tinha nada a ver com Richard propriamente, mas papai achava que você era a única pessoa que conseguiria evitar que Hugh se isolasse nos estábulos. Ele sempre achou que Hugh era quem tinha sofrido o maior golpe com a morte da nossa mãe, e que você o ajudou de algum modo durante aquela época terrível. Algo aconteceu que o fez achar que vocês dois seriam perfeitos juntos.

Carolyn não disse mais nada, e Georgie não se aprofundou no assunto. Mas pelo resto da vida, sempre que alguém mencionasse alguma coisa sobre natação, a condessa de Briarly olharia para o marido com um sorrisinho secreto – o sorriso que o mantinha longe dos estábulos.

EPÍLOGO

Carolyn abriu caminho até o teatro antiquado, tagarelando enquanto entrava.

– Está vendo? – disse, acenando para o palco com a taça de champanhe. Muitos brindes haviam sido feitos em homenagem ao aniversário dela, durante o jantar. – O primeiro marquês de Finchley construiu esse teatro especificamente para uma das procissões reais da rainha Elizabeth pelo campo. Ela adorava teatro, sabia? Não posso dizer que o lugar foi muito usado desde então, mas espero que quando tivermos filhos passemos a vir aqui com mais frequência.

O marido baixou os olhos para ela com o tipo de expressão devotada que Hugh costumava odiar, mas que agora estava certo de também ostentar o tempo todo.

– Coloquei você no lugar da rainha Elizabeth, querida. No palco.

– Ah! – exclamou Carolyn. – Aquela é a cadeira da saleta azul.

– A mesma que aparece no retrato da rainha Elizabeth sentada exatamente neste palco – falou Finchley com orgulho. – Você vai se sentar no lugar de honra. Porque é o seu aniversário.

Ele se inclinou para a frente, então, e disse alguma coisa no ouvido de Carol que Hugh não conseguiu ouvir, mas pôde ter uma boa ideia do que devia ser, porque Carol ficou muito vermelha e Finchley deu um beijo no nariz dela de um modo que era absolutamente proibido na sociedade educada.

Isso o fez pensar sobre o que faria para comemorar o aniversário de 25 anos de Georgina. O fez pensar, aliás, no que faria também para comemorar o aniversário dela de 30, e o de 50, e o de 70 anos. Hugh baixou os olhos para ela e seu sorriso deve ter denunciado alguma coisa, porque Georgie ficou muito vermelha e disse:

– Hugh! Pare com isso!

Nesse meio-tempo, a irmã dele estava criando confusão, é claro.

– Não, eu não quero ficar lá no alto do palco sozinha, Piers! Quero você comigo. E quero Georgina também, porque ela e Hugh acabaram de ficar noivos e devem celebrar.

– Por falar nisso, a Srta. Passmore e lorde Charters estão na mesma situação – lembrou Hugh.

– E fico muito feliz de anunciar que a Srta. Peyton aceitou a minha mão em casamento – disse a voz grave do capitão Neill Oakes.

– Meu Deus, um verdadeiro bando de cupidos deve ter infestado esta casa – murmurou Hugh para Georgina.

– Algum arrependimento? – perguntou ela, sorrindo para ele.

– Nunca – falou Hugh, incapaz de manter o tom leve. – Jamais.

Então a beijou também, porque se o próprio anfitrião estava quebrando as regras sociais, ele poderia muito bem seguir o exemplo.

– Todos os casais recém-comprometidos devem se juntar a mim e a Piers no palco – anunciou Carol, batendo palmas e gesticulando para que os criados que se agitavam nas laterais do teatro carregassem os assentos para o palco.

Hugh se acomodou em um pequeno sofá e aconchegou Georgie junto a si. Gwendolyn tentou recuar, balançando a cabeça, mas Alec conseguiu convencê-la a ocupar uma cadeira ao seu lado. E Kate estava sentada no colo do capitão Oakes, o que era muitíssimo impróprio – a não ser pelo fato de que todos já estavam tão acostumados a vê-lo carregando-a para cima e para baixo que pareceu natural. Tinha algo a ver com o tornozelo dela, pensou Hugh. No fim, todos se sentaram em um semicírculo ao redor do palco, de costas para a plateia.

Ouviu-se um murmúrio de expectativa na plateia.

– Você avisou mesmo a lorde Finchley que não somos responsáveis por esta apresentação, não foi? – sussurrou Georgie.

– Terá que chamá-lo de Piers a partir de agora. Você é parte da família – avisou Hugh.

A mera ideia o deixou perigosamente perto de beijá-la de novo. Mas como estavam sentados em pleno palco, com pelo menos umas vinte pessoas da aristocracia os observando lá de baixo como se eles mesmos fossem o espetáculo, conteve-se.

Houve uma série de estouros na lateral do teatro e os criados se espalharam pelo palco e pela plateia, oferecendo taças de champanhe.

O marquês de Finchley se levantou.

– Posso fazer um último brinde à minha esposa, em cuja honra estamos todos reunidos?

Hugh já havia tomado mais champanhe do que gostaria – preferiria um bom vinho do Porto em vez daquela bebida feminina e cheia de bolhas. Mas bebeu assim mesmo.

Além do mais, Georgina ergueu o copo silenciosamente – não para Carolyn, mas para ele.

– O que foi? – sussurrou Hugh, aproximando-se.

– A você – disse ela.

Ele sentiu algo no peito se aquecer e terminou de beber pensando na sorte que tinha. Um criado prontamente voltou a encher ambas as taças.

Naquele momento, o Sr. Lear entrou no palco. Usava um traje de veludo amarelo, com algo que lembrava vagamente um halo ao redor da cabeça – isso se halos ficassem meio caídos de lado e pendurados acima de uma orelha.

– Então esses são os casais recém-comprometidos! – disse ele, dando um sorriso obsceno para os quatro casais sentados na beira do palco.

– Um de nós já é casado – disse Carolyn, animada.

– Ah, lady Finchley. – Lear fez uma mesura tão baixa que o halo vacilou perigosamente. Ele endireitou rapidamente o corpo e segurou o acessório com a mão direita. – É com o mais profundo respeito que lhe transmito as condolências de todos na minha trupe.

Houve um momento de silêncio. Piers pareceu prestes a dizer alguma coisa quando Lear se corrigiu.

– Congratulações! Não condolências. Congratulações! – continuou ele. – Estamos muito contentes de apresentar a feliz tragédia de Píramo e Tisbe, que já foi encenada com frequência diante da realeza e é sempre adorada. Os personagens são: eu mesmo, no papel da Lua; um leão feroz; e dois gentis amantes, a delicada Tisbe e o belo Píramo.

– Excelente – comemorou Carolyn, batendo palmas de novo. – Espero que não se importe por eu dizer isto em voz alta, mas é bem diferente assistir ao espetáculo aqui do palco.

– Comentários de todos os tipos são bem-vindos – disse Lear. – Embora achemos que bater palmas é mais apropriado.

Todos bateram palmas conscienciosamente quando Lear deixou o palco. Um instante depois, ele retornou, segurando um lampião. Foi seguido por uma jovem, envolta em um manto púrpura que era uns bons 30 centímetros longos demais para ela, o que a fez tropeçar no centro do palco. A moça manteve a pose.

– Aqui está o túmulo do velho Nino. Onde *está*... meu amor?

Na mesma hora ficou claro que Tisbe, lamentavelmente, não era uma grande atriz.

Um leão entrou, rugindo. Ao menos Hugh achou que fosse um leão, graças à aparência um tanto peluda e ao rugido rouco.

– Meu Deus! – gritou Tisbe, e saiu correndo do palco.

Hugh deu uma olhada ao redor. Todos olhavam horrorizados para o palco. Os figurinos eram péssimos e a atuação ainda pior. Georgina ergueu os olhos para ele em uma súplica desesperada.

– Grande rugido, Leão! – gritou Hugh, e ergueu a taça para saudar os atores.

Ele cutucou Georgie, que pareceu surpresa, mas logo falou também:

– Ah! Excelente corrida, Tisbe!

Hugh relanceou novamente o olhar pelo círculo. Todos pareciam desconcertados, a não ser a irmã dele, que sorria beatificamente. Carolyn estava estendendo a mão para outra taça de champanhe.

– E você cintilou muitíssimo bem, Lua – gritou Carolyn, soando um pouco bêbada. Ela levantou os olhos para o marido. – Sinceramente, a lua é muito graciosa. – Ela se virou para Gwendolyn, que estava sentada do seu outro lado. – Não achou uma lua graciosa?

– Não – respondeu Kate, do outro lado do palco.

O capitão Oakes cobriu a boca da noiva com a mão.

O Leão pegou a capa de Tisbe com a boca e sacudiu-a com bastante ênfase antes de sair do palco.

– O gato do celeiro teria feito um trabalho melhor – comentou Kate.

O noivo lhe lançou um olhar de aprovação.

Píramo entrou, usando uma peruca magnificamente encaracolada que o deixava parecendo um poodle.

– Doce Lua, agradeço a ti pelos raios de luz – disse. – Agradeço a ti, Lua, por brilhar com tanta força agora. – Como já cuidara das cortesias, ele fez uma pose. – Porque, pelos raios graciosos, dourados, cintilantes, eu... eu... – Uma expressão agoniada passou pelo seu rosto. – Ah, delicado pato! Ah, céus!

Gwendolyn se virou para Alec.

– De onde veio o pato?

– Não vi pato nenhum – declarou Kate, sem rodeios.

Oakes começou a rir, mas Píramo havia agarrado o manto e caído de joelhos.

– Manchado de sangue – informou à plateia. – Estou arrasado, sufocado, acabado! – Houve uma pausa, enquanto todos tentavam descobrir do que ele estava falando. – Tisbe deve estar morta – explicou ele à plateia, em um tom de leve repreensão.

– Ahhhh – disse Carolyn virando o que restava na taça. – Tisbe está morta. Que terrível. Pobre Tisbe.

– Pobre pato – falou Kate com ironia.

– Pobres de nós – acrescentou Alec.

– Venha, morte, amiga fiel – urrou Píramo, obviamente tentando falar mais alto do que eles.

– Quanto mais rápido vier, melhor – comentou o capitão Oakes.

– Estou ansiando para ver o bendito pato – falou Gwendolyn. – Pobrezinho.

Georgie puxou a cabeça de Hugh, para falar no ouvido dele:

– Desde quando Gwendolyn ficou tão espirituosa? Sempre achei que ela fosse tímida demais para dizer uma única palavra que fosse.

Carolyn se virou para Gwendolyn.

– Que pato? – perguntou, confusa. – Não estou vendo pato nenhum!

O marido gesticulou pedindo mais champanhe.

– Não se preocupe, querida. Se quer um pato, conseguirei um para você mais tarde.

Ela pareceu encantada.

Píramo deixou de contemplar a capa de Tisbe e puxou a espada.

– Venham, lágrimas frustradas! – gritou. – Vá, espada, e acerte o lado esquerdo do peito de Píramo. Sim, o lado esquerdo, onde bate o coração dele.

E Píramo enfiou a espada em si mesmo. Na verdade, ele enfiou mais de uma vez, o que pareceu deixar Georgie nervosa, por isso Hugh aproveitou o momento para puxá-la para mais perto.

– Amo o seio sob o qual seu coração bate – sussurrou no ouvido dela. – E o outro também.

– Assim eu morro, assim, assim, *assim*! – gritou Píramo, caindo em um aglomerado de membros frouxos.

Hugh acenou com a cabeça para Alec, reconhecendo uma boa cena de morte. Quando eram meninos, costumavam travar duelos, e Alec, em particular, conseguia esticar a própria morte por pelo menos cinco minutos.

Píramo claramente compreendia o valor de uma morte demorada. Ele se levantou do chão e gritou:

– Agora estou morto.

E caiu novamente.

– Já entendemos isso – disse Hugh, nos cabelos de Georgie.

Mas Píramo ainda não havia acabado.

– Agora alçarei voo. Minha alma está no céu. Lua, erga também o teu voo.

A Lua parecia ter perdido a concentração, já que o Sr. Lear não se moveu até Píramo o encarar com irritação. Finalmente, ela saiu do palco, e Píramo ergueu-se apenas o bastante para fazer seu discurso final.

– Agora morro, morro, morro, morro, *morro*!

Tisbe entrou correndo no palco e viu Píramo na mesma hora, embora fosse difícil não vê-lo, já que a espada estava enfiada em sua axila.

– Por acaso adormeceste, meu amor? – Ela caiu de joelhos e sacudiu-o. – Por acaso estás morto, meu amor?

– Essa história não lhe lembra a de Romeu e Julieta? – perguntou Carolyn a Gwendolyn.

– Particularmente, eu prefiro finais felizes – respondeu Gwendolyn.

– Eu também! – disse Carolyn, batendo palmas. – Podemos ter um final feliz, por favor?

Houve um momento de silêncio no palco.

– Eu disse que a capa estava coberta de sangue? – clamou Píramo, sentando-se. – Minha Tisbe deve ter trazido um jarro de vinho. Ah, amada Tisbe, me dê um gole.

Tisbe se ergueu com agilidade, chutou educadamente a espada para os bastidores e puxou Píramo para que ficasse de pé.

– Prove o vinho dos meus lábios rubros – disse ela, com uma eloquência bastante surpreendente.

– Vivo, vivo, vivo, vivo, vivo! – gritou Píramo.

– Amor... amor... amor... amor... amor – disse Tisbe, jogando-se nos braços de Píramo.

– Agora, sim. Isso é um final feliz – comentou Carolyn, com um suspiro.

No começo da apresentação, havia na audiência quem esperasse que o espetáculo não seria bem recebido.

Mas a verdade é que, no fim, quando os atores se reuniram para o agradecimento final, a audiência ficou de pé e bradou contente.

Especialmente Carolyn.

Que nunca se esqueceria de seu aniversário de 25 anos, um evento que comentaria sempre com o marido, e depois com os filhos, e então com os netos, mencionando a noite mais romântica da sua vida. Sobre a peça que foi praticamente escrita para ela. E sobre o melhor presente que seu amado já lhe dera.

– Você simplesmente não compreendeu a peça – dizia ela a um Piers educado mas cético, todos os anos, em seu aniversário. – Era sobre vida, morte e amor...

– E o pato? – perguntava ele, toda vez.

– O mistério da vida e da arte – respondia Carolyn com um suspiro. – Você só precisa aceitar que não estamos destinados a compreender tudo.

– Há uma coisa que eu com certeza compreendo – falava Piers, puxando-a para mais perto.

E ela sorria para ele, porque o presente que o marido lhe dera em seu aniversário de 25 anos, e no de 30 anos, e no de 50, e no 70, era sempre o mesmo, e os dois sabiam disso.

O amor era o melhor presente de todos.

CONHEÇA OUTROS LIVROS DE JULIA QUINN

Os Bridgertons
O duque e eu
O visconde que me amava
Um perfeito cavalheiro
Os segredos de Colin Bridgerton
Para Sir Phillip, com amor
O conde enfeitiçado
Um beijo inesquecível
A caminho do altar
E viveram felizes para sempre

Os Rokesbys
Uma dama fora dos padrões
Um marido de faz de conta
Um cavalheiro a bordo
Uma noiva rebelde

CONHEÇA OUTROS LIVROS DE ELOISA JAMES

Quando a Bela domou a Fera
Um beijo à meia-noite
A duquesa feia
A torre do amor
Esse duque é meu

Para saber mais sobre os títulos e autores da Editora Arqueiro, visite o nosso site. Além de informações sobre os próximos lançamentos, você terá acesso a conteúdos exclusivos e poderá participar de promoções e sorteios.

editoraarqueiro.com.br